MICHELLE MARLY

Madame

PIAF

und das Lied der Liebe

aufbau taschenbuch

MICHELLE MARLY

MADAME
PIAF

UND DAS LIED DER LIEBE

ROMAN

 aufbau taschenbuch

MIX
Papier aus verantwor-
tungsvollen Quellen
FSC® C083411

ISBN 978-3-7466-3481-4

Aufbau Taschenbuch ist eine Marke
der Aufbau Verlag GmbH & Co. KG

1. Auflage 2019
© Aufbau Verlag GmbH & Co. KG, Berlin 2019
Gesetzt aus der Adobe Devanagari durch die LVD GmbH, Berlin
Druck und Binden CPI books GmbH, Leck, Germany
Printed in Germany

www.aufbau-verlag.de

C'est lui pour moi, moi pour lui dans la vie
Er für mich, ich für ihn, ein Leben lang

AUS »LA VIE EN ROSE«

PROLOG
1937

»Mon légionnaire«

Moral ist, wenn man so lebt,
dass es gar keinen Spaß macht,
so zu leben.

Édith Piaf

Paris

Der größte Trubel hatte sich gelegt. In dem kleinen Bistro an der Place Pigalle saßen nur noch ein paar übrig gebliebene Nachtschwärmer bei dämmriger Beleuchtung. Merkwürdig deplatziert wirkten die beiden Herren im eleganten Frack, die nach einem wohl langen Bummel durch die Vergnügungslokale ihren kleinen, starken Kaffee nippten und frische Croissants eintunkten. In der Ecke neben der Kellertür hatte sich eine Gruppe junger Leute um einen Tisch versammelt, junge Männer mit Schiebermütze aus dem Milieu und schäbig gekleidete Künstler, die so ausgelassen feierten, als gebe es niemals ein Morgen, an dem sie in ihren sorgenvollen Alltag zurückkehren mussten. Diese jungen Menschen gehörten ganz offensichtlich hierher, sie bewegten sich in dem Lokal wie in ihrem eigenen Salon. Dabei umringten sie eine junge Frau, deren Stimme lauter war als alle anderen, sie redete ununterbrochen – und leerte schneller als jeder andere die Gläser. Zu ihr flogen die Blicke der vornehmen Herren ebenso wie die des leichten Mädchens, das mit verschmierter Schminke ihre Nachtarbeit mit einem Pastis beendete und dabei die Scheine auf die Theke zählte, die sie ihren Freiern abgenommen hatte und nun an ihren Zuhälter weiterreichte. Man kannte sich, wenn auch nur vom Sehen.

Édith Gassion, die junge Frau im Zentrum, war ein winziges Persönchen, gerade einundzwanzig Jahre alt, nicht einmal eineinhalb Meter groß und alles andere als eine auffallend attraktive Frau. Ihre Stirn war zu hoch, die Nase zu schmal und zu lang, ihr dunkles Haar widerspenstig und nur halbwegs gepflegt. In ihren braunen Augen lagen jedoch Schalk, Trotz und Traurigkeit dicht beieinander und zogen jeden, der hineinschaute, in ihren Bann. Neben ihrer Stimme war es die Magie dieser Augen, die sie als Schönheit erstrahlen ließ. Es war, als funkelten sie in der Nacht besonders hell, gleich Sternen, die aufgingen, wenn die Bourgeoisie schläfrig wurde. Die Stunden zwischen elf Uhr abends und sechs Uhr morgens waren Édiths liebste Zeit. Da feierte sie endlose Freudenfeste, deren einziger Anlass darin bestand, den Tag zuvor überlebt zu haben. Und obwohl sie nicht viel Geld besaß, bezahlte sie fast immer für all ihre Freunde.

Als die Tür aufgestoßen wurde, wehte ein kalter Luftzug herein. Im ersten Moment achtete niemand darauf, denn in den Morgenstunden mischten sich für gewöhnlich die ersten Frühaufsteher mit den Nachtschwärmern, Männer in Arbeitskleidung begannen hier ihren Tag mit einem Kaffee und einem Cognac. Doch der große, hagere Mittdreißiger, der in den Gastraum trat, gehörte zu einer anderen Klientel. Er war gut gekleidet, auf den Schultern seines eleganten Mantels schmolzen die Flocken des Schneetreibens draußen. Offenbar wollte er weder einen Absacker noch einen Wachmacher: Er sah sich kurz um und schritt dann mit zusammengepressten Lippen und finsterem Blick auf den Ecktisch zu. Hinter Édiths Stuhl blieb er stehen.

»Du musst dich ändern«, stieß er hervor. »Sofort! Hörst du?« Sie hörte ihn wohl, verstand ihn jedoch nicht. Was weder an dem Trubel um sie herum lag noch an dem Wein oder dem Cognac, die sie abwechselnd trank. Beschäftigt mit der Frage, warum er sich zu dieser Uhrzeit nicht im Bett bei seiner Frau befand, drehte sie sich zu ihm um. »Lass mich in Frieden, Raymond. Ändere du doch erst einmal was in deinem Leben!«

Einer ihrer Freunde blickte über den Rand seines Weinglases zu dem Fremden. »Wer is'n das?«

»Darf ich vorstellen?« In Imitation einer vornehmen Geste ruderte Édith übertrieben mit den Armen. »Das ist Raymond Asso, Textdichter und Liebhaber, Fremdenlegionär und ...« Sie zögerte und fügte dann leise mit gesenkten Lidern hinzu: »Freund und Lehrmeister.« Fast hätte sie auch *große Liebe* gesagt, aber auf gewisse Weise war jeder neue Mann in ihrem Leben eine große Liebe. So einen wie diesen hatte sie allerdings noch nie gehabt, der war etwas Besonderes. Dennoch ließ sie den Zusatz weg. In diesem Augenblick versuchte sie,

Raymond ein bisschen weniger zu lieben – sein Auftritt ärgerte sie.

Mehrstimmiges Gejohle war die Antwort auf ihre Vorstellung.

Nun ging ein Ruck durch ihren kleinen, mageren Körper, sie richtete sich auf und legte sich fast auf den Tisch, um die Flasche in dem schäbigen, vergilbten Weinkühler, der einst versilbert gewesen sein mochte, zu erreichen. Durch die Bewegung rutschte ihr bunter Rüschenrock hoch und entblößte ihre Schenkel. »Willst du mit uns trinken?«, rief sie über die Schulter.

»Du benimmst dich wie eine *putain*«, schimpfte Raymond und drückte sie energisch auf ihren Stuhl zurück.

Achselzuckend ließ Édith ihn gewähren. Seine Worte trafen sie nicht. Generell interessierte sie nicht, was andere Menschen über sie sagten. *Putain* – Hure – war nicht einmal die übelste Beleidigung. Da, wo sie herkam, gab es ganz andere Bezeichnungen für eine Frau, da wurde niemand mit Samthandschuhen angefasst. Ihre Mutter hatte sie auf einem Treppenaufgang im Arbeiterviertel Belleville zur Welt gebracht. Als Säugling hatte Édith bei der Großmutter mütterlicherseits gelebt, die sie fast verhungern ließ, dann war sie im Bordell der Großmutter väterlicherseits bei Rouen aufgewachsen. Und ausgerechnet in diesem Etablissement hatte Édith erstmals so etwas wie Liebe erlebt. Doch in dem Alter, in dem andere Mädchen in die Schule kamen, hatte der Vater sie der Fürsorge der Prostituierten entrissen. Mit ihm hatte sie im Wanderzirkus gelebt, später auf der Straße. Dagegen war das Zimmer im Piccadilly, einer schäbigen Pension an der Place Blanche mit immerhin relativ anständigen Bewohnern, eine deutliche Verbesserung. Raymond hatte sie dort seit kurzem untergebracht. Raymond, der sie zu einem besseren Menschen zu formen versuchte – und von dem sie wusste, dass er es nicht so meinte, wenn er mit ihr schimpfte.

Die verwirrten und bedrohlichen Blicke der jungen Männer in ihrem Kreis ignorierte er ebenso wie Édiths Gleichmut. Er sprach zu ihr, als wären sie allein:»Diese nächtlichen Gelage müssen aufhören, wenn du etwas aus dir machen willst. Diese Schmarotzer sollen verschwinden, und mit dem vielen Trinken ist es ab sofort auch vorbei.«

»Soll ich ihn rauswerfen?«, rief einer ihrer Freunde, der sich ebenso gut mit den Regeln der Straße auskannte wie Édith. Seine jugendlich helle Männerstimme überschlug sich fast vor Vorfreude auf eine Prügelei mit dem feinen Monsieur.

»Lass ihn«, mischte sich Simone Berteaut ein, Édiths Freundin und Schwester im Geiste. Sie stammte wie Édith von der Straße, und die beiden jungen Frauen teilten ihr Leben seit etwa fünf Jahren, gaben einander Sicherheit, Halt und Geborgenheit. Und Simone kannte jeden Mann, mit dem Édith ins Bett ging.»Gegen den hast du keine Chance. Er war nicht nur Fremdenlegionär, sondern auch bei den *Spahis*, du weißt schon, diesem algerischen Kavallerieregiment.«

»Aber er trägt keine Uniform ...«

»Nicht mehr, Dummkopf. Jetzt ist er Zivilist und schreibt

Chansons für Marie Dubas. Er ist ihr Privatsekretär.« Simone sprach ziemlich laut – und der Name der berühmten Sängerin ließ auch den letzten von Édiths Zechbrüdern verstummen.

Wer nicht schon von Raymond Assos heroischer Vergangenheit in Nordafrika beeindruckt war, empfand nun tiefe Bewunderung angesichts seiner Bekanntschaft mit Marie Dubas. Inzwischen waren auch die anderen Gäste auf das Spektakel aufmerksam geworden. Neugierig starrten und lauschten sie. Allein der Wirt hinter der Theke trocknete die zuvor gespülten Mokkatassen ab, als gehe ihn das Geschehen in seinem Lokal nichts an. Scheppernd räumte er die Tassen in das Regal.

»Wenn du dich nicht änderst, wirst du niemals im ABC auftreten können«, verkündete Raymond.

Es wurde so still, dass man eine Stecknadel hätte fallen hören. Sogar der Wirt hielt kurz in der Bewegung inne.

Das ABC war eine andere Welt. Ein Ehrfurcht einflößender Ort, den jeder zumindest dem Namen nach kannte. Nicht nur, dass sich das Musiktheater in einem besseren Bezirk an einem der Grands Boulevards befand. Mehr noch als das legendäre Moulin Rouge war es *der* Ort für die Großen der Musikbranche. Für fast alle Sänger war es ein Traum, auf dieser Bühne die Weihen des Erfolgs zu empfangen. Wer im ABC auftreten durfte, war längst ein Star oder auf dem besten Wege dorthin. Jeder Pariser wusste das. Und natürlich kannte auch Édith das ABC. Vom Vorbeigehen, von sehnsüchtigen Blicken zu den Plakaten und Ankündigungen der Konzerte. Doch nicht einmal als Zuschauerin war sie bisher dort gewesen, der

Preis für die Eintrittskarte lag außerhalb ihrer Möglichkeiten. So blieb das ABC ebenso ein Traum wie die Hoffnung auf ein sorgloseres Leben.

Édith sang vor Publikum, seit sie zehn Jahre alt war. Damals hatte der Vater ihr erklärt, sie müsse sich ihr Essen fortan selbst verdienen. Also hatte sie auf der Straße zu singen begonnen, während er als Akrobat seine Kunststücke zeigte. Sie tingelten durch die Provinz, meist verdiente die Tochter mit ihrer klaren Stimme mehr als der Vater mit seinen Muskeln und seiner Geschicklichkeit. Sie sang, was ihr in den Sinn kam, hauptsächlich die Chansons, die ihre liederliche Mutter in ebensolchen Kaffeehäusern zum Besten gab, und dann noch die »Marseillaise«. Denn für die französische Nationalhymne warfen die Leute immer ein paar Münzen extra in ihren Hut. Ihre Einnahmen wären ausreichend für sie gewesen, hätte der Vater ihr nicht alles abgenommen. Und sie geschlagen, wenn es nicht genug war für ihn. In dieser Zeit lernte Édith jedoch nicht nur die Brutalität des Lebens auf der Straße kennen, sie begriff auch, dass sie singen *musste*. Denn die Tonfolgen taten so viel mehr, als nur für ihr materielles Überleben zu sorgen – sie schenkten ihr Geborgenheit. Die Musik vermittelte ihr eine Wärme, die sie vergessen ließ, dass sie keine zärtlichen Umarmungen von Mutter oder Vater kannte. Und dann war da der Applaus, die Anerkennung, die sie schon als kleines Mädchen in eine Ekstase versetzte, die nicht annähernd vergleichbar war mit dem Rausch, den sie später erlebte, wenn sie sich betrank. Der Beifall war das Großartigste, was sie je erlebt hatte, ihr vollendetes Glück. Deshalb konnte sie nicht anders: Sie musste singen, um Liebe zu erfahren.

Mit fünfzehn lief sie ihrem Vater davon, ließ den Kontakt zu ihren Eltern aber nie ganz abreißen. Gemeinsam mit einem anderen Straßenkind – ihrer Freundin Simone – machte sie sich auf den Weg in ein neues Leben. Édith sang an der Place Pigalle, und Simone sammelte das Geld ein, das ihr Vortrag den Passanten wert war. Schon bald stellten sich die beiden Mädchen unter den Schutz der jungen Männer, die in diesem Milieu das Sagen hatten. So begannen die Freundschaften, die Édith an den Ecktisch in dieses kleine Bistro führten und die nun seit nahezu drei oder vier Jahren hielten. Als Édith und Simone sich irgendwann in ein besseres Arrondissement vorgewagt hatten, hatten sie prompt Ärger mit der Polizei bekommen und waren dabei einem freundlichen Herrn mittleren Alters begegnet. Dieser war Louis Leplée, der Besitzer des Cabarets Gerny's. Beeindruckt vom Gesang der jungen Frau, brachte er Édith bei, ihre Stimme zu formen, dazu ein wenig Atemtechnik, gab ihr ordentlich zu essen und ihr und Simone ein warmes Bett, vor dem sie jedoch gelegentlich in die vermeintliche Freiheit der Straße flüchteten. An ihrem privaten Umfeld änderte sich wenig, obwohl *Papa Leplée,* wie Édith ihn liebevoll nannte, sie von der Straße auf seine Bühne brachte, für einen ersten Schallplattenvertrag sorgte und ihr sogar einen Auftritt im Radio verschaffte. Auch einen Künstlernamen erdachte er für sie: *La Môme Piaf,* der kleine Spatz, was eine Anspielung auf ihre Körpergröße von nur hundertsiebenundvierzig Zentimetern und auf ihr unabhängiges, freches Wesen war.

Der gewaltsame Tod ihres Mentors und die Verdächtigungen, die Édith mit seiner Ermordung in Verbindung brachten, zwangen sie, Paris für eine Weile zu verlassen. Ihre Freundin Simone wie immer im Schlepptau. Inzwischen brauchte Édith nicht mehr auf der Straße zu singen, dank Leplée konnte sie ein Repertoire vorweisen, das sich für die kleinen Bühnen eignete: In der Provinz zwischen Brest und Nizza, wo sie niemand kannte, fand Édith Engagements in zweit- und drittklassigen Nachtclubs. Die Gagen waren nicht üppig, aber irgendwie schaffte sie es, sich und Simone über Wasser zu halten und stets ausgelassen die Nächte durchzufeiern. Nach ein paar Monaten hatten die beiden jungen Frauen jedoch genug von der Wanderschaft und kehrten nach Paris zurück. Zufällig begegnete Édith an einem ihrer ersten Abende in einer Bar am Montmartre Raymond Asso. Sie kannte ihn flüchtig durch Leplée – und ohne große Worte nahm er sie unter seine Fittiche.

Raymond verschaffte ihr Engagements in kleinen Cabarets, brachte sie im Piccadilly unter und kümmerte sich in jeder freien Minute um sie. Er versuchte, ihr beizubringen, sich wie eine junge Dame auszudrücken und entsprechend zu pflegen. Die Rüschen und Volants an ihren bunten Kleidern hatte er ihr zwar noch nicht ausreden können, aber immerhin schleppte er sie zu einem guten Friseur und riet ihr zu mehr Körperpflege. Letzteres nicht zuletzt aus Eigennutz, da er ihr Geliebter wurde. Édith mochte ihn, sogar viel mehr als das,

das Problem war nur, dass er als verheirateter Mann niemals bei ihr übernachtete – und sie hasste es, nachts allein zu sein. Deshalb sorgte sie dafür, dass Simone die andere Seite des Doppelbetts einnahm, was Raymond wiederum verstimmte. Die so entstandene Dissonanz in ihrer Beziehung änderte jedoch nichts an Raymonds Begeisterung für ihr Talent als Sängerin. Wie ein gewisser Pygmalion in der griechischen Mythologie, von dem Édith zum ersten Mal durch ihn hörte, versuchte Raymond, aus ihr eine seiner Ansicht nach perfekte Chansonnette zu machen. Er brachte ihr bei, einen ausdrucksstarken Text zu erkennen und ihn richtig zu betonen; er regte an, dass sie Bücher las, und empfahl ihr bedeutende Schriftsteller. Édith ließ die Werke unberührt, irgendwann musste sie zugeben, dass sie kaum lesen und schreiben konnte, weil sie nie eine Schule besucht hatte und nur im Wanderzirkus hin und wieder unterrichtet worden war. Also bemühte sich Raymond, ihr auch die verlorene Schulzeit zu ersetzen. Und alles immer mit dem Hinweis, eine große »Persönlichkeit« aus ihr zu machen. Er tat fraglos ihrer Karriere gut, doch für den Himmel auf Erden würde selbst er nicht sorgen können. Ein Engagement im ABC war für jemanden wie sie undenkbar.

Brüsk schüttelte sie seine Hand ab. »Bist du verrückt geworden? Ich soll im ABC auftreten? Machst du dich über mich lustig?«

»Ich habe mit dem Direktor Mitty Goldin vereinbart, dass du als Anheizerin von Gilles et Julien auftrittst. Es war nicht einfach, ihn zu überzeugen, die ganze Nacht habe ich auf ihn einreden müssen, dann hat er zugesagt. Du hast dreißig Minuten. Die Premiere ist am sechsundzwanzigsten März.«

Édith klappte das Kinn herab. Fassungslos sah sie Raymond an. Bisher hatte sie sich immer auf ihn verlassen können. Er trennte sich zwar nicht von seiner Frau, aber er war ihr bester Freund. Dafür liebte sie ihn. Außerdem war er ziemlich humorlos, wofür sie ihn etwas weniger liebte. Wenn er jedoch sagte, dass sie im ABC singen würde, dann machte er womöglich keine Witze.

Durch die alkoholisierten Nebelschwaden, die durch ihr Hirn waberten, begriff sie, dass sie tatsächlich vor einem großen Debüt stand. Unwillkürlich schnappte sie nach Luft. Doch statt Raymond um den Hals zu fallen, was ihr erster Impuls war, blieb sie auf ihrem Stuhl wie festgeklebt sitzen und rief mit sich überschlagender Stimme: »Champagner! Champagner für alle!«

In ihre Freunde kam Leben. Die Männer stießen sich gegenseitig mit den Ellenbogen in die Seiten und grinsten.

»Nein, keinen Champagner!«, brüllte Raymond. Er schnippte mit dem Finger, um dem Wirt ein Zeichen zu geben. »Kaffee. Bringen Sie Kaffee. Mademoiselle braucht keinen Champagner, sondern Kaffee. Am besten einen Liter.«

»Du bist ein Spielverderber«, maulte Édith.

»So ist er«, murmelte Simone.

Ihre anderen Freunde grummelten. »Soll ich ihn nicht doch rausschmeißen?«, fragte der, der zuvor schon dieses Ansinnen vertreten hatte.

»Wenn ich jetzt Kaffee trinke, kann ich nicht schlafen!«, protestierte Édith.

»Sehr gut«, kommentierte Raymond. »Du wirst auch nicht schlafen, sondern arbeiten. Sobald du ein bisschen nüchterner geworden bist, fahren wir zu Marguerite Monnot.«

Édith gähnte demonstrativ und sperrte absichtlich den Mund auf, ohne die Hand davorzuhalten. »Warum willst du mich deiner neuen Geliebten vorstellen?«

Allgemeines Gelächter antwortete ihr.

»Du irrst. Das ist sie nicht.« In Raymonds eisblauen Augen funkelten Blitze. »Marguerite Monnot ist eine der besten Musikerinnen, die ich kenne. Sie ist Komponistin, und wir arbeiten zusammen. Sie hat die Musik zu meinem neuen Chanson ›Mon légionnaire‹ geschrieben, das Marie Dubas auf Schallplatte aufgenommen hat.«

»Oh«, murmelte Édith. Marie Dubas war ihr Vorbild. Die war mehr als eine Sängerin, die Dubas erzählte Geschichten mit ihren Liedern – wie eine Schauspielerin, die in einem Theaterstück Figuren lebendig werden ließ. Dabei verlor sie nie die kleinen Leute aus den Augen, jene Menschen, die schon immer zu Édiths Umfeld gehörten. Édith wünschte sich, diese Klasse zu haben, und versuchte, die bewunderte Sängerin gelegentlich vor dem Spiegel zu kopieren, doch fehlte ihr deren komödiantischer Einschlag – ihr lag mehr die Dramatik. Dass die Komponistin der Dubas mit ihr, La Môme Piaf, zusammenarbeiten wollte, war beinah ebenso unvorstellbar wie ein Engagement im ABC. Andererseits stand der Sekretär und

Textdichter der Dubas gerade dicht hinter ihr, sie spürte seine Hand schwer auf ihrer Schulter liegen, und er war ihr Liebhaber und Freund ...

Raymond indes redete mit voller Überzeugung weiter: »Du brauchst für das ABC eigene Lieder. Genau genommen darfst du fünf neue Chansons singen. Dafür brauchst du besondere Gesangsstunden, im ABC kommt es auf dein Stimmvolumen an, es gibt dort keine Mikrophone. Außerdem brauchst du neue Garderobe und ein besseres Benehmen, von deinem Auftreten in der Öffentlichkeit wird viel abhängen.«

Die Liste der Notwendigkeiten, die er vor ihr aufrollte wie ein mittelalterlicher Bote eine Rolle Pergament, schien kein Ende zu nehmen. Bald nahm sie gar nicht mehr wahr, was er sagte. Vor ihrem geistigen Auge sah sie drei Buchstaben aufflackern – ABC – und dann den Künstlernamen, den Papa Leplée ihr gegeben hatte, aus strahlenden Glühbirnen geformt, mit denen die Stars auf der Leuchttafel über dem Eingangsportal am Boulevard Poissonnière angekündigt wurden. Sie sah sich auf der großen Bühne, die sie hinter dem zweiflügeligen Eingang vermutete, und hörte sich »Mon légionnaire« singen. Anders als Marie Dubas, ja vielleicht sogar besser ... Was für ein wundervoller Traum!

Aber eben nur ein Traum. Sie war zu betrunken, um zu beurteilen, ob Raymond die Wahrheit sprach. Ein Engagement im ABC ...? Für mich? Der spinnt doch, fuhr es ihr durch den Kopf.

Dennoch nahm sie gehorsam den Kaffee entgegen, den der

Wirt ihr brachte. Sicher war es sinnvoll, ein wenig klarer denken zu können. Dann würde sie womöglich verstehen, was Raymond morgens um halb sechs in diese Bar getrieben hatte.

Sein Auftritt kam ihr vor wie die Darbietung eines Magiers im Zirkus: Raymond zauberte ein weißes Kaninchen aus dem Hut und ließ es wieder verschwinden, nachdem der Applaus eingesetzt hatte. Doch keiner ihrer Freunde klatschte. Vielleicht blieb das Kaninchen ja da, und das Engagement im ABC war keine Illusion. Und der Beifall würde am Ende ihrem Debüt im prestigeträchtigsten Musiktheater von Paris gelten. Die Frage war nur, ob dieser Gedanke mehr als eine Illusion sein konnte.

»Du brauchst einen neuen Namen«, hörte sie Raymond sagen, aber auch das nahm sie kaum wahr. Das Koffein schien nicht anders zu wirken als die Unmengen an Alkohol. Oder ein Zuviel von Wein und Cognac vertrug sich nicht mit dem Mokka. Édith wusste es nicht. Bevor ihre Lider plötzlich zufielen und ihr Kopf nach vorn sackte, bohrte sich Raymonds Stimme wie ein Pfeil in ihr Hirn: »Niemand will einen *kleinen Spatz* im ABC singen hören.«

Sie hatte es ja von Anfang gewusst!

ERSTER TEIL
1944

»Padam, Padam«

Das Leben ist wundervoll.
Es gibt Augenblicke, da möchte man sterben.
Aber dann geschieht etwas Neues,
und man glaubt, man sei im Himmel.

Édith Piaf

KAPITEL 1

Paris

Die Stadt erstrahlte zwar noch nicht wieder im hellen Glanz
der Vorkriegszeit, doch die Verdunkelungsvorschriften waren
weitgehend aufgehoben worden. Gelbes Licht fiel auf die Straßen der Hauptstadt, über die nun keine Armeestiefel mehr
zum Angriff oder zur Verteidigung marschierten, die Schüsse
der letzten deutschen Heckenschützen waren verhallt, der
Geruch von Blut und Tod vom Sommerwind getilgt. Die einzigen Soldaten, die nun zwischen Montmartre und Montparnasse feierten, waren Franzosen oder Alliierte, vor allem GIs
der 4. Infanteriedivision, die Paris befreit hatten. Für diese
neue Klientel öffneten nach und nach wieder die Vergnügungslokale. Aus den meisten Musiktheatern, Varietés und
Cabarets hallten die Töne von Big Bands mit dem Sound von
Glenn Miller, die jungen Pariser trällerten neuerdings amerikanische Hits statt Chansons und steckten sich dabei anstelle

der typisch französischen schwarzen *Gauloises*-Zigaretten aus hellem Tabak in die Mundwinkel. Im Schatten des Eiffelturms begann eine neue Zeitrechnung.

Und nun hob sich der Vorhang des ABC für einen jungen Mann Anfang zwanzig. Er stand am Rand der Bühne im Scheinwerferlicht und wirkte wie die schlechte Kopie eines Cowboys. Auf seinem dunklen Haar saß ein Panamahut, der zu groß für sein schmales Gesicht war, und Hemd und Hose waren zu weit für seinen schlaksigen, dünnen Körper. Der Interpret stand während seines Vortrags nicht gerade, wie es sich für einen Chansonnier der Spitzenklasse gehörte, sondern schob die Schulter vor wie ein drittklassiger Nachtclubsänger und zwinkerte seinem Publikum zu. Sein breites Grinsen schien dabei ebenso deplatziert wie die »Yippie, yippie, yeah«-Rufe, mit denen er das Lied »Dans les plaines du Far West« ausschmückte.

»*Mon dieu!*«

Édith richtete sich in ihrem Theaterstuhl auf, sah sich um – und wunderte sich, dass keine Pfiffe oder Buh-Rufe aus dem Publikum zum Podium flogen. War es möglich, dass die rund eintausendzweihundert Zuschauer des vollbesetzten Musiktheaters von der hanebüchenen Vorstellung angetan waren? Die Leute harrten ruhig auf ihren Plätzen aus, im Halbdunkel erkannte sie auf dem einen oder anderen Gesicht sogar ein wohlwollendes Lächeln. War sie womöglich die Einzige weit und breit, die etwas – eigentlich alles – an dieser Darbietung auszusetzen hatte? So weit konnten die Dankbarkeit der Pariser und die damit verbundene Anbetung alles Amerikanischen doch nicht gehen! Einem Franzosen, der auf der Bühne des prestigeträchtigsten Musiktheaters der Stadt einen Hillbilly-Musikclown aus sich machte, konnte sie beim besten Willen und trotz ihres Sinns für Humor keinen Beifall zollen.

»Er ist Italiener.«

»Was?« Sie fuhr zusammen.

Hatte sie ihre Kritik etwa laut ausgesprochen? Wer außer ihren Begleitern hatte sie gehört? Nicht, dass sie jemals ein Blatt vor den Mund genommen oder etwas darauf gegeben hätte, was andere Leute über sie sagten. Aber gerade jetzt war offenbar geworden, dass sie Feinde besaß, die ihr das Leben schwermachten. Es fehlte ihr noch, morgen in der Zeitung zu lesen, was Édith Piaf von einem sogenannten Talent wie diesem Schnulzensänger hielt. Was sie im Moment gar nicht gebrauchen konnte, war Presse, in der ihre Meinung als anti-amerikanisch und damit womöglich als anti-französisch ausgelegt werden würde. Unwillkürlich sank sie in sich zusammen, machte sich absichtlich kleiner, als sie es ohnehin schon war.

»Er ist Italiener«, wisperte nun Louis Barrier noch einmal. Ihr neuer Impresario saß zu ihrer Rechten an einem der Tische in der Mitte des vorderen Bereichs des Zuschauersaals, wo sie nicht in eine Stuhlreihe gezwängt und die Akustik und Sicht besonders gut waren.

»Das ist doch egal«, gab sie unwillig zurück.

Als habe er sie nicht gehört, führte nun Henri Contet, der Journalist und Textdichter, zu ihrer Linken leise aus: *»Yves*

Montand ist ein Pseudonym. Sein Vater floh vor den Faschisten nach Marseille. Unser Freund heißt mit bürgerlichem Namen Ivo Livi.«

»*Freund*?« Édith zog ihre Brauen hoch. Ihre Augen flogen zwischen dem Interpreten und Henri hin und her. Sie verstand beim besten Willen nicht, was er an diesem Yves Montand – Ivo Livi oder wie immer er hieß – fand.

Obwohl sie sich ausgerechnet an diesem Abend lieber in einer Bar am Montmartre betrunken hätte, war sie wider besseres Wissen Henris Einladung gefolgt, die er, wie sich herausstellte, mit Louis abgesprochen hatte. Sie tat fast immer, worum ihre Freunde sie baten, es war eine Schwäche von ihr. Sie haderte manchmal damit, weil es zuweilen keine preiswerten Dienste waren, die von ihr gewünscht wurden, aber in der Regel gab sie trotzdem nach. In diesem Fall ging es nicht um Finanzielles, sondern um ihren bevorstehenden Auftritt zur Wiedereröffnung des legendären Moulin Rouge. Ihre erste Wahl für einen Partner in ihrem Vorprogramm war Roger Dann gewesen, doch der konnte nicht nach Paris kommen. Deshalb wollten die beiden Getreuen ihr heute Abend einen Sänger präsentieren, der nicht nur ein Ersatz, sondern viel besser war. Das jedenfalls hatten sie behauptet. Doch die Idee, mit diesem talentlosen jungen Mann auf einer Bühne zu stehen, erschien Édith grotesk. Eine Knallcharge wie dieser Kerl gehörte eindeutig nicht in ihr Programm und genau genommen auch nicht in das ABC. Je länger sie der Darbietung zusah, desto entschlossener wurde Édith in ihrer Ablehnung.

Auch ein Kostümwechsel brachte keine Besserung: Der Sänger zog sich ein Sakko mit albernen Karos über das weiße Hemd, und er wirkte nun nicht mehr nur wie ein Clown, er sah tatsächlich auch so aus, versuchte jedoch weiterhin, die Rolle des Verführers zu spielen. Dazu imitierte er den großartigen Charles Trenet und sang dessen Titel »Swing troubadour«. Als wäre sein Habitus nicht schon peinlich genug, versuchte dieser Einfaltspinsel nun auch noch zu steppen wie Fred Astaire. Aber tanzen konnte er ebenso wenig wie singen. Der Vortrag ärgerte Édith nicht nur, sie betrachtete ihn regelrecht als persönlichen Affront.

Das ABC war noch immer das renommierteste Musiktheater in Paris. Sein Renommee hatte den Wechsel der Direktion, Besatzung und Krieg überstanden, alle großen Stars hatten hier im Laufe der Jahre weiterhin Triumphe gefeiert. Vor allem aber war es die Bühne, auf der sie ihr Debüt als Chansonnette gegeben hatte, genauso wie dieser Yves Montand es gerade versuchte. Dreißig Minuten hatte sie gehabt, weniger als er jetzt. Sie war als Anheizerin vor den Vorhang getreten und als neuer Star abgegangen. Eine kleine Person mit großer Stimme, damals gerade einmal einundzwanzig Jahre alt und in einem schlichten schwarzen Kleid mit einem weißen Spitzenkragen, so unprätentiös wie nur möglich. Das Publikum forderte nach ihrem ersten großen Auftritt eine Zugabe nach der anderen, die Musikkritiker überschlugen sich am nächsten Tag mit Lobeshymnen. Dafür hatte sie hart gearbeitet, wochenlang fast nicht geschlafen und gelernt, was es hieß, eine *Persönlichkeit* zu werden.

Es hatte sich gelohnt, denn nach diesem denkwürdigen 26. März 1937 kannte jeder in Paris den Namen Édith Piaf. Sie war nicht mehr La Môme Piaf, die kuriose kleine Göre, sondern eine erwachsene Frau, die sich zu benehmen und auszudrücken wusste. Was hatte sich seitdem nicht alles verändert in ihrem Leben? Nicht nur, dass sie Messer und Gabel richtig hielt und sich nicht länger wie eine Zirkusprinzessin anzog – sie war heute tatsächlich eine gebildete junge Frau, eine echte Leseratte, die die intellektuelle Auseinandersetzung schätzte und deren Rede nicht länger von der Sprache der Straße zeugte. Eine Person, von Raymond Asso erfunden. Und ebenso wie Professor Higgins in dem von George Bernard Shaw nach der antiken Geschichte von Ovid geschriebenen Stück machte ihr Pygmalion alles richtig – und verlor sie im Gegensatz zu dem literarischen Helden am Ende trotzdem.

Mit Erleichterung registrierte sie, dass sich der Applaus für das Debüt des heutigen Abends in Grenzen hielt. Es lag zwar ein gewisses Wohlwollen in der Luft, vielleicht sogar Begeisterung bei der einen oder anderen Frau, aber die Anhängerinnen des Schnulzensängers waren nicht in der Überzahl, und der vereinzelte Wunsch nach einem da capo verhallte fast ungehört.

Ich habe meinen Instinkt also doch nicht verloren, fuhr es Édith durch den Kopf, als die Lichter im Zuschauerraum langsam aufblitzten und die übliche Unruhe vor einer Pause einsetzte.

»Yves Montand eignet sich sehr gut für das Vorprogramm Ihres Auftritts«, sagte Louis Barrier, den sie vertraulich Loulou nannte, obwohl er andersherum strikt beim Sie blieb.

»Sind Sie verrückt geworden?« Wenn Édith sich aufregte, klang ihre Stimme im ersten Moment schrill, dann wurde sie mit jedem Wort eine Oktave tiefer und schließlich so heiser wie die eines Whisky trinkenden Kettenrauchers. »Dieser Mann singt schlecht, er tanzt schlecht, und er hat kein Gefühl für Rhythmus.«

»Er war im Alcatraz in Marseille recht erfolgreich. In Nizza, Toulon und Aix-en-Provence ist Yves Montand auch schon aufgetreten.« Louis griff nach dem Weinglas auf dem Tisch, in dem sich noch ein letzter Schluck befand.

»Yves Montand!«, wiederholte sie abfällig. »Wie kann sich jemand diesen Namen ausdenken? *Montant* steht in der Musik für aufsteigende Töne. Hält der Kerl sich für einen Aufsteiger? Er ist eine Null!«

Louis wechselte einen hilflosen Blick mit Henri, doch der schwieg und stürzte nur den Rest Wein mit einem Schluck hinunter, wobei er ungewöhnlich verzweifelt wirkte.

»Ich möchte mit Roger Dann auftreten.«

»Das weiß ich.« Henri knallte sein Glas auf den Tisch. »Aber Roger Dann hält sich auf dem Land auf und kann nicht nach Paris reisen. Nichts ist einfach in dieser Zeit.«

Nein, das war es tatsächlich nicht. Wer wüsste das an diesem Abend besser als sie? Édith stieß ein trauriges Lachen aus.

Selbst wenn sich Ivo Livi ein anderes, weniger überhebliches

Pseudonym zulegen und eine weniger lächerliche Figur abgeben würde, wollte sie diesen Sänger nicht unter ihre Fittiche nehmen. Von seinem Habitus mal ganz abgesehen, glaubte sie nicht an das Repertoire des jungen Mannes. Heute mochten die Pariser in ihrer Begeisterung für alles Amerikanische Songs dieser Art bejubeln, mochten sogar Kaugummi kauen, doch all das hatte nichts mit der französischen Identität zu tun. Wie lange würden ihre Landsleute die noch verleugnen? War nicht zu erwarten, dass sich der Geschmack des Publikums in absehbarer Zeit wieder wandelte? Die Befreiung von Paris lag nur wenige Wochen zurück, noch tobte der Krieg im Norden und Osten der Grande Nation, und durch ständig neue, einander oft widersprechende Nachrichten, die vor allem über Mundpropaganda verbreitet wurden, änderte sich andauernd etwas im Alltag der Franzosen. Niemand kam zur Ruhe. Dieser Frieden war fragil, unzuverlässig. Und um sich vom Grauen abzulenken, wurde gefeiert, als gebe es kein Morgen.

Nichts ist sicher, fuhr es ihr durch den Kopf. Nicht einmal mein Engagement im Moulin Rouge. Aber davon wussten weder Loulou noch Henri, ihr Geliebter. Die Katastrophe hatte sich ja erst heute angekündigt ...

»Liebste Môme«, schmeichelte Henri, »hör dir Yves Montand bitte noch einmal an. Vielleicht bei einer Probe.«

»Was sollte dann anders sein?«

»Seine Kleidung. Außerdem werde ich ihm sagen, er soll ein altes Chanson singen.«

»Kennt er keine neuen?«, schnappte Édith.

Henri stieß einen Seufzer aus und spielte mit seinem leeren Glas, schob es unablässig hin und her. Vielleicht musste er seine Hände beschäftigen, um Édith nicht an Ort und Stelle bei den Armen zu packen, hochzuziehen und hinter die Bühne zur Garderobe dieses Südfranzosen zu schleppen.

»Heute war kein besonders guter Tag für mich«, gestand sie und schenkte ihm ein zerknirschtes Lächeln. Henri war nicht nur ein Liebhaber, von dem sie sich genauso oft getrennt wie sie ihn wieder erhört hatte, sondern vor allem ein Freund, der es immer gut mit ihr gemeint hatte und der sich im Gegenzug auf sie verlassen durfte. Mit Louis Barrier war es nicht anders. Mit dem ging sie zwar nicht ins Bett, aber sie schätzte seine Loyalität und brachte ihm dieselbe entgegen. Deshalb räumte sie schließlich gnädig ein: »Weil ihr so an ihm hängt, werde ich mir Monsieur Montand noch einmal anhören.« Und ich werde jeden einzelnen Takt bedauern, den ich mir das antue, fügte sie in Gedanken hinzu.

Henri strahlte. »Du wirst es nicht bereuen. Er hat wirklich Potenzial.«

Und Loulou fügte eifrig hinzu: »Gleich morgen sollten wir ...«

»Nein«, unterbrach sie ihn. »Nein, nein, nein, nein. Ich möchte keinen festen Termin ausmachen, nicht jetzt. Außerdem habe ich morgen früh schon etwas vor.« Sie sagte es so leicht dahin, als handele es sich um ein unbedeutendes kleines Rendezvous. Dabei hatte die Vorladung ganz sicher nichts mit romantischem Geplänkel zu tun.

Louis öffnete seinen Mund, wollte etwas sagen, blieb jedoch stumm. Er schloss seine Lippen und sah sie verwundert an. Üblicherweise kannte er ihre Termine, und wenn er sie nicht ohnehin vereinbart hatte, informierte sie ihn darüber. Dass er anscheinend übergangen worden war, verunsicherte ihn – das war ihm deutlich anzumerken.

Sicher verwirrte ihn auch die Tatsache, dass sie eigentlich vor dem Mittag keine Verabredungen wahrnahm. Die Morgenstunden waren für gewöhnlich ihre Schlafenszeit, da sie die Nacht zum Tag machte. Wer sie bei guter Laune erleben wollte, sollte möglichst nicht vor zwei Uhr nachmittags bei ihr anrufen oder vorsprechen. Selbstverständlich hielt sich die Polizei nicht daran. Schriftliche Vorladungen wurden in den Morgenstunden zugestellt, und Verhöre fanden zur selben Zeit statt. Die Männer in französischen Uniformen waren da ebenso wenig phantasievoll wie die *Fritzen* – und wahrscheinlich auch ebenso unbeugsam.

Viele Künstler waren den Säuberungsaktionen der vergangenen Wochen zum Opfer gefallen. Die neuen Herren der *Préfecture* reagierten schnell auf Vorwürfe zu angeblicher oder bewiesener Kollaboration, die Hintergründe prüfte anscheinend niemand genau, eine bloße Beschuldigung reichte für ein Verfahren vor dem *Comité national d'épuration* aus. Es hatte sich in Édiths Kreisen herumgesprochen, dass die große Schauspielerin Arletty in einem Polizeiwagen abtransportiert worden war und nun in der Conciergerie einsaß wie einst Marie Antoinette. Die Mistinguett und Maurice Chevalier waren ebenso in Ungnade gefallen wie ihr Freund Jean Cocteau, von dem sie gehört hatte, dass die Modeschöpferin Coco Chanel in die Schweiz geflohen war. Die Repressalien trafen häufig Frauen, aber warum um alles in der Welt ausgerechnet sie?, fragte Édith sich nun zum x-ten Mal seit der Zustellung der Aufforderung, sich vor dem *Comité* zu erklären, durch einen Boten im Hotel Alsina, in dem sie derzeit mit ihrer Freundin Simone Berteaut logierte. Zugegeben, sie hatte sich keiner der Widerstandsgruppen angeschlossen, aber sie hatte getan, was sie tun konnte – und damit vielen Menschen geholfen. Unglücklicherweise ahnte sie nicht einmal, welches Vergehen sie auf die Schwarze Liste gebracht haben könnte. Diese Ratlosigkeit war fast so zermürbend wie ihre Furcht vor den möglichen Folgen.

»*Ma chère*, was ist los?« Henris sanfter und dennoch eindringlicher Tonfall riss sie aus ihren Gedanken.

Sie erwog, den beiden wichtigsten Männern in ihrem Leben von ihrem Termin am nächsten Tag zu erzählen, entschied sich jedoch dagegen. Ihr Aberglaube riet ihr, so wenig wie möglich darüber zu reden. Je mehr sie über die möglichen Repressalien spekulierte, desto wahrscheinlicher wurden ihre Befürchtungen, dachte Édith. Sie hatte schon so viele schwierige, sogar noch bedrohlichere Situationen überstanden, am besten, sie hörte sich erst einmal an, was ihr vorgeworfen wurde. Danach konnte sie mit ihren Freunden sprechen und sehen, was sie gegen die Anschuldigungen vorzubringen in der Lage war.

»Es ist nichts«, behauptete sie. »Ich bin nur müde.«

Henris skeptischem Blick entnahm sie, dass er ihr kein Wort glaubte.

Sie hob ihr Glas, in dem sich schon zu lange kein Tropfen mehr befand. »Bestellst du uns bitte noch eine Flasche Wein? Der zweite Teil wird gleich beginnen, und wenn die Interpreten genauso schlecht sind wie Yves Montand eben, brauche ich dringend etwas zu trinken.« Als Henri Einwände erheben wollte, winkte sie lächelnd ab: »Ja, ja, ich weiß. Du magst ihn. Und Loulou hat ihn empfohlen. Warten wir ab, ob auch ich ihm eines Tages etwas Positives abgewinnen kann.«

Während sich Henri nach der Kellnerin umsah, schellte der Pausengong. Gedankenverloren beobachtete Édith, wie sich der Saal wieder füllte. Vor ihrer Fahrt zur Île de la Cité morgen früh sollte sie unbedingt einen Abstecher nach Sacré-Cœur machen, um eine Kerze für die heilige Thérèse von Lisieux zu entzünden. Eine Fürsprecherin im Himmel konnte nicht schaden, und diese Heilige hatte ihr schon geholfen, als sie noch ein kleines Mädchen war.

»Ich wollte mich selbst vergessen, um anderen Freude zu machen. Von da an war ich glücklich.«

Louis schien wie vom Donner gerührt. »Was haben Sie gesagt? Entschuldigung, ich habe Sie nicht verstanden.«

Zum zweiten Mal fühlte sich Édith ertappt. Sie hatte wieder nicht bemerkt, dass sie laut aussprach, was ihr durch den Kopf ging. Ihre Hand flog an ihre Stirn, rieb versonnen die Schläfe. »Ich habe eigentlich nichts gesagt. Es war nur ein Gedanke.

Nichts von Bedeutung.« Es war ein Zitat der verehrten Heiligen, das sie zu ihrem Lebensmotto gemacht hatte.

Louis Barrier war noch nicht so lange ihr Impresario, dass er alles über sie wusste. Er hatte vor ein paar Monaten einfach vor ihrer Tür gestanden, sich angeboten – und sie hatte ihn in den Kreis ihrer ergebenen Mitarbeiter aufgenommen. Er war ein jungenhafter Typ Mann, jemand, den Édith gern zum Bruder gehabt hätte. Und er war klug und verstand sein Geschäft. Das Engagement im Moulin Rouge hatte sie ihm zu verdanken, und das war ein ziemlich guter Einstieg für den Neubeginn ihrer Karriere nach der Besatzungszeit. Wenn ihr Erfolg nicht zerstört würde von Menschen, die nicht verstanden, dass sie nie etwas anderes gewollt hatte, als ihrem Publikum Freude zu bereiten. Denn wenn ihr das gelang, war Édith glücklich.

KAPITEL 2

»Name?«

Der Polizeibeamte war geradezu verzweifelt um Autorität bemüht, versuchte, seiner Stimme einen tiefen Klang zu geben. Er war noch sehr jung und trug die rote Armbinde des PCF, der kommunistischen Partei. Seit der Befreiung besetzten Kommunisten – trotz des öffentlich zur Schau gestellten Unbehagens General de Gaulles – die Schlüsselpositionen in der Verwaltung von Paris, da den Linken zumindest keine Nähe zu den Faschisten der Vichy-Regierung nachgesagt werden konnte und im Moment noch niemand genau wusste, wer mit wem tatsächlich kollaboriert hatte. Die Mitglieder des politischen Arms der Résistance waren natürlich ebenfalls ohne Tadel, dennoch hatten die Linken die Oberhand gewonnen. Allerdings hatten diese meist jungen Männer in der Regel wenig mehr in ihrem Leben kennengelernt als den Freiheitskampf, und auf ein Verhör mit einem Bühnenstar waren sie ebenso wenig vorbereitet wie auf den Alltag im Frieden.

»Édith Giovanna Gassion.«

Mit bitterer Ironie beobachtete sie die Reaktion ihres Gegenübers. Seine Nervosität war fast greifbar. Ihr Geburtsname steigerte seine Verunsicherung so deutlich, dass sie lachen musste. Sie biss sich auf die Zunge.

Kerle wie dieser Ermittler waren wie besessen davon, nicht schwach zu wirken oder gar dumm dazustehen. Ob er sich an den Säuberungsaktionen gegen Frauen beteiligt hatte, denen vorgeworfen wurde, *la collaboration horizontale* betrieben zu haben? Männer tun manchmal Schreckliches, um ihr Bild vom harten Kerl aufrechtzuerhalten, sinnierte Édith. In ihrer Jugend an der Pigalle hatte sie derartige Hahnenkämpfe zur Genüge erlebt. Frauen zu demütigen – ihnen die Köpfe zu rasieren, die Kleider vom Leib zu reißen, sie zu bespucken, zu verprügeln und zu vergewaltigen – war offenbar die Kür. In den ersten beiden Tagen nach der Befreiung von Paris hatte der Mob getobt und vor allem an den Frauen Rache genommen, schlimmer fast als die Jakobiner nach der Revolution. Aber so waren Männer, wenn sie in einen Blutrausch gerieten. Édith war dankbar, dass sie sich davor hatte schützen können.

Bis jetzt.

Sie suchte den Blick ihres Kontrahenten. »Ich heiße Édith Giovanna Gassion«, wiederholte sie.

Der junge Mann tippte mit einem nikotingelben Finger auf die Vorladung, die sie ihm bei ihrem Eintreten übergeben hatte. Es war das Papier, das ihr im Hotel Alsina zugestellt worden war. Nun lag es auf dem Tisch, der ihre Sitzplätze trennte. »Wieso steht hier *Madame Édith Piaf*?«

Sie befanden sich in einem kleinen, kaum möblierten und spärlich beleuchteten Raum. Das winzige Fenster war sicher schon seit Jahren nicht mehr geputzt worden, vielleicht hatte es in der ganzen Zeit auch niemand geöffnet, so stickig war die Luft. Édith fragte sich, wieso es so dreckig war, die Deutschen galten als übertrieben ordentlich und sauber. Aber vielleicht hatten die *Fritzen* die Atmosphäre in diesem Verhörzimmer ja dazu benutzt, Angeklagte unter Druck zu setzen oder zumindest zu verunsichern, vielleicht sogar zu ersticken. Das versuchte man zweifellos auch mit ihr.

»Édith Piaf ist mein Künstlername«, erklärte sie, um Atem ringend. »Der Textdichter Raymond Asso hat ihn mir vor sieben Jahren gegeben. Mein Geburtsname lautet Édith Giovanna Gassion.«

»Geburtstag und Ort?«

»Ich wurde am neunzehnten Dezember fünfzehn in Paris geboren.«

Im kreisrunden Licht, das die Tischlampe auf das Dossier warf, machte sich der Polizeibeamte Notizen. »Eltern?«

»Wie bitte?«

Er sah kurz auf. »Wie heißen Ihre Eltern? Wer sind sie? Was machen sie? Wo wohnen sie?«

Was soll das?, fragte sie sich im Stillen. Ich bin zu alt, um auf meine Eltern angesprochen zu werden, und ich habe es satt, besser für sie zu sorgen, als sie es jemals für mich getan haben.

Trotz ihres Widerwillens gab sie sich kooperativ und beantwortete die Fragen:»Mein Vater hieß Louis Alphonse Gassion, er war Zirkuskünstler und diente darüber hinaus im neunundachtzigsten Infanterieregiment in Sens«, fügte sie hinzu. Es spielte keine Rolle, ob er sich in der Armee sonderlich hervorgetan hatte – was nicht der Fall war –, in ihrer Situation hielt Édith seine militärische Vergangenheit für nützlich.»Er starb im März dieses Jahres an Lungenkrebs.« Sie schluckte, weil ihr der Tod ihres Vaters plötzlich naheging. Trotz allem. Er war nun einmal ihr Vater, und er hatte sich besser um sie gekümmert als ihre Mutter. Eigentlich war er ein ganz lustiger Vogel gewesen – zumindest solange bei ihren Auftritten genug Geld für ihn abfiel. Bis zuletzt. Um seine Beerdigung hatte sich in ihrem Namen Henri Contet gekümmert, die Rechnungen bezahlt hatte sie selbst.

Ihr Gegenüber nickte und notierte. Dann blickte er auf und sah sie erwartungsvoll an.

»Meine Mutter wurde als Annetta Giovanna Maillard vor neunundvierzig Jahren in der italienischen Hafenstadt Livorno geboren. Wenn sie singt, nennt sie sich *Line Marsa*. Das tut sie meines Wissens aber nicht mehr oft.« Manche Leute behaupteten, ihre Stimme wäre noch schöner als die der Tochter. Aber das erzählte Édith nicht.

»Wohnen Sie zusammen?«

Das bittere Lachen entrang sich nun doch ihrer Kehle. Es galt nicht dem jungen Mann.

»Ich habe keine Ahnung, wo meine Mutter wohnt. Versuchen Sie es in den Obdachlosenasylen oder Besserungsanstalten. Irgendwo werden Sie sie finden. Für gewöhnlich erfahre ich nur durch die Polizei, wo sie steckt. Dann hat sie mal wieder Ärger gemacht, zu viel getrunken oder zu viel Rauschgift genommen. Manchmal taucht sie bei mir auf, wenn sie Geld braucht. Das hat sie aber schon lange nicht mehr getan.«

Er schrieb und schrieb und ließ sich Zeit.

Am liebsten hätte sie ihn mit der drängenden Frage nach dem Grund ihres Hierseins unterbrochen. Doch eine innere Stimme erinnerte sie daran, dass sie vorsichtig sein sollte. Sie hatte schon einmal eine ähnliche Situation erlebt, als die Polizei sie wegen des Mordes an Louis Leplée stundenlang verhört und zwei Tage lang festgehalten hatte. Damals war sie naiv gewesen, hatte geweint und getobt, aber ihre Unschuld hatte sie auf diese Weise natürlich nicht beweisen können. Als man sie aus Mangel an Beweisen gehen ließ, blieb die Sache an ihr haften wie ein Blatt an einer feuchten Schuhsohle. Heute wollte sie klüger sein, ruhiger und gewissenhafter handeln. Das bedeutete jedoch, Geduld mit ihrem Gegenüber zu haben, selbst wenn es verdammt schwerfiel.

»Ehemann?«

Die Antwort war einfach: »Ich bin nicht verheiratet.«

Als habe er sie nicht gehört, bohrte er weiter: »Kinder?«

Mit dieser Frage hatte Édith nicht gerechnet – und sie tat viel mehr weh als die Erinnerung an den Tod ihres Vaters und die Vernachlässigung durch ihre Mutter. Seit jener Zeit vor fast zwölf Jahren gab es diesen einen Menschen in ihrem Leben, über den sie niemals sprach und der dennoch für immer wie eingemeißelt in ihrem Herzen wohnen würde.

Sie sang an der Place Pigalle, und natürlich war der Montmartre ein deutlich besseres Umfeld als das Arbeiter- und Einwandererviertel Belleville, aus dem sie stammte. Und so war auch der Lieferjunge Louis Dupont anständiger als die mehr oder weniger kriminellen Jugendlichen, mit denen sich Édith sonst umgab. Ein bildhübscher, schmaler Kerl. Und so treu.

Sie verliebten sich, zogen zusammen, obwohl seine Mutter, eine Ladenbesitzerin, vom ersten Moment an gegen die Straßengöre war. Als Édith schwanger wurde, verhinderte sie die Hochzeit des jungen Paares. Der Druck wurde so stark, dass Édith irgendwann flüchtete – in erster Linie vor ihrer belle-mère, aber auch fort von ihrem Geliebten und seinem langweiligen, allzu vorhersehbaren Alltag.

Ihr Entschluss bedeutete allerdings auch, dass sie Marcelle, ihre Tochter, bei deren Vater und Großmutter lassen musste. Genauso war sie selbst schließlich aufgewachsen. Irgendwann, wenn es ihr besser ging, schwor Édith, würde sie die Kleine zu sich nehmen. Doch das Kind erlag mit zwei Jahren einer Hirnhautentzündung, und Édith betete damals verzweifelt, eben-

falls zu sterben, um für immer mit ihrer kleinen Tochter vereint
zu sein. Ihre Gebete wurden nicht erhört.

»Nein.« Ihre Stimme klang hart. »Nein, ich habe keine Kinder.« In ihr wuchs der Wunsch nach einem Glas Wein. Zur Beruhigung ihrer Nerven wäre jedoch wahrscheinlich eher eine ganze Flasche Cognac nötig.

Der nikotingelbe Finger klopfte auf das Dossier. »Sie sprachen von einem gewissen Raymond Asso. Wer ist das?«

»Ein guter Freund und Textdichter. Ich habe ihn seit Kriegsbeginn nicht mehr gesehen. Genau genommen trennten sich unsere Wege, als er zur französischen Armee eingezogen wurde.« Sie überlegte, ob sie noch anführen sollte, dass Raymond jüdischer Herkunft war. Aber vielleicht mochte ihr Gegenüber Juden ebenso wenig wie Chansonsängerinnen. Obwohl er Franzose war.

Sie holte tief Luft. »Ich würde jetzt gern wissen, was mir vorgeworfen wird. Davon steht nämlich nichts in der Zustellung.« Ihre Ungeduld war ein Fehler. Sie begriff es, bevor die letzten Worte über ihre Lippen waren. *Merde*, dachte sie, verärgert über die eigene Impulsivität.

Prompt reagierte der Ermittler erwartungsgemäß – langsam. Er schob die Vorladung hin und her, öffnete eine schmale Mappe aus Pappe, die unter den Papieren mit den handschriftlichen Notizen lag, blickte sinnierend auf den Inhalt. Von ihrem Platz aus konnte Édith nicht erkennen, was das

Interesse des jungen Mannes fesselte. Da sie ihm nicht auch noch den Gefallen tun wollte, ihre Neugier zu offenbaren, sackte sie in sich zusammen, statt sich recken, um zu spähen. Sie biss die Zähne aufeinander und zwang sich, in Gedanken die Vorteile eines Burgunders gegenüber einer anderen Rebsorte abzuwägen. Vielleicht beruhigte Alkohol ja schon, wenn man nur an ihn dachte.

Nach einer Weile klappte er die Mappe zu, sah zu ihr auf, dann wieder auf die Vorladung und anschließend noch einmal zu ihr. Diesmal musterte er sie eindringlich. »Ich denke, wir belassen es bei *Madame Piaf*.«

Es kostete Édith Mühe, still zu bleiben. Sie nickte kaum merklich.

Als spüre er, wie die Unruhe in ihrem Innersten brodelte, schlug er die Akte von neuem seelenruhig auf, blätterte darin. Offensichtlich hatte er viel Zeit – und den festen Willen, ihr zu beweisen, dass er stärkere Nerven besaß als sie.

Schließlich murmelte er beiläufig: »Sie sind Sängerin und im Deutschen Reich aufgetreten …« In beredtem Schweigen brach er ab.

Ich habe mir nichts zuschulden kommen lassen, fuhr es Édith durch den Kopf.

Laut sagte sie: »Ich reise gern.«

»Zu den *Boches*? Madame, Sie sind im Deutschen Reich aufgetreten!«

»Das bestreite ich nicht. Ich habe vor französischen Kriegsgefangenen gesungen.«

»In Deutschland!«

»Meine Zuhörer waren französische Kriegsgefangene«, beharrte sie.

Der Mann, dessen Namen sie nicht kannte, zog etwas zwischen den Papieren hervor. Es war eine Fotografie. Er schob sie über den Tisch zu ihr. Stumm wartete er auf ihre Reaktion. Doch was sollte sie dazu sagen? Sie leugnete ja keinen ihrer Auftritte im feindlichen Nachbarland.

Auf dem Bild stand sie zwischen einer großen Gruppe junger Männer, die wegen des warmen Wetters und der anstrengenden Arbeit im Stalag III B im südöstlichen Brandenburg keine Hemden trugen, allesamt eigentlich gutgebaute Franzosen, jedoch offenkundig ausgezehrt, ja ausgemergelt. Viele von ihnen arbeiteten in einem Rüstungswerk oder der Chemiefabrik in einer Kleinstadt namens Fürstenberg, die meisten aber schufteten am Oder-Spree-Kanal, um für die Nazis einen Stichhafen anzulegen. Édith hatte für diese und andere französische Soldaten, die in deutschen Lagern gefangen gehalten wurden, gesammelt, hatte eigenhändig Pakete mit Nahrungsmitteln und Hygieneartikeln gepackt. Als sie vor den Kriegsgefangenen auftrat, hoffte sie, ihnen mit ihren Chansons das Heimweh zu nehmen, ihnen vor allem ein wenig Hoffnung zu schenken. Das konnte man ihr nicht zum Vorwurf machen. Oder etwa doch?

Zweifel stiegen in Édith auf. Unsicherheit erfasste sie. Und leichte Panik. Sie begegnete dem finsteren Blick ihres Gegenübers.

Eine zweite Fotografie landete im Lichtkegel der Tischlampe. Es war die Aufnahme fröhlicher, gutgenährter und elegant gekleideter Menschen, allesamt französische Künstler, die vor dem Brandenburger Tor in Berlin posierten, Édith in der Mitte, im Hintergrund eine Hakenkreuzfahne. Die Erinnerung einer Reise, passend für ein Fotoalbum, nicht für eine Polizeiakte.

»Madame Piaf, Sie sind einem Engagement der *Boches* gefolgt und haben sich damit der Kollaboration schuldig gemacht!« Der Ton des jungen Mannes wurde plötzlich schrill, als befände er sich noch im Stimmbruch. Die Anklage schien ihn aufzuwühlen: »Nach Paragraph fünfundsiebzig des *Code pénal* steht die Vermittlung von Nachrichten an den Feind unter Strafe.«

Sie hatte gehört, dass dieses Gesetz für die Strafmaßnahmen gegen die *collaboration horizontale* angewendet wurde. Es sprach sich allerlei rum in diesen Tagen in Paris. Doch Édith fühlte sich davon nicht betroffen. Während der Besatzung hatte sie zwar einige Liebesaffären unterhalten, aber selbst der kleinste Flirt hatte dieselbe Staatsbürgerschaft wie sie besessen. Die deutschen *Fritzen* waren nicht ihr Typ. Wie um alles in der Welt sollte sie ihrem Gegenüber erklären, dass sie dunkle Typen, wie es ihr Vater gewesen war, bevorzugte? Der blonde Henri Contet bildete da eine Ausnahme, aber ihre Affäre hatte auch schneller als sonst freundschaftlichen Charakter angenommen. Das gehörte jedoch nicht hierher. Wohl aber die Überlegung, dass auf den vorgelegten Fotografien nur Franzosen abgebildet waren.

»Oh, *mon dieu!*«, stieß sie hervor. »Ich habe keinen einzigen Deutschen angefasst!«

»Das sagen sie alle«, gab der Polizeibeamte trocken zurück. Er nahm die anscheinend belastenden Fotos wieder an sich und schob sie zurück zwischen die Pappdeckel. »Es ist nicht meine Aufgabe, darüber zu entscheiden, wie mit Ihnen zu verfahren ist, Madame Piaf. Ich bin nur für die erste Befragung zuständig. Ihre Unterlagen werden an das *Comité d'épuration des professions d'artistes* übergeben. Die Kommission wird sich Ihres Falls annehmen.«

»Ich bin ein *Fall?*« Allmählich verlor sie die Contenance, sie konnte nichts dagegen tun, dass sich nun Empörung und Spott in ihren Ton mischten.

Gelangweiltes Achselzucken war die Antwort.

Sein Gehabe machte sie wütend. »Ich war nicht in der Résistance, Monsieur«, begehrte sie auf, »aber ich habe unseren Soldaten geholfen. Allein durch Wohltätigkeitskonzerte, die ich hier in Paris gab, konnte ich Millionen für unsere Kriegsgefangenen spenden. Ich habe die Patenschaft für ein Gefangenenlager in Berlin-Lichterfelde übernommen. Und das Geld, das ich für die Auftritte in Deutschland erhielt, habe ich sofort weitergegeben. Das ...«

»Das interessiert mich nicht«, fiel er ihr ins Wort. »Wie gesagt, ich führe nur die Vorermittlung durch. Erzählen Sie dem Komitee, womit Sie meinen, sich verteidigen zu müssen. Aber ich rate Ihnen, alles zuzugeben. Das macht die Sache leichter. Die Fakten sind schließlich eindeutig.«

Sie schnappte nach Luft. »Fakten? Welche Fakten?«

»Ich werde der Kommission ein langfristiges Auftrittsverbot empfehlen, Madame Piaf. Damit Sie viel Zeit haben, sich über Ihren Verrat am französischen Volk Gedanken zu machen.«

KAPITEL 3

»Ich muss wohl von Glück reden, dass mich dieser übereifrige Ermittler nicht gleich hat abführen lassen.« Édith lehnte sich auf dem Canapé zurück, schloss kurz die Augen und öffnete sie einen Atemzug später wieder. Die Bilder, die ihr erschienen, waren zu furchteinflößend und erzählten von Verfolgung, Entwürdigung und Niedertracht.

»Nun also die Säuberungskommission«, seufzte sie. »Wahrscheinlich kündigt mich mein netter Gesprächspartner von eben den *Messieurs* als Monster an.«

Glücklicherweise hatte sie in der Nähe des Pont Neuf eine Mitfahrgelegenheit gefunden und war von dort ohne Umwege zum Montmartre gebracht worden. Ein alter Mann bot mit seinem klapprigen Vorkriegs-Renault Taxidienste an, woher auch immer er den Treibstoff dafür bekam. Ein selbstgemaltes Schild in der Windschutzscheibe wies auf seine – wahrscheinlich neue – Profession hin. Von einem Ort zum anderen in Paris zu kommen war in diesen Tagen alles andere als einfach. Es fuhr zwar die Métro, aber die wenigen Züge waren stets überfüllt. Und obwohl Édith ein Fahrrad besaß, hatte sie diesen kostbaren Besitz lieber sicher verwahrt in ihrem Hotel zurückgelassen, als sie sich auf den Weg zur *Préfecture* machte. Einen Diebstahl hielt sie im Schatten des Polizeipräsidiums seltsamerweise für wahrscheinlicher als sonst wo in der Stadt.

Der kurze Spaziergang zu der berühmten Brücke, die sie zurück auf das rechte Seine-Ufer führte, reichte nicht aus, um ihre Gedanken klarer werden zu lassen. Sie hatte keine Augen für die Spatzen, die fröhlich in den Baumwipfeln zwitscherten, und auch nicht für die jungen Frauen, die kichernd auf dem Rücksitz eines offenen Jeep Willys saßen und mit der Sonne um die Wette strahlten, während sie von zwei US-Soldaten herumgefahren wurden und der kleinen Passantin winkten. Édiths Beine drohten ihr den Dienst zu versagen, und sie musste sich mehrmals an der Brüstung festhalten. Die Furcht vor einem Auftrittsverbot übermannte sie. Keine Drohung hätte schlimmer für sie sein können. Von Panik erfasst, torkelte sie wie eine Betrunkene, rempelte einen fremden Mann an und war dankbar, dass in diesen Wochen so viele verstörte Menschen durch die Straßen von Paris wankten – sie fiel niemandem auf, während sie sich in die Avenue Junot in ihr Hotelzimmer mit einem breiten Bett und einem kleinen Salon sehnte, in dem sie ein bisschen von dem

Frieden wiederfand, der ihr in diesem Kabuff genommen worden war.

Das Wort *Auftrittsverbot* blinkte weiter vor ihrem inneren Auge wie die Leuchtreklame über einem Musiktheater. Chansons waren Édiths Leben, nichts machte sie so glücklich wie die Musik. Wenn sie sang, wurden ihre Lieder und ihre Seele eins, die Musik machte sie zum Mittelpunkt einer schöneren und besseren Welt.

Schon von klein auf war sie auch süchtig nach dem Beifall des Publikums. Die Zuwendung, die sie durch den Applaus erhielt, hatte ihr stets die Liebe einer fürsorglichen Familie ersetzt. Ihr Vater erlangte niemals einen so tiefen Einblick in ihre Gefühle, dass er begriff, wie viel härter er sie hätte treffen können, wenn er ihr verboten hätte, in der Öffentlichkeit zu singen, statt sie nur zu schlagen.

Simone Berteaut verstand sie dafür umso besser. Ihre Freundin, Nennschwester und Seelentrösterin hatte erlebt, wie verzweifelt Édith gewesen war, als sie während der Besatzungszeit nicht hatte auftreten dürfen. Simone war an ihrer Seite gewesen, als die Deutschen ihre – zugegebenermaßen durchaus kriegsverherrlichenden – Chansons zu verbieten versuchten.

Da Édith sich weigerte, »Mon légionnaire«, »L'accordéoniste« und »Le fanion de la légion« aus ihrem Repertoire zu streichen, hatten die Besatzer irgendwann die Geduld verloren und ihr untersagt, überhaupt zu singen. Die Nazis waren nicht nur über die Texte verärgert, sondern zürnten auch Édiths

unbedingtem Wunsch, mit der Trikolore im Hintergrund aufzutreten. Von Anfang März bis Mitte April vorigen Jahres
hatte sie sich fügen müssen, und diese sechs Wochen waren die
Hölle für sie gewesen. Tatsächlich aber war es eine Farce, denn
anschließend sang sie wie gehabt die Texte über Männer in
französischer Uniform, die ihre Geliebten verließen, um die
Grande Nation zu verteidigen, gerade so, als hätte es die
Zwangspause nie gegeben. Nur die Geschichte des Akkordeon-
spielers gab sie auf. Es war ein Kompromiss. Dafür leuchteten
zunächst im Cabaret La vie en rose und später im Casino de
Paris in ihrem Rücken wieder die Farben Blau, Weiß und Rot.

Voriges Jahr hatte sie sich also gegen die vermeintliche
Übermacht des Feindes durchgesetzt. Und heute wurde ihre
Standhaftigkeit von den eigenen Leuten mit Füßen getreten.
Dabei waren die Menschen zu ihren Konzerten geströmt, das
Publikum hatte ihr Liebe und Dankbarkeit entgegengebracht,
wenn sie die heimlichen Hymnen des freien Frankreichs sang.
Sie hatte sich Respekt verdient – und keine Anklage, sinnierte
Édith. Am liebsten hätte sie geschrien und getobt, doch die
junge Frau, die sich auf diese Weise abreagiert hätte, war
von Raymond Asso gebändigt worden. Drei Jahre mit ihrem
Pygmalion hatten sie zu einem anderen Menschen gemacht.
Deshalb streckte sie jetzt in stiller Hilflosigkeit die Hand nach
Simone aus.

»Ich brauche dringend ein Glas Wein. Nein, am besten eine
ganze Flasche. *Momone*«, sie schmeichelte der Freundin mit
dem alten Kosenamen, der die temperamentvolle Simone zu

einem *Frätzchen* verniedlichte. »Besorgst du mir bitte eine Flasche? Oder am besten bring gleich zwei.«

»Wir haben kein Geld mehr.«

Wann haben wir schon Geld?, fragte sich Édith gelangweilt. Wenn sie eine Gage erhielt, war sie so großzügig zu ihren Freunden und Mitarbeitern, dass am Ende kaum etwas für sie selbst übrig blieb. Und von dem, was noch da war, lebte sie so gut, wie es eben möglich war. Selbst als ihre Honorare in die Höhe schnellten und sie rund dreitausend Francs für einen Auftritt erhielt, reichte das oft nicht. Also ließen sie anschreiben, wo immer es möglich war.

Bevor sie mit Simone ins Hotel Alsina gezogen war, hatten sie in einer luxuriösen Etagenwohnung in der Rue Villejust im vornehmen 16. Arrondissement nahe dem Arc de Triomphe gewohnt und wie die Millionäre gelebt, die seit Generationen in diesem Viertel zu Hause waren. Ihre Bleibe war sehr praktisch, da sie die einzigen Frauen im Haus waren, die nicht anschaffen gingen – Édiths nächtliche Klavierproben und ihre rauschenden Feste störten niemanden. Außerdem wurde von ihren Nachbarinnen ständig gut geheizt, es war wärmer als in den meisten Gebäuden der Stadt. Sie wäre Henri Contet für immer dankbar für die Vermittlung dieser Wohnung geblieben, wäre das Etablissement unter ihr nicht bei der Gestapo in Verruf geraten. Dabei waren Offiziere, Diplomaten und andere hochrangige Vertreter des Deutschen Reichs regelmäßige Besucher des Restaurants, der Bar und des Bordells im Parterre und in der *bel étage*. Von einem Tag auf den anderen wurde das Gewerbe geschlossen, Édith und Simone mussten ausziehen, das Tor wurde versiegelt und die Puffmutter eingesperrt. Der einzige Vorteil, den Édith aus ihrer plötzlichen Heimatlosigkeit zog, war die Tatsache, dass sie die für mehrere Monate ausstehende Miete nicht mehr aufbringen und auch die Abendessen und Trinkgelage nicht mehr bezahlen musste, die sie hatte anschreiben lassen. Sie hatten wunderbar auf Pump gelebt. Geld war eben nichts, über das sie sich Gedanken machte. Es war da, oder es war nicht da – irgendwie ging das Leben immer weiter.

»Du verdirbst mir die Laune«, sagte sie. Das warf sie Simone immer vor, wenn sie knapp bei Kasse waren. Die Freundin war für ihre Finanzen zuständig, seit sie sie auf der Straße aufgegabelt hatte – Édith kaum sechzehn, die andere ein halbes Jahr jünger. Édith sang, und Simone sammelte das Geld ein. Eine sinnvolle Arbeitsteilung, die ihrem jeweiligen Talent entsprach.

»Ich habe nicht den Eindruck, dass du bis eben sonderlich guter Stimmung gewesen wärst.«

Édith zog ihre Hand, die noch immer in der Luft hing, zurück und richtete sich auf. Sie sah Simone scharf an. Die Freundin stand am Fenster, ihr halb zugewandt und doch mit dem Blick – und vielleicht auch ihren Gedanken – draußen auf der Avenue Junot.

»Erwartest du jemanden?«, erkundigte sich Édith unvermittelt. »Oder willst du dich vergewissern, dass die Polizei nicht längst vorgefahren ist, um mich doch noch abzuführen?«

Ihre Freundin fuhr herum. »Wir warten auf Marguerite Monnot.«

»Warum das denn?«

»Ich dachte, Guites Gegenwart würde dir guttun.« Simone zuckte mit den Achseln. »Immer, wenn sie Klavier spielt, wirst du ruhiger.«

»Wir haben aber hier gar kein Klavier«, gab Édith zu bedenken.

Dennoch streifte ein Lächeln ihre angespannten Züge. Die Komponistin war so etwas wie die gute Fee aus dem Märchen, von Raymond Asso in Édiths Leben gebracht und vom ersten Moment an in ihrem Herzen verwurzelt.

Marguerite Monnot war Pianistin, trat seit ihrem dritten Lebensjahr öffentlich auf und war relativ spät darauf gekommen, Musik nicht nur zu interpretieren, sondern selbst zu schreiben. Tatsächlich waren ihre Improvisationen so etwas wie ein Beruhigungsmittel für Édith, wenn sie sich bei Proben zu sehr echauffierte oder vor einer Premiere von Lampenfieber geplagt nicht mehr schlafen konnte.

Seit sie nicht mehr in der großen Wohnung im 16. Arrondissement wohnte, fanden diese Privatkonzerte meist in Marguerites Wohnung statt, in die kleine Suite passte nicht einmal ein Pianino, geschweige denn der Flügel, den die Musikerin besaß.

Unwillkürlich wurde ihr Lächeln breiter. Guite hatte dafür gesorgt, dass sie Klavier spielen lernte. Schon damals, als sie zum ersten Mal in ihrer kleinen Wohnung gewesen war und sich darüber wunderte, wie es eine Frau schaffte, dermaßen selbstständig und vornehm auf eigenen Füßen zu stehen.

Édith stand kaum einen Meter von dem Klavier entfernt – und doch kam es ihr vor, als würden sie Welten trennen. Eine irdische und die göttliche Welt. Sie war noch niemals einem Flügel so nahe gewesen. Einem echten Konzertflügel, keinem einfachen Pianino. Es war ein riesig anmutendes Instrument, so viel größer als sie selbst und ungemein beeindruckend. Das Licht spiegelte sich auf dem Schellack des Korpus und malte goldene Punkte auf die schwarze Farbe. Auf dem Deckel stand eine Vase mit prächtigen frischen Rosen, als sei es ein Altar.

Sie war so offensichtlich eingenommen von dem Zauber, dass Marguerite vorschlug: »Setzen Sie sich ruhig auf den Klavierhocker.«

Zögernd folgte Édith der Aufforderung. Da war die Furcht, dass sie etwas kaputtmachen könnte. Aber ihr Verlangen überwog. Sie brauchte ja nichts anzufassen. Wenn sie sich nur hinsetzte, würde nichts passieren. Gegen die hochgewachsene Marguerite war sie tatsächlich so klein wie ein Spatz – und demzufolge auch viel leichter, der Hocker würde jedenfalls nicht unter ihr zusammenbrechen.

Dem Instrument ganz nah, strömten ihr der schwache Duft von Holz und Möbelpolitur und der Geruch der Blumen entgegen. Auch das erinnerte sie an einen Altar – und an jene Zeit in ihrer Kindheit, als sie an einer Augenerkrankung gelitten und die Welt um sich herum vor allem durch das Riechen und Hören wahrgenommen hatte.

»Leg deine Hände auf die Tasten«, sagte Marguerite leise.

Ohne darüber nachzudenken, tat Édith, wie ihr geheißen. Sie konnte sich weder dieser sanften Stimme noch der Sehnsucht nach dem Instrument entziehen. Ihre Finger berührten die Klaviatur, und sie wunderte sich, dass sich das Elfenbein so kühl, glatt und gleichzeitig weich anfühlte.

Instinktiv versuchte sie, Druck auf die Tasten auszuüben.

Ein dumpfer Ton erklang.

Édith erschrak so sehr, dass sie zusammenzuckte. Schon im Begriff zurückzuweichen, spürte sie Marguerites Hände auf den ihren. Marguerites Daumen lag auf ihrem Daumen, ihr Zeigefinger auf dem ihren, Mittelfinger, Ringfinger und kleiner Finger ebenso. Als wären Édiths kleine, kräftige Hände eins geworden mit den schönen, schmalen Virtuosenhänden der Pianistin.

»Spiel mit mir«, sagte Marguerite.

Ihre Finger drückten auf Édiths Finger, und eine Abfolge wunderschöner Töne perlte durch den Korpus des Flügels wie Regentropfen in einen Fluss. Édith fühlte nicht die körperliche Kraft, die durch Marguerites Berührung entstand, wohl aber die Magie der Musik. Mit geschlossenen Augen ließ sie wie willenlos geschehen, dass Marguerite mit ihrer beider Finger eine Melodie spielte. Vielleicht war es nur eine kleine, unwichtige Klimperei, doch das spielte keine Rolle. Die Noten drangen in Édith ein, zogen von ihren Fingerspitzen durch ihre Arme in ihren Körper und erfüllten ihr Herz mit Leben. Aus der Tiefe ihrer Seele breitete sich ein Strahlen aus, das durch ihre Adern flutete. Sie lachte lautlos, zugleich rannen stille Tränen über ihre Wangen.

Mit einem zarten Trommeln auf Édiths Fingerknöcheln beendete Marguerite ihr Konzert. »Ich werde dir Klavierunterricht geben.«

Édith schnappte nach Luft. Sie öffnete die Augen, starrte auf ihre Finger. Überwältigt von ihren Gefühlen und atemlos vor Freude, stellte sie erstaunt fest: »Es war, als würde die Musik in mich eindringen.«

»So soll es sein.«

»Du hast dafür gesorgt, dass es so ist.«

»Musik zu spüren ist ein großes Geschenk.« Eine versonnene Zärtlichkeit legte sich auf Marguerites Züge, von der nicht ganz klar war, ob sie ihrem Gedanken an die Musik oder Édiths Empfindsamkeit galt. »Du verstehst das – und deshalb teile ich es mit dir.«

»Guite ist ein Engel«, sagte Édith leise.

»Eben«, bestätigte Simone zufrieden lächelnd, »deshalb habe ich sie ja herbestellt.«

Édith fühlte sich, als wäre sie aus einem wundervollen Traum in der brutalen Realität gelandet. »Selbst ein Engel wird gegen die Verbohrtheit eines verblendeten Beamten nichts ausrichten können.«

»Mach dir keine Sorgen! Kein Mensch wird verhindern, dass du zur Wiedereröffnung des Moulin Rouge auf der Bühne stehst. Die Pariser würden auf die Barrikaden gehen, wenn dein Auftritt abgesagt würde.«

Édith sank in die Kissen zurück, legte den Arm über ihre Stirn. »Im Moment wäre den Parisern wahrscheinlich ein Auftritt der Andrews Sisters lieber.« Sie dachte an die Darbietung des gestrigen Abends und fand, dass die Erinnerung an Ivo Livi immerhin angenehmer war als ihre Gedanken an den namenlosen Mann, der sie vernommen hatte. Wenigstens sah der Südfranzose besser aus.

»Außerdem warten wir auf Andrée Bigard«, unterbrach Simone ihre Überlegungen.

»Meine Sekretärin?« Édiths Arm sank wieder herab, verwirrt und auch ein bisschen verärgert schaute sie zu ihrer Freundin. »Dédée arbeitet diese Woche nicht, sie hat sich freigenommen, um Familienangelegenheiten zu klären.«

Simone erwiderte kurz ihren Blick, dann sah sie wieder aus dem Fenster. »Ich habe ihr gesagt, sie soll unbedingt herkommen.«

»Warum? Bringt Dédée Geld, von dem wir Wein kaufen können?«

»Sei nicht so sarkastisch, Édith. Du weißt selbst, dass du so viel Unterstützung wie möglich gegen das *Comité* brauchst. Wir werden mit ihr und Guite besprechen, was zu tun ist. Wir Frauen müssen zusammenhalten, verstehst du? Gemeinsam sind wir stärker!«

Édith konnte nicht verhindern, dass sie Simone mit offenem Mund anstarrte. Simone mochte Andrée Bigard nicht besonders; dass sie derart auf deren Unterstützung zählte, war überraschend. Außerdem: »Gerade eben hast du doch gesagt, dass die Pariser den Montmartre für mich stürmen würden ...« Unwillig schüttelte Édith den Kopf. Sie wusste ja, dass Simone ein wenig naiv war, aber so dumm konnte sie bei aller Arglosigkeit nun wirklich nicht sein! »Ehrlich, Momone, mir behagt es nicht, alle Leute in die Sache reinzuziehen, die dir gerade eingefallen sind. Warten wir noch auf weiteren Besuch? Kommen Loulou und Henri auch? Dann lass uns doch gleich eine Party schmeißen zu Ehren des *Comité d'épuration des professions d'artistes*. Fehlt nur noch der Wein!«

»Bei den *Leuten,* die ich herbestellt habe, handelt es sich nur um zwei Frauen«, parierte Simone pampig.

»Hoffentlich lassen sich sowohl Guite als auch Dédée noch ein bisschen Zeit. Ich bin müde, ich will schlafen«, behauptete Édith, obwohl sie wusste, dass sie von Alpträumen geplagt würde.

Sie wollte aufhören zu diskutieren, wollte einfach nur in Ruhe gelassen werden – und niemanden gefährden. Wer konnte schon wissen, welche Repressalien sich die Kommunisten mit ihren Kollaborationsvorwürfen noch ausdachten! Simone war leider nicht die Hellste, wenn es darum ging, zwischen Freund und Feind zu unterscheiden. Während der Besatzung hatte sie einmal für Ärger gesorgt, weil sie den Deutschen irgendwelche Unwahrheiten erzählte, die nichts zur

Sache taten. Eine Kleinigkeit nur, die am Ende niemanden interessiert hatte. Glücklicherweise verfügte Simone über keine brisanten Informationen, wie etwa dass Andrée Bigards Familie zahlreiche Juden vor den Nazis versteckt hatte. Édith verzieh ihrer Gefährtin, ließ aber seitdem noch größere Vorsicht walten. Wie standen die Kommunisten eigentlich zu den Juden?, fuhr es ihr durch den Kopf.

»Du wirst jetzt sowieso nicht schlafen können«, sagte Simone.

»Ohne eine Flasche Wein ganz sicher nicht.«

Statt einer Antwort zuckte Simone mit den Schultern und wandte sich um. Während ihre Lider zuklappten, hörte Édith ihre sich entfernenden Schritte. Offenbar marschierte ihre Freundin ins Schlafzimmer oder ins Bad. Kurz darauf vernahm Édith ein Rumpeln, das klang, als suche Simone etwas in dem begehbaren Kleiderschrank. Nicht schon wieder!

»Ich will nicht, dass du meine Schuhe auf dem Schwarzmarkt verkaufst«, rief Édith nach nebenan. »Es ist das letzte gute Paar, mit dem ich auftreten kann.« Die Worte waren raus, bevor sie sich bewusst machte, dass fraglich war, ob sie je wieder auf einer Bühne stehen könnte.

»Es muss noch eine Schachtel aus der Fabrik übrig sein, in der ich voriges Jahr gearbeitet habe.«

»Kannst du nicht in der Bar anschreiben lassen?«

»Nein.« Simones Stimme klang dumpf, als habe sie sich unter einem Berg von dicken Kleidungsstücken begraben. »Nein, kann ich nicht … Ich hab sie gefunden!« Der Jubel war klar und deutlich. Die Schritte näherten sich wieder. Als Simone neben dem Sofa stand, erklärte sie:»Der Barmann will uns seit der Zustellung der *Préfecture* nichts mehr geben. Es hat sich schnell herumgesprochen, dass du der Kollaboration angeklagt bist. Der Polizeibote ist anscheinend ein Freund von ihm. Er hat mich gefragt, warum du das Chanson ›L'accordéoniste‹ damals nicht mehr gesungen hast. Und dann hat er dich *lâche* genannt.«

»Feige? Na großartig.« Édith machte eine wegwerfende Geste.»Bei dem Typen kaufen wir natürlich nicht mehr. Also geh auf den Schwarzmarkt, aber pass gut auf dich auf, Momone. – Ich kann ohne dich nicht leben«, fügte sie dann noch hinzu, im Wunsch, die Freundin ihrer Zuneigung zu versichern. Simone war in mancherlei Hinsicht ein schlichtes Gemüt, aber sie war da, wenn Édith sie brauchte. Dafür nahm sie sogar ihre gelegentliche Geschwätzigkeit in Kauf. Simone würde zweifellos für mehr als nur eine Flasche Wein sorgen. Das war gut. Alkohol half zu vergessen.

KAPITEL 4

Marguerite Monnot, von Édith liebevoll Guite genannt, erinnerte bisweilen an eine verwunschene Fee. Ihr zartes, ovales Gesicht wurde von blonden Wellen umschmeichelt, auf ihren sanft geschwungenen Lippen lag ein kleines, verträumtes Lächeln, und in ihren Augen spiegelte sich eine Freundlichkeit, wie sie Édith bei keinem anderen Menschen gesehen hatte. Als sie vor Édiths Hotelzimmertür stand, wirkte sie jedoch weniger elegant als sonst: Sie trug Hosen und trotz des noch sommerlich warmen Wetters eine feste Jacke. Das Seidentuch, das sie sich umgebunden hatte, hing halb herunter, ihre Frisur war zerzaust.

»Ich habe das Gefühl, meine Haare sind mir eben vom Kopf geflogen«, erklärte sie gutgelaunt und beugte sich hinunter, um Édith zur Begrüßung auf beide Wangen zu küssen.

»Sie scheinen noch am rechten Ort zu sein«, versicherte Édith.

»Komisch. Mir kommt es immer so vor, als blieben sie nie dort, wo mein Kamm sie hinbefördert.«

Marguerite umarmte Simone, die dabei war, eine der Weinflaschen zu öffnen, die sie vor nicht einmal fünf Minuten in die Suite gebracht hatte.

»Es ist doch gar nicht so windig draußen«, meinte Simone.

»Auf einem Motorrad schon!«

Édith starrte sie an. »Woher hast du ein Motorrad?«

»Keine Ahnung.« Marguerite sackte in ihrer Ratlosigkeit in sich zusammen. »Jetzt, wo du es sagst, merke ich, dass ich ein Motorrad genommen habe, das mir nicht gehört.«

»Du musst es sofort zurückbringen!«, erwiderte Édith.

Marguerites blaue Augen waren Seen voller Bestürzung. »Aber wohin?«

»Na, dorthin, von wo du es genommen hast«, sagte Simone.

»Das kann ich nicht. Ich weiß ja nicht mehr, wo das war.« Marguerite blickte sich prüfend in dem kleinen Salon um, als suche sie nach einem geeigneten Platz für ihr Gefährt. Sie fand einen Sessel, in den sie sich erschöpft plumpsen ließ. Dabei murmelte sie: »Kinder, ihr habt es so gemütlich hier.«

Édith überlegte, was sie tun könnte, um Marguerites Versehen ungeschehen zu machen. Es behagte ihr nicht, dass vor ihrem Hotel ein gestohlenes Motorrad abgestellt war und es sicher Zeugen gab, die gesehen hatten, wie ihre Besucherin davon abgestiegen war. Wenn nun die Polizei kam? Früher, als sie noch an der Place Pigalle gesungen hatte, waren ihr *Versehen* wie dieses von Marguerite gleichgültig gewesen, die waren damals an der Tagesordnung. Aber damals hatte sie auch nicht vor einem Auftrittsverbot gezittert. Und sie hatte nicht das Gefühl, einen in einer anderen Welt lebenden Engel vor sich selbst und der rauen Wirklichkeit schützen zu müssen. Andererseits war es seit Marguerites Ankunft trotz allem so, als hätte die Sonne das Zimmer geflutet. Ihr Strahlen brachte nicht nur sie selbst zum Leuchten, es übertrug sich auf Édith, die zuvor rastlos auf und ab gelaufen war. Sie ließ sich auf der Lehne von Marguerites Sessel nieder und dachte, dass Guite ihr immer Glück gebracht hatte.

»Vielleicht sollten wir das Motorrad noch ein wenig länger ausleihen«, überlegte sie. »Ich möchte eine Kerze für die heilige Thérèse von Lisieux anzünden. Motorisiert kommen wir einfacher zu ihr.«

»Zu Fuß bist du schneller bei der Sacré-Cœur«, widersprach Simone. Sie schnaufte, weil sich der Korken nicht vom Flaschenhals lösen wollte. »Wir sollten nachher zusammen hingehen ...« Sie hielt den Atem an, zog kräftig an dem Kellnermesser – und ein Ploppen verriet, dass sie erfolgreich war.

»Ich dachte an eine Pilgerfahrt nach Lisieux.«

»Bist du verrückt geworden?« Simone verschüttete fast den Wein. »Du kannst unmöglich in die Normandie fahren. Auf dem Land soll überall Chaos herrschen, die Straßen sind unpassierbar, und man sagt, es gebe dort keine einzige intakte

Brücke mehr. Im Osten, keine fünfhundert Kilometer von hier, wird noch gekämpft, Édith!«

»Für eine Pilgerfahrt muss man gewillt sein, Schwierigkeiten auf sich zu nehmen«, erwiderte Édith. »Das ist Sinn der Sache.«

Der Gedanke war in dem Moment aufgeflackert, in dem sie über ihre schicksalhaften Begegnungen mit Marguerite Monnot nachdachte. Wenn ihre Freundin schon ein Motorrad klaute, sollte dies doch wenigstens einem guten Zweck dienen. Die heilige Thérèse würde sie unter diesen Umständen sicher vor den schlimmsten Folgen bewahren.

»Wahrscheinlich haben die Amerikaner Straßensperren errichtet. Selbst wenn du es versuchen würdest, kämst du nicht weit.« Simone redete sich in Rage: »Du weißt gar nicht, ob du das Grab der heiligen Thérèse überhaupt findest. Vielleicht existiert es gar nicht mehr. Lisieux soll durch die alliierten Bombenangriffe stark zerstört worden sein.« Um Beistand heischend, wandte sie sich an Marguerite, doch die blickte nur mit freundlicher, aber unbeteiligter Miene von Édith zu Simone – und schwieg. »Nun sag du doch was!«

»Wenn Môme den göttlichen Beistand nur in Lisieux finden kann, soll sie ihn sich dort holen«, erwiderte Marguerite seelenruhig. »Was spricht dagegen, wenigstens den Versuch zu unternehmen? Und am Ende wissen wir, ob man heutzutage in die Normandie reisen kann oder nicht. Wir wollen ja nicht nach Lothringen oder ins Elsass. Ich bin dabei.«

»Aber dass im Moment niemand verreisen kann, ist doch

der Grund, warum Édith auf Roger Dann in ihrem Vorprogramm verzichten muss. Er kann nicht nach Paris kommen!«

Simones Sorge um ihr Wohl rührte Édith. »Ich werde in Erfahrung bringen, ob es eine Möglichkeit gibt, sicher nach Lisieux zu kommen. Und zurück natürlich auch. Momone, ich lasse dich schon nicht allein.«

Sie strahlte Simone an, kniff Marguerite jedoch gleichzeitig in den Oberarm, um der unkonventionellen Komponistin deutlich zu machen, dass sie zwar nicht log, es mit der Sicherheit aber nicht allzu genau nahm. Ohne die Abenteuerlust in ihrem Blut wäre sie niemals dahin gekommen, wo sie heute war. Aber wahrscheinlich würde ihr dann auch keine Sanktionierung von der Säuberungskommission drohen.

»Ich finde es besser, wenn wir alle nach Sacré-Cœur gehen«, beharrte Simone, unbeeindruckt von Édiths Versprechen. Sie reichte zuerst dem Gast ein Weinglas und dann der Gastgeberin, was Édith unwillkürlich schmunzeln ließ – auch Simone hatte im Laufe der Jahre gelernt, wie man sich benahm.

»Kinder, streitet euch nicht. Lasst uns auf die heilige Thérèse trinken.« Marguerite hob ihr Glas. Ein Sonnenstrahl aus dem Fenster traf sie, brach sich und zauberte goldene Sterne in den blutroten Wein.

Édith betrachtete ihr eigenes Getränk und dachte, dass sie für derartige Lichtspiele vom Himmel wohl nicht auserkoren war. Sie hob das Glas an ihre Lippen, und durch die Bewegung wurde auch sie plötzlich von der Helligkeit erfasst. Ihr schien es, als würde die Heilige, die ihr so viel bedeutete, zuzwinkern.

Ich werde für jede von uns eine Kerze stiften, fuhr es ihr durch den Kopf. Vielleicht in der Kathedrale von Lisieux, auf jeden Fall in der Basilika am Montmartre. Und wenn es irgendeine Möglichkeit gibt, aus diesem schrecklichen Dilemma mit der Kommission zu kommen, werde ich Loulou und Henri den Gefallen tun und diesem Yves Montand eine Chance geben. So wahr mir Gott helfe!

»*Santé!*«, rief Édith.

Wie auf ein Stichwort klopfte es an die Tür.

Édith fuhr zusammen. Jetzt lässt mich dieser *Crétin* von der *Préfecture* doch noch verhaften, dachte sie. Sie erschrak so sehr, dass sie ein paar Tropfen Wein auf den hellen Samt des Sessels schüttete. »Die Polizei!«, stieß sie entsetzt hervor.

»Nein«, erwiderte Simone, die sich bereits anschickte zu öffnen. »Nein. Es ist Andrée Bigard.« Sie ließ Édiths Sekretärin ein. »Du kommst gerade zur rechten Zeit. Möchtest du ein Glas Wein?«

Andrée Bigard war der Inbegriff der eleganten, zierlichen Französin, deren Schönheit darüber hinwegtäuschte, wie energiegeladen, kompromisslos und mutig sie die Interessen derer verteidigte, die sie liebte. Sie rauschte an Simone vorbei und stürzte, die Hände an den Knöpfen ihres Regenmantels, auf den Sessel zu, in dem Marguerite und Édith saßen. Marguerite umklammerte angesichts dieses Wirbelwinds ihr Weinglas mit beiden Händen.

»Môme, es tut mir so leid, dass ich nicht da war, als die Vorladung kam, von der Simone am Telefon erzählte.« Sie küsste Édith auf beide Wangen. »Ich hätte die Angelegenheit für dich in der *Préfecture* sofort klären können.«

»Wie hättest du das tun sollen?«, gab Édith matt zurück. Die gute Stimmung, die sich langsam bei ihr einzustellen begonnen hatte, war schon wieder den Ängsten gewichen. Sie stieß ein bitteres Lachen aus. »Man hätte dir kaum abgenommen, dass du Édith Piaf bist.«

Während Andrée ihren Mantel abstreifte und wie ein Mannequin über den Arm legte, sagte sie: »Natürlich nicht – und das wäre auch nicht nötig gewesen. Ich hätte dem Ermittler klargemacht, dass du für die Résistance gearbeitet hast.«

»Ach du liebe Güte!«, murmelte Simone. Sie war an der Tür stehen geblieben und lehnte sich mit dem Rücken dagegen. »Gott und die Welt behauptet plötzlich, im Widerstand gewesen zu sein. Meinst du wirklich, man hätte dir geglaubt?«

Édith schüttelte den Kopf. »Das ist lieb von dir, Dédée, aber ich denke, weder der Polizist noch die Leute von der Kommission lassen sich von einer Behauptung beeindrucken, mit der sich wohl die meisten Franzosen gerade vor Verfolgung schützen wollen. Ohne Beweise ist es nur Gerede. Und wir haben keine Beweise, weil ich nicht für …«

»Doch«, fiel ihr ihre Sekretärin ins Wort. »Natürlich haben wir Beweise. Viele sogar. Hundertzwanzig, um genau zu sein. Du hast der Résistance große Dienste erwiesen.« Sie lächelte verschwörerisch. »Du wusstest es nur bislang nicht.«

»Und woher willst *du* das wissen?«, schnappte Simone.

»Weil ich …« – Andrée legte eine Kunstpause ein – »… im

Widerstand war. Aber auch das wusstet ihr nicht. Ich hielt es in eurem Interesse für sicherer, diesen Teil meines Lebens für mich zu behalten.«

»Darauf trinke ich«, murmelte Marguerite, klang jedoch wenig überzeugt und hob ihr Glas auch tatsächlich nicht zum Mund.

Édith stürzte den Inhalt ihres Weinglases in einem Zug hinunter. Die Vorstellung, dass eine so enge Mitarbeiterin wie Andrée, die gleichzeitig ihre Vertraute war, die sie stets als Freundin betrachtet hatte – die Vorstellung, dass diese Frau mit dem herzförmigen Mund eine heimliche Widerstandskämpferin war, überforderte sie. Undenkbar. Aber dann fiel ihr ein, wie vehement Andrée darauf gedrungen hatte, sie auf den Konzertreisen ins Deutsche Reich und in die Gefangenenlager zu begleiten, obwohl dies weder nötig noch vorgesehen gewesen war. Und wenn sie es recht bedachte, war ihre Sekretärin überhaupt eine ziemliche Geheimniskrämerin. Da Édith sich niemals für Papiere oder Korrespondenz interessierte, hatte sie nicht darauf geachtet, was Andrée damals ständig zu besorgen, zu verschicken und zu packen hatte. Sie hatte niemals nach Dédées Arbeit gefragt, aber mit einem Mal verstand sie, dass sie auch keine Antworten erhalten hätte.

Langsam rutschte Édith von der Sessellehne. Im ersten Moment schien es ihr, als würden ihre Beine sie nicht tragen, doch mit einem Ruck richtete sie sich auf. Was hatte Andrée gesagt? »Hundertzwanzig Beweise« sollte es geben, die Édiths

Dienst für das französische Volk bestätigten – und sie wusste nicht von einem einzigen. Unmöglich!

»Was ist das für eine Geschichte mit meiner angeblichen Tätigkeit für die Résistance, Dédée?« Édiths Stimme klang schärfer als beabsichtigt.

»Das sage ich dir, sobald du dich wieder hingesetzt hast. Und du solltest dich auch setzen, Simone. Es wird ein wenig dauern, bis ich euch alles erzählt habe. Das erledigt sich nicht gut im Stehen.«

Mitten auf der Strecke irgendwo in Brandenburg wurde der Zug angehalten. Von den Gleisen schallten Stimmen im Befehlston in das Abteil, doch Édith sprach kein Deutsch und konnte nicht verstehen, was gerufen wurde. Sie richtete sich auf, um aus dem Fenster zu sehen. Aus den Augenwinkeln nahm sie wahr, wie auf dem Sitz ihr gegenüber Andrée den Fotoapparat hastig aus ihrer Tasche zerrte.

»Willst du festhalten, wie wir von Tieffliegern getroffen werden?«, entfuhr es Édith.

»Ich möchte meine Kamera nicht vergessen, wenn wir den Zug verlassen müssen«, rechtfertigte sich Andrée.

Draußen deutete nichts darauf hin, dass ein Angriff bevorstünde. Unter einem strahlend blauen Himmel wiegten sich die zartgrün belaubten Äste eines Birkenwäldchens am Rande der Gleise friedlich im Wind. Édith sah Soldaten vorbeilaufen, doch die jungen Männer blickten nicht nach oben, erwarteten offensichtlich keine

Maschinen der Air Force, sondern suchten anscheinend etwas unter dem Zug. Oder jemanden. Irgendwo bellte ein Hund.

Édith sank zurück in ihren Sitz.

»Wenn dein Fotoapparat kaputtgeht, kaufen wir einen neuen«, sagte sie.

»Ja ... natürlich ... ja ...«, murmelte Andrée zerstreut.

»Ich habe gehört, dass es manchmal Gefangenen gelingt, aus den Lagern zu fliehen. Nach denen suchen sie dann mit ihren Schäferhunden. Arme Teufel!«

»Mit guten Papieren können sie entkommen«, erwiderte ihre Sekretärin.

»Wer? Die Hunde?« Edith verzog das Gesicht. »Ich mag es nicht, wenn Tiere auf Menschen gehetzt werden. Das macht mir Angst.« Ihre Hand suchte das schlichte Goldkreuz, das sie an einer Kette um ihren Hals trug. »Gott möge uns alle beschützen.«

Andrée hob ihren Kopf von der Kamera, an der sie herumgespielt hatte, und lächelte Édith aufmunternd zu. »Mit ein bisschen Glück können auch wir dazu beitragen, Schutz zu spenden.«

Nach einer Weile setzte sich der Zug wieder in Bewegung. Die Lokomotive zog die Waggons ruckend und quietschend an. Der Dampf wehte bis vor ihr Abteilfenster und nahm Édith die Sicht auf die Landschaft. Andrée hielt weiterhin ihre Kamera fest und legte sie auch nach ihrer Ankunft im Stalag III B nicht aus den Händen. Dann machte sie damit jene Fotos, die Édith in der Préfecture vorgelegt worden waren.

»Du weißt doch noch, dass wir dort posiert haben wie die Touristen. Aber diese Fotografien, die für die *Fritzen* so harmlos wirkten, haben wir benutzt, um falsche Ausweispapiere herzustellen. Die Gesichter der Gefangenen konnten einfach ausgeschnitten und in ein passendes Dokument geklebt werden. Am Ende waren es ganze hundertzwanzig Pässe, die wir anfertigen konnten.« Andrées Augen blitzten.

Édiths Mund klappte auf, aber es kam kein Ton heraus. Sie tastete neben sich und fühlte Guites kühle Hand. Die Finger der beiden Frauen verschränkten sich wie von selbst, und die der Komponistin eigene Ruhe strömte unverzüglich durch Édiths Glieder und erfüllte ihren Körper mit Sicherheit.

In dem kleinen Salon war es so still, dass die vier Frauen die sprichwörtliche Stecknadel hätten fallen hören. Durch das geschlossene Fenster drang von der Straße wütendes Geschrei und Hupen herauf. Ein alltäglicher Streit unter Verkehrsteilnehmern, nichts Besorgniserregendes, keine Konfrontation, die schließlich durch eine deutsche Wehrmachtspistole gelöst werden würde. Die Angst vor dieser Schreckensherrschaft war vorbei. Und dennoch nicht meine Furcht vor einer Verhaftung, fuhr es Édith durch den Kopf.

»Ich habe nichts von alldem bemerkt, Dédée«, murmelte sie. »Was hast du mit diesen hundertzwanzig Pässen gemacht?« Sie fragte gar nicht erst, wer die Fälscher waren. Wer alles zu Andrées Widerstandsgruppe gehört hatte, interessierte sie nicht. Schon als Kind auf der Straße hatte sie gelernt, dass es sicherer war, nicht alles zu wissen.

»In meiner Reisetasche war ein Geheimfach eingearbeitet, so dass ich sie bei deiner nächsten Tournee in das Lager bringen konnte.«

Simone stieß einen leisen Pfiff aus.

»Und dann?«, fragte Édith tonlos. Kurz streifte sie der Gedanke, was passiert wäre, wenn eine SS-Patrouille die Unterlagen bei ihrer Sekretärin gefunden hätte. Sofortige Erschießung war noch die angenehmste Vorstellung. Sie schnappte nach Luft.

Marguerites Finger schlangen sich um Édiths Hand, beruhigten sie und munterten zugleich auf. »Es ist ja nichts passiert«, tröstete Guite.

»Wie ging es weiter?«, insistierte Édith. Ihr Herz schlug ihr bis zum Hals. Sie schluckte in der Hoffnung, das unangenehme Pochen wieder an die richtige Stelle zu bringen.

»Ich übergab das Paket einem Verbindungsmann, der die Dokumente dann entsprechend den Fotografien zuordnete und verteilte. Mit diesem Pass ausgestattet, gelang vielen Gefangenen die Flucht aus dem Lager. Ohne dich wäre das nicht möglich gewesen, Môme.«

KAPITEL 5

Die drei Männer waren vor dem Bühneneingang des Moulin Rouge in ihr Gespräch vertieft und machten nicht den Eindruck, dass sie auf Édith warteten. Sie steckten die Köpfe zusammen, bis sich die Krempen ihrer Filzhüte berührten. Um die Herren auf sich aufmerksam zu machen, betätigte Édith die Klingel an ihrem Fahrrad, bevor sie zu bremsen versuchte. Keiner blickte auf. Einen Moment lang erwog sie, dem Rendezvous ein Ende zu bereiten, indem sie ihren Drahtesel einfach zwischen die Diskutierenden lenkte. Doch dann dachte sie, dass es zumindest Henri nicht lustig fände, wenn sie ihn über den Haufen fuhr. Also bremste sie auf der leicht abschüssigen Straße mit den Füßen und klingelte wie wild.

Endlich sahen ihre Getreuen und deren unbekannter Begleiter auf.

»Môme!«, sagte Henri und küsste sie auf beide Wangen.

»Wie schön, Sie zu sehen!«, flötete Louis.

Seine überschwängliche Freude weckte ihren Spott: »Erinnern Sie sich nicht mehr, dass wir verabredet waren?«

»Natürlich, natürlich. Darf ich Ihnen Émile Audiffred vorstellen? Er ist der Agent von Yves Montand.«

Édiths schmal gezupfte Augenbrauen hoben sich vor Überraschung. Sie kannte Audiffred bisher zwar nicht persönlich, aber sie hatte viel von ihm gehört, und er wirkte sympathisch. Der Fünfzigjährige war der Impresario von Tino Rossi, und an ihm kam fast niemand in der Branche vorbei, denn er hatte auch Django Reinhardt und Maurice Chevalier betreut, die Mistinguett und Lucienne Boyer, darüber hinaus die internationale Karriere von Josephine Baker lanciert. Dass sich ein Mann dieses Formats für einen talentlosen Schnulzensänger einsetzte, war mehr als ungewöhnlich. Hatte sie sich womöglich doch geirrt? Oder irrte Monsieur Audiffred?

»Ich freue mich, Sie kennenzulernen, Madame Piaf«, unterbrach er ihre Gedanken, »aber ich muss Ihnen leider sagen, dass Yves Montand von diesem Vorsingen nicht begeistert ist. Er …«

Édith öffnete bereits den Mund zu einer scharfen Erwiderung, als Louis einwarf: »Er soll nicht vorsingen. Das habe ich Ihnen doch schon erklärt. Édith Piaf möchte lediglich einer Probe beiwohnen.«

Sie drückte ihm ihren Fahrradlenker in die Hand. »Ich finde es unmöglich, dass ihr redet, als wäre ich nicht da. Und gleich bin ich wirklich nicht mehr da. Aber wagt nicht, mir nachzukommen!«

Sie drängte sich zwischen den Männern hindurch zum Bühneneingang. Als Audiffred sich anschickte, die Tür für sie zu öffnen, stieß sie ein empörtes »Lassen Sie mich in Ruhe!« aus. Sie war schon fast fort, als sie gerade noch vernahm, wie der Impresario leise zu Henri sagte: »Das geht niemals gut. Yves nennt sie eine ›Weltschmerzheulsuse‹ und ›Stänkerin erster Güte‹. Dabei kennt er sie noch …« Der Rest des Satzes ging in dem Knall der Tür unter.

Um Atem ringend verharrte Édith neben der Pförtnerloge. Die war unbesetzt, der Concierge offenbar im Haus unterwegs oder an diesem Tag einfach nicht anwesend. In dem Durcheinander, in dem sich Paris noch immer befand, wusste man nie genau, ob alles seine Ordnung hatte und seinen aus der Vorkriegszeit gewohnten Gang nahm. Andrées Bericht hatte Édith erschüttert, diese Geschichte war der beste Beweis dafür, dass selbst in jenen Menschen, die sie genau zu kennen glaubte, etwas stecken konnte, von dem sie nicht den blassesten Schimmer hatte. Das Verhalten Yves Montands passte in dieses Muster. Nichts war mehr wie früher. Einen Emporkömmling, der es wagte, einen Star zu verunglimpfen, hätte es damals nicht gegeben. Er konnte von ihr profitieren, nicht sie von ihm. Und sie war auch noch so gutmütig, ihm eine Chance zu geben. Oder so dumm. Oder zu dankbar für Andrées Geschichte. Das hatte sie davon. Aber das der heiligen

Thérèse von Lisieux gegebene Versprechen musste sie einhalten.

Édith straffte die Schultern, um den vertrauten Weg in Richtung Zuschauerraum zu nehmen. Sie bewegte sich leise, vermied es, fest aufzutreten, so dass ihre Schritte nicht klapperten und von weitem zu hören waren. Da sie relativ flache Schuhe mit Blockabsätzen trug, war es einfach, sich fast geräuschlos ihrem Ziel zu nähern. In den Theaterfluren war es um die Vormittagszeit ruhiger als sonst, von ferne drang ein Geigensolo durch geschlossene Türen, dann der Tusch eines großen Orchesters. Der schwache Geruch von Knoblauch, Alkohol, Zigarettenqualm und Theaterschminke hing in der Luft, ebenso wohlbekannt wie die schmucklosen Wände und schwachen Glühbirnen, die hier von der Decke baumelten. Hinter den Bühnen sah es immer so trist aus, ein Kontrapunkt zu der Kreativität der Menschen, die hier ihrer Arbeit, ihrer Kunst nachgingen. Zu Beginn ihrer Karriere hatte Édith sich gewundert, wie sich diese Phantasielosigkeit damit vertrug, aber inzwischen war sie daran gewöhnt wie eine Schlafwandlerin an den Mond.

Eine Tür führte sie in einen mit rotem Samt ausgestatteten Flur, eine weitere in das Parkett. Die Deutschen hatten aus dem Moulin Rouge zunächst einen Tanzpalast gemacht, der Édith an Etablissements in Berlin erinnerte, die sie auf ihren Reisen kennengelernt hatte. Nachtlokale, in denen große Orchester zum Tanz aufspielten, waren anscheinend nach dem Geschmack der *Fritzen*. Später war das legendäre Musiktheater in ein Kino umgewandelt worden, in dem die Besatzungssoldaten deutsche Wochenschauberichte über die Siegeszüge der Wehrmacht überall auf der Welt sahen. Dadurch war zumindest die Bestuhlung intakt, ansonsten waren bis zur großen Wiedereröffnung umfassende Renovierungsarbeiten notwendig. Édith wich im letzten Moment, bevor sie ihn umgestoßen hätte, einem Malereimer aus und schob sich lautlos in eine der hinteren Sitzreihen, begleitet von einem Klavierakkord. Der galt nicht ihr, sondern dem jungen Mann auf der Bühne.

Yves Montand stand im Kegel eines einzigen Scheinwerfers neben dem Pianino, den Kopf über einen Stapel Papiere gesenkt, bei denen es sich wahrscheinlich um Noten mit den dazugehörenden Textzeilen handelte. Während der Musiker neben ihm seine Fingerübungen machte, schien der Sänger etwas zu suchen – und gab der heimlichen Zuschauerin damit Gelegenheit, seine Erscheinung zu betrachten, ohne von seiner Stimme oder seinem Getue abgelenkt zu werden.

Für einen Mann aus dem Süden war er überraschend groß, fast einen Meter neunzig – und erst jetzt fiel ihr auf, wie gut er aussah. Er trug eine schwarze Hose und ein weißes Oberhemd, den Knopf am Kragen hatte er offen gelassen, das Jackett ausgezogen. Seine Gestik war lässig, und das gefiel Édith deutlich besser als das aufgesetzte Gehabe im ABC. Sie fand, dass er gar keine so schlechte Figur machte, wenn er still stand, nur seine schmalen Hände bewegte und auf die Tanzschritte ebenso verzichtete wie auf den Cowboyhut und die Karojacke.

Er wirkte nicht mehr lächerlich, sondern war ein verdammt attraktiver Kerl, wie sie sich eingestehen musste. Erstaunt und gleichzeitig erfreut über diese Erkenntnis, lehnte sich Édith zurück.

Leise knarrte ihr Sitz, doch das Geräusch ging in dem Gespräch unter, das auf der Bühne geführt wurde.

»Die Piaf will mich testen«, hörte sie Yves Montand sagen, und sein Ton verriet, dass er alles andere als erfreut darüber war. Nach dieser Feststellung richtete er sich auf, reichte dem Pianisten ein Notenblatt und fügte hinzu: »Na gut, dann zeigen wir ihr mal, was ich kann. Ich denke, wir sollten uns damit aufwärmen, bevor sie kommt.«

Er sprach mit einem Dialekt, der Édith an ihre frühen Jahre an der Place Pigalle erinnerte. Das ist die Sprache der Straßen Marseilles, dachte sie. Sie hatte diese Melodie mit den langgezogenen Vokalen bei den Matrosen aus dem Süden gehört, die auf Landgang nach Paris kamen, um sich zu vergnügen. Seltsamerweise war ihr das bei seinem Auftritt im ABC nicht aufgefallen.

Der Klavierspieler begann mit einer Einleitung, die Édith sofort erkannte. Es war das Chanson »Que reste-t-il de nos amours?« von Charles Trenet. Im ersten Moment ärgerte es sie, dass der junge Sänger wieder nur die Kopie eines anderen gab. Doch dann fiel ihr ein, dass er als Anfänger wahrscheinlich noch gar keine eigenen Titel hatte. Wenigstens war das ein besseres – und französischeres – Lied als die albernen Schlager, mit denen er sich vor den Amerikanern verneigte.

Es dauerte nicht lange, und sie begriff, dass nichts an seiner Interpretation etwas mit dem unglücklichen Vortrag des Abends im ABC gemein hatte. Yves Montand erzählte von den Erinnerungen eines Mannes, der an einem erlöschenden Feuer vor seinem Haus saß und an die Liebschaften seiner Jugend dachte. Seine Stimme klang tief, sehr männlich, kraftvoll, gleichzeitig melancholisch und voller Sehnsucht. Da stand ein junger Mann allein neben dem Pianino im schwachen Licht eines Scheinwerfers und schaffte es, die riesige Bühne mit seiner atemberaubenden Präsenz zu füllen. Von ihm sprang ein Funke über, der sich auf seinem Weg durch den dunklen, leeren Zuschauerraum bis zu Édith zu einem Flammenmeer entwickelt hatte, und als er von geraubten Küssen sang, klang sein Timbre in ihren Ohren unfassbar erotisch.

Wie vom Blitz getroffen richtete sie sich auf. Sie starrte den Sänger an, der nun den zweiten Knopf an seinem Hemd öffnete und die Manschetten seiner Ärmel umkrempelte. Braungebrannte sehnige Unterarme kamen zum Vorschein, und sie fragte sich, ob der dunkle Flaum auf seiner Haut tatsächlich so weich war, wie er von ihrem Platz aus wirkte.

Er gab seinem Pianisten ein Zeichen, der daraufhin ein schmissiges Chanson anstimmte, das Édith nicht kannte. Der Text war aber recht amüsant, handelte von einem Fahrrad, und Yves Montand schaffte es, dass sie sich das Gefährt bildlich vorzustellen vermochte – wenn auch eher in Marseille als in Paris.

Der Klavierspieler legte ein kurzes Solo hin, während Yves Montand noch einmal in den Noten blätterte.

Mit angehaltenem Atem wartete Édith auf das nächste Lied. Schließlich stimmte er »Dans le métro« an, ein Chanson, das durch Roger Dann berühmt geworden war. Ein Lächeln umspielte Édiths Lippen. Vor einer Viertelstunde wäre sie verärgert gewesen, dass der *Ersatzmann* sich ausgerechnet mit einem Titel des Originals zu profilieren versuchte. Nach seinem bisherigen Vortrag amüsierte sie dieser kleine Seitenhieb jedoch nur.

Mit der Melodie schien die Walzerseligkeit vergangener Zeiten aufzuerstehen. Unwillkürlich befürchtete Édith, der Takt dieser schwungvollen Musette würde Yves Montand zu einer Tanzeinlage inspirieren. Doch anders als bei seinem Auftritt als Cowboy stand er still auf seinem Platz und vertraute einzig seiner Stimme. Er konnte singen. Daran bestand kein Zweifel. Und er wusste es. Sie wunderte sich nur, warum er dieses Talent und dieses Selbstbewusstsein nicht auf der Bühne des ABC zur Geltung gebracht hatte. Nun ja, er brauchte noch Schliff, aber mit ein wenig Anleitung konnte dieser Italo-Franzose etwas werden, dessen war sie sich gewiss.

Getragen von seiner Energie, die über die Stuhlreihen hinweg nach ihr zu greifen schien, sprang sie auf. Sie achtete nicht darauf, leise zu sein. Mit klappernden Schritten marschierte sie in Richtung Bühne.

Der Pianist ließ seine Hände sinken, bevor Yves Montand abbrach. Der sang noch ein paar Takte a cappella, bevor er empört in den dunklen Zuschauerraum rief: »Was fällt Ihnen ein, die Probe zu stören?«

»Genug.« Sie trat in den Scheinwerferkegel, der einen schmalen Streifen Licht über den Orchestergraben in das Parkett warf. »Ich brauche nicht mehr zu hören.«

»Oh, Madame Piaf!« Yves Montand klang überrascht, aber nicht sonderlich erfreut. Mit schlaksigen Bewegungen trat er an den Rand der Bühne, beugte sich jedoch nicht zu ihr hinunter. »Ich bin noch nicht fertig.«

Da stand sie nun und reichte ihm gerade bis zu den Knöcheln. Sie registrierte, dass seine Schuhe neue Sohlen brauchten. Irgendetwas an dem Gedanken rührte sie. Dann fiel ihr ein, dass Henri gesagt hatte, Yves Montand sei dreiundzwanzig Jahre alt. Er war gerade einmal fünf Jahre jünger als sie, und seine Sprache ließ auf eine ähnliche Herkunft wie die ihre schließen. Obwohl sie üblicherweise keinen Wert darauf legte, auf ihren Familienstand hinzuweisen, hielt sie es für angemessen, ihn zu korrigieren: »Mademoiselle, bitte.«

»Hm«, machte er nur. Anscheinend hatte er nicht nur das schlechte Benehmen eines Kerls von der Straße, er war wohl tatsächlich so übellaunig, wie Audiffred behauptet hatte. Mit Männern dieser Klasse kannte sie sich aus.

»Wenn du singen willst, komm in einer Stunde zu mir ins Hotel Alsina.« Sie klang nicht besonders freundlich, sondern wie eine gestrenge Lehrerin, die ihren Schüler maßregelte.

Die *Madame le professeur* warf den Kopf zurück, straffte die Schultern und wandte sich nach einem abschätzigen Blick zur nächsten Tür. Aus den Augenwinkeln registrierte sie, wie Yves Montand erbleichte. Dass er so leicht zu durchschauen

86

war, amüsierte sie. Männer wie er mochten es nicht, wenn Frauen in diesem Ton mit ihnen sprachen. Daran wirst du dich gewöhnen müssen, fuhr es ihr durch den Kopf, und sie lächelte.

KAPITEL 6

»Glaubst du wirklich, dieser Yves Montand kommt hierher?«, wollte Simone wissen.

»Warum sollte er es nicht tun?« Édith stand vor dem Spiegel im Schlafzimmer und fuhr mit der einen Hand durch ihr lockiges Haar, in der anderen hielt sie einen Lippenstift. Es war noch relativ früh am Tage und damit nicht ihre beste Zeit, aber sie fühlte sich aufgekratzt wie sonst nur bei einem Auftritt oder einem nächtlichen Gelage. Sie zwinkerte Simone zu, die hinter ihr stand, und meinte: »Er war wütend, weil er es nicht gewohnt ist, Anweisungen von einer Frau zu erhalten. Ich bin sicher, Monsieur Audiffred wird ihm noch einmal deutlich machen, dass es seine Chance ist, von mir protegiert zu werden. Sobald er sich also beruhigt hat, wird der ihn auf dem schnellsten Wege hierherbringen. Keine Sorge.«

»Ich mache mir eher Sorgen um dich«, murmelte Simone.

»Du gehst um zehn Uhr zu dieser Verabredung ins Moulin Rouge, und es ist noch nicht einmal Mittag, aber statt dich wieder schlafen zu legen, takelst du dich auf wie eine Diva.«

»Unsinn. Das ist lächerlich. Ich mache mich nur ein wenig zurecht.« Édith presste die frisch bemalten Lippen aufeinander, lächelte gekünstelt, zog eine Grimasse und wischte anschließend mit dem Finger die überschüssige Farbe fort. Nachdenklich betrachtete sie sich. Sie trug noch das Sommerkleid, mit dem sie unterwegs gewesen war, ein hübsches weißes Kleid mit großen blauen Blumen. »Wo ist eigentlich dieser Büstenhalter, den Guite mir gekauft hat?«

»Keine Ahnung. Der liegt in irgendeiner Schublade. Du trägst ihn ja nie.«

»Ich möchte das ab sofort ändern.«

»Das verstehe ich nicht. Warum willst du jetzt einen Büstenhalter anziehen?«

»Ach, Momone!« Aufstöhnend drehte sich Édith zu ihrer Freundin um. »Um Distanz zu schaffen, natürlich. Was soll ich tun, wenn er mir auf den Busen starrt?«

»Mit ihm ins Bett gehen«, schlug Simone vor.

»Ich will einen Chansonnier aus ihm machen. Nicht meinen Liebhaber.« Und ich habe eine sinnvolle Beschäftigung, falls Andrées Aussage das drohende Auftrittsverbot doch nicht verhindern kann, fügte sie im Stillen hinzu. Ein Mann für eine Nacht hilft mir dabei nicht.

Ein Klopfen unterbrach ihre Gedanken. Es war nicht das vorsichtige Klopfen des Zimmermädchens, auch nicht so höflich wie von einem wohlerzogenen Gast, sondern energisch. Da hämmerte jemand gegen die Tür des Salons.

Édith und Simone wechselten einen verschwörerischen Blick, woraufhin Simone trocken meinte:»Es ist wohl zu spät, um nach dem Büstenhalter zu suchen.«

Von nebenan drangen die Stimmen von Édiths Sekretärin und dem Besucher herein, dem Andrée öffnete.

Das breite Grinsen, mit dem Édith die Bemerkung ihrer Freundin beantwortet hatte, verschwand aus ihrem Gesicht. Sie setzte eine ernste Miene auf, bevor sie Simone den Lippenstift in die Hand drückte und hocherhobenen Hauptes wie eine Königin durch den breiten Wanddurchbruch in den Salon schritt. Oder zumindest so, wie sie sich vorstellte, dass eine Monarchin auf einen Bittsteller traf. Nur dass Yves Montand nicht die Figur eines Almosensammlers machte. Zwar sah er in seinem karierten Sakko aus wie ein armer Schlucker, es mangelte ihm eindeutig an guter Garderobe oder an Geschmack. Nur an Selbstbewusstsein fehlte es ihm nicht.

Breitbeinig stand er mitten im Raum und wartete. Er kam ihr nicht entgegen, sondern wartete, dass sie vor ihn trat.

»Hier bin ich«, sagte er schlicht.

Sie reichte ihm ihre Rechte, den Daumen ein wenig eingezogen, wie sie es immer tat. Ihre Hand verwandelte sich durch diese Geste in einen flatternden Vogel, nach dem er zögernd griff – nun doch etwas irritiert – und länger als nötig festhielt.

»Ich habe dich neulich im ABC gehört und heute die Probe erlebt«, begann Édith freundlich. Angesichts seiner Herkunft blieb sie beim freundschaftlichen Du und wechselte nicht zum elitäreren Sie.

»Es war ein Vorsingen«, protestierte er. Der Ton war mürrisch und machte deutlich, worauf Audiffred bereits am Bühneneingang hingewiesen hatte – Yves Montand passte es ganz und gar nicht, von einer Frau in Frage gestellt zu werden.

Sie überging seinen Einwand. »Setzen wir uns doch«, schlug sie vor und wies – ebenfalls mit einer majestätischen Geste – auf die beiden Sessel am Fenster. Sie nahm Simone wahr, die neugierig aus dem Schlafzimmer herausspähte. Andrée hatte sich an den kleinen Sekretär zurückgezogen und öffnete die Post. Das ratschende Geräusch, mit dem der Brieföffner die Kuverts aufschlitzte, erfüllte den Raum mit lebhafter Betriebsamkeit.

Zögernd nahm er Platz, setzte sich jedoch in einer Haltung, als müsse er jeden Moment aufspringen.

»Fangen wir mit deinen Vorzügen an«, begann Édith und ließ sich ebenfalls nieder. »Das geht schneller.«

Er wurde blass, presste die Lippen aufeinander – und wartete schweigend ab. Immerhin plapperte er nicht wild drauflos oder versuchte, sich ob dieses ersten Angriffs sofort zu verteidigen. Diese Contenance rechnete sie ihm hoch an. Unwillkürlich lächelte sie still in sich hinein.

»Du siehst gut aus«, fuhr sie ruhig fort, »und kannst durchaus etwas darstellen auf der Bühne. Deine Gesten sind ausdrucksvoll, deine Stimme ist warm und tief. Das wird die Frauen aufwühlen. Du scheinst was im Kopf zu haben ...«

Er entspannte sich, streckte die langen Beine aus.

»Das ist aber auch schon alles«, versetzte Édith.

Er schnappte nach Luft, sagte jedoch noch immer nichts.

»Ich fand deinen Auftritt im ABC unmöglich. So wie dort geht es auf keinen Fall.« Die Sessel standen nah genug beieinander, dass sie nur die Hand auszustrecken brauchte, um leicht am Revers seines Sakkos zu ziehen. »Deine Kledage taugt für den Zirkus. Diese Jacke und der Cowboy-Hut, den du auf der Bühne getragen hast, sind lächerlich, und du bewegst dich wie ein Harlekin.« Sie schwieg einen Moment, doch da er sie nicht unterbrach, sondern nur um Fassung ringend anstarrte, geriet sie in Fahrt: »Dein Marseiller Dialekt ist abscheulich. Dein Repertoire ist nichts wert, weil diese amerikanische Masche einfach nur albern ist und ...«

Offensichtlich traf sie mit der Beleidigung seines Gesangstils einen Nerv. »Die amerikanische Masche, wie Sie es nennen, gefällt meinem Publikum«, widersprach er. »Ich habe damit Erfolg.«

Was für ein dummer Junge!, dachte sie belustigt.

Ohne von ihrer Rolle der gestrengen Lehrerin abzuweichen, entgegnete sie mit ernster Miene: »Erfolg ist etwas anderes. Der Applaus gilt nicht dir, sondern der aktuellen Situation. Die Pariser freuen sich darüber, dass sie von den Amerikanern befreit wurden. Aber das ist bald überholt. Du bist eigentlich schon jetzt Schnee von gestern.«

Er knirschte buchstäblich mit den Zähnen. Die Reibung war so laut, dass Andrée den Kopf von ihrer Arbeit hob.

»Ich habe verstanden«, presste er hervor. »Sie wollen mich nicht. Anscheinend bin ich nicht Ihr Typ.«

Mit einer geschmeidigen Bewegung sprang er auf. Für einen Moment wirkte es, als wolle er sich auf sie stürzen, doch er blieb stehen und rang die Hände, statt Édith zu erwürgen, was ganz offensichtlich sein dringendster Wunsch war.

»Du irrst!« Ihre Stimme klang sanft, nicht mehr so hart und oberlehrerhaft wie zuvor. »Du bist mein Typ.«

Im Hintergrund sog Simone scharf die Luft ein.

Yves Montand schüttelte den Kopf. »Ich bin nicht interessiert, Mademoiselle Piaf.« Er nickte ihr kurz zu und schickte sich an, den Raum zu verlassen. »Guten Tag.«

Auf halbem Weg zur Tür hielt sie ihn zurück: »Warte, ich bin noch nicht fertig.«

Zu ihrer größten Überraschung verharrte er. Er drehte sich halb zu ihr um, sah sie finster an. Seine Augen waren dunkel und von einem so tiefen Blau wie das Mittelmeer an einem Wintertag, kurz bevor ein Sturm losbrach.

»Ich hätte dich nicht hierhergebeten, wenn ich nicht sicher wäre, dass du ein guter Chansonnier werden könntest. Ich bin bereit, mit dir zu arbeiten. Wenn du auf mich hörst, werde ich einen großen Sänger aus dir machen, einen Star.« Es war wie ein Echo jener Worte, die Raymond Asso einst zu ihr gesagt hatte. *Wenn du mir widerspruchslos gehorchst, kommst du ganz groß raus.*

»Nein, danke!« Er benötigte nicht einmal zwei Schritte zur Tür, die er wütend hinter sich zuknallte.

Einen Atemzug lang war es still in ihrer Suite.

Dann stieß Simone geräuschvoll die Luft aus: »Puh!«

Was für ein dummer Junge!, dachte Édith noch einmal und fühlte sich plötzlich viel älter als achtundzwanzig Jahre.

Aus der Nähe betrachtet war Yves Montand so hübsch, dass sie kurz ins Träumen geraten war und den Vorsatz, nicht mit ihm zu schlafen, beinah über Bord geworfen hätte. Aber sie wollte ihn nun einmal nicht verführen, sondern einen großartigen Musiker aus ihm machen. Dass er das Potenzial besaß, hatte sie als heimliche Zuschauerin seiner Probe zweifelsohne erkannt. Er war ein neuer Typ, ein Vertreter der Nachkriegszeit, die hoffentlich bald beginnen würde. Das hatte sie schon im Moulin Rouge gespürt – und in seiner Nähe eben noch viel deutlicher.

»Er kann das Chanson revolutionieren«, sagte sie mehr zu sich selbst als zu den anderen beiden Frauen.

»Glaubst du, er wird deinen Rat annehmen?«, fragte Andrée und klang dabei eher zaghaft.

»Ja«, erwiderte Édith wider besseres Wissen.

Sie war sich nicht mehr sicher, ob sie richtig gehandelt hatte. Je länger sie die Szene vor ihrem geistigen Auge Revue passieren ließ, desto mehr befürchtete sie, zu weit gegangen zu sein. Yves Montand gab sich hochmütig, sein Künstlername sprach ja schon für eine gewisse Selbstüberschätzung. Außerdem war er italienischer Herkunft und auf den Straßen von Marseille aufgewachsen. Würde ein Macho wie er einer Frau zubilligen, dass sie recht hatte? Wäre er bereit, sich unterzuordnen? Wenn ihm seine Karriere etwas bedeutet, wird er es tun, überlegte Édith. Und wenn er tatsächlich so intelligent ist, wie ich meine. Aber wenn dem nicht so ist, haben wir beide verloren. Nein, dann sind wir zu dritt, denn Audiffred wird an diesem Klienten auch keine Freude mehr haben.

»Du bist ziemlich hart mit ihm umgesprungen«, meinte Simone, die nicht zum ersten Mal Édiths Gedanken zu lesen schien.

Édith stemmte sich aus dem Sessel hoch. »Er hat es verdient«, behauptete sie. »Und jetzt möchte ich schlafen. Dédée, bitte sorge dafür, dass mich niemand stört. Bis auf ...«, sie biss sich auf die Unterlippe.

Bis auf Yves Montand, hatte sie sagen wollen. Doch eigentlich war sie sich sicher, dass er nicht sofort zu ihr zurückkommen würde. Selbst wenn er es wollte, musste er sich wahrscheinlich erst einmal abreagieren, bevor er klein beigab. Sie konnte sich unbesorgt hinlegen.

»Ich möchte von niemandem gestört werden«, wiederholte sie mit fester Stimme.

KAPITEL 7

Es war Henri, der sie weckte. Er stand am frühen Abend in ihrem Schlafzimmer, als gehöre er dorthin. »Ich wollte längst bei dir sein, aber auf den Straßen ist kein Durchkommen. Es wird überall gefeiert, weil die Amerikaner die Grenzen ins Deutsche Reich übertreten haben und als erste deutsche Großstadt Aachen angreifen.«

Sie war zwar nur noch im Halbschlaf gewesen und hatte gedöst, empfand die Störung aber trotzdem als ausgesprochen lästig. »Mach nicht so einen Krach«, murmelte sie. Gähnend schob sie die Augenmaske zurück, die sie trug, wenn sie tagsüber schlief, und richtete sich langsam auf. Mit zusammengekniffenen Lidern sah sie zu ihrem Besucher auf, der in der Dämmerung wie ein dunkler Scherenschnitt vor dem hereinfallenden Licht wirkte. »Wer hat dich überhaupt hereingelassen?«

»Niemand. Ich habe einen zweiten Zimmerschlüssel benutzt. Der Lärm kommt übrigens von draußen. Hörst du es nicht?«

»Was denn? Die Fenster sind geschlossen, das siehst du doch. Ich mag nicht bei offenen Fenstern schlafen.« Sie strengte sich an, um zu lauschen. Nach einer Weile konnte sie ein Akkordeon identifizieren, das auf der Avenue Junot gespielt wurde. Die Töne wirkten abgehackt, unterbrochen von Geschrei. Doch eigentlich vernahm sie so gut wie nichts von dem, was offenbar vor dem Hotel los war. Wenn sie es recht bedachte, hörte sie jetzt auch nur etwas, weil sie durch Henri darauf aufmerksam gemacht worden war.

»Bist du gekommen, um mir die neuesten Nachrichten mitzuteilen?« Sie gähnte noch einmal herzhaft. »Das hättest du auch dem Radio überlassen können.«

»Aber der Rundfunk vermeldet nicht, wer für das Vorprogramm bei deinem Auftritt im Moulin Rouge vorgesehen ist.« Henri grinste. Mit derselben Selbstverständlichkeit, mit der er sich ungebeten in ihrem Schlafzimmer aufhielt, ließ er sich ohne ihre Aufforderung auf dem Bettrand nieder. Gespannt wartete er auf ihre Reaktion.

Doch Édith ließ sich Zeit. Sie überlegte, wie sehr es sie verwunderte, wenn Yves Montand so rasch seine Entscheidung gefällt haben sollte. Es wäre sogar irgendwie enttäuschend. Eine Nacht sollte er doch zumindest brauchen, um von seinem hohen Ross herunterzufallen. Männer von der Straße taten schließlich alles, um ihr albernes Image zu bewahren, selbst wenn es noch so ramponiert war. Ihr Vater war das beste Beispiel dafür. Obwohl er keinen Centime besaß, hatte er den Grandseigneur gespielt. Immer auf Kosten anderer, meist auf die seiner Tochter. Édith hatte ihn zwar als Fünfzehnjährige verlassen, aber losgeworden war sie ihn nicht. Immer wieder hatte er ihr auf der Tasche gelegen, um Geld gebettelt, das sie ihm natürlich gegeben hatte, schließlich war er ihr Vater. Als sie es zu einiger Berühmtheit brachte, verlangte Louis Gassion zu allem anderen einen Kammerdiener. Dabei übersah er, dass er in einem heruntergekommenen Hotel in Belleville lebte, das von einer herrschaftlichen Ausstattung so weit entfernt war wie vom Mond. Doch Édith besorgte ihm den gewünschten Butler. Als Louis Gassion im März starb, befand sie sich auf einer Gastspielreise in Deutschland. Der bewusste Kammerdiener informierte Simone über den Tod seines Herrn, Henri organisierte die Beerdigung – und Édith kam gerade noch rechtzeitig zurück nach Paris. Verwirrt, dass ihr der Verlust des Vaters so nahe ging, und untröstlich. Aber auch von Herzen dankbar für Henris Hilfe. Henri, der immer da war und alle Unwägbarkeiten irgendwie ins Lot brachte, wunderbare Texte schrieb, ihr zuhörte und mit ihr diskutierte und lachte, enorme Geduld besaß und ihr nichts übelnahm oder vorschrieb, sondern sie immer nur beriet.

Sie streckte die Hand nach der seinen aus, umschloss seine Finger mit festem Griff. »Kommt Roger Dann doch nach Paris?«, fragte sie ohne große Hoffnung.

»Émile Audiffred hat Louis Barrier versichert, dass Yves Montand dein Anheizer werden wird.«

»Oh! Wird er das?«

»Er braucht das Geld«, erwiderte Henri und wirkte dabei leicht zerknirscht. »*Ma chère*, es sind nur vierzehn Tage, die vergehen schnell.«

Innerlich jubilierend antwortete sie mit dem größten Maß an Gleichgültigkeit: »Ich werd's überleben.«

Gleichzeitig dachte sie, dass sie nicht falschgelegen hatte. Der Grund seiner Zustimmung passte in das Bild, das sie von Yves Montand hatte. Und von ihrem Vater. Die Kerle von der Straße versuchten immer, auf die eine oder andere Weise finanziell von ihr zu profitieren. Deshalb bevorzugte sie inzwischen Männer von Format. Wenn Ivo Livi klug genug war, ließe er sich von ihr zu einem solchen Mann formen.

Wie abwesend streichelte Henri mit seinem Daumen über ihren Handrücken. »Du hast ja nichts gesagt, als du seine Probe verlassen hast. Aber du wirktest viel gelöster als neulich Abend. Deshalb dachte ich, die Verpflichtung sei für dich in Ordnung.«

»Ich gebe zu, wenn ich mich irre – und in diesem Fall lag ich falsch. Schade, dass Yves Montand nur an das Geld denkt. Ich wünschte, er würde auch an seine Karriere denken.«

»Woher soll ich wissen, was in seinem Kopf vorgeht? Vielleicht weiß er noch gar nicht, dass Loulou mit Émile Audiffred handelseinig geworden ist. Das ist auch egal. Hauptsache, du hast einen guten Anheizer, und ich …« Er unterbrach sich, als Édith ihre Hand zurückzog. Verwundert sah er sie an.

»Du hättest mich wirklich nicht wecken müssen, um mir von der Abmachung mit Monsieur Audiffred zu berichten.« Sie sank in die Kissen zurück, gähnte wieder, diesmal jedoch so demonstrativ, dass selbst der gutmütige Henri erkennen musste, wie gespielt es war. Allerdings langweilte er sie tatsächlich. Wenn sich Yves Montand ihrem Rat beugen wollte, wäre es etwas völlig anderes. Sich der Planung eines einflussreichen Agenten zu beugen war deutlich weniger romantisch. »Ich dachte, Yves Montand hätte dich geschickt.« Sie seufzte, fühlte sich irgendwie verletzt. Dann fiel ihr etwas ein: »Wie nannte er mich doch gleich? Was sagte Monsieur Audiffred? Schnulzensängerin?«

»Weltschmerzheulsuse.« Verlegen senkte Henri den Blick. Immerhin hat er die andere Seite der Weltschmerzheulsuse kennengelernt, fuhr es ihr durch den Kopf.

Henri beeilte sich, den jungen Sänger in Schutz zu nehmen: »Yves weiß nicht, wovon er spricht. Er hat dich noch nie singen hören. Sagte er jedenfalls, obgleich ich mir schwer vorstellen kann, dass es irgendjemanden in Paris gibt, der deine Stimme nicht kennt.«

»Er kommt aus dem Süden«, konstatierte sie.

»Genau.«

»Wenn man mich im Süden noch nicht so gut kennt, sollten wir eine Tournee dorthin planen.« Plötzlich gewann Édith an Lebendigkeit. Dass sie daran noch nicht gedacht hatte!

Ihre Gedanken wanderten fort von Yves Montand zu dem Mann in der *Préfecture*, der ihr das Auftrittsverbot angedroht hatte. Würde sein Arm bis ans Mittelmeer reichen? Nizza und Marseille waren fast zeitgleich mit Paris befreit worden, das Leben sollte auch dort wieder in Freiheit neu beginnen. War das nicht ein geeigneter Rahmen, sich den möglichen Repressalien eines übereifrigen Polizeiapparats zu entziehen? Édith konnte sich nicht vorstellen, dass die öffentliche Ordnung überall in Frankreich so schnell wiederhergestellt war, dass Entscheidungen des Säuberungskomitees über die Grenzen der Hauptstadt hinausreichten. Im Süden würde sie singen können, selbst wenn man ihr Auftritte in Paris versagte. Das war der Ausweg, nach dem sie gesucht hatte. Damit hatte sie Zeit gewonnen, bis Andrée als Zeugin für sie aussagen konnte. Wie sie rund eintausend Kilometer durch ein vom Krieg gezeichnetes Land reisen wollte, war ein anderes Problem, das Édith rasch aus ihren Gedanken tilgte. Die heilige Thérèse würde schon helfen.

»Von mir aus kann Yves Montand mit mir nach Südfrankreich kommen«, hörte sie sich zu ihrer eigenen Überraschung sagen. Die Worte sprudelten aus ihr heraus, bevor sie sich deren Tragweite bewusst war.

»Du bist wunderbar!«, flüsterte Henri. Mit einer zärtlichen Geste schob er die Augenmaske von ihrer Stirn. Seine Finger vergruben sich in ihrem Haar. »Ich liebe deinen Tatendrang.«

Er beugte sich vor, und sein Gesicht kam ihr so nah, dass sie seinen Atem auf ihrer Wange spürte. Seine Berührung war unendlich vertraut. Unwillkürlich sank sie tiefer in die Kissen, bereit für eine leidenschaftliche Umarmung. Ihre Hände hoben sich zu seinen Schultern, wollten ihn festhalten ...

Energisch schob sie ihn von sich. »Das ist nicht das Bett deiner Frau!«

»Ich weiß.« Er setzte sich gerade hin, wischte sich in einer fast hilflosen Geste über die Augen. »Nächsten Monat wird es auch mein Bett sein. In vier Wochen ziehe ich zu dir. Das verspreche ich dir.«

»Das ist eine alte Platte, Henri. Es ist besser, wir bleiben nur Freunde, bevor ich wieder einen Tobsuchtsanfall bekomme.«

Er sagte immer wieder: »Diesmal ist es ganz sicher. Ma chère, bereite alles vor. Ich komme. Nächsten Monat wohne ich bei dir und Simone.« Und Édith tat, was eine liebevolle Hausfrau ihrer Ansicht nach zu tun hatte.

Es war ein wundervolles Gefühl, für einen Mann einkaufen zu gehen. Für Édith war es die Fortsetzung ihrer Intimität, ein Zeichen ihrer Zusammengehörigkeit mit Henri. Ohne Kleiderkarte war es nicht einfach, an elegante Hemden, handgerollte Taschentücher und seidene Unterhosen, Socken und Schlafanzüge in feinster Qualität zu kommen. Die Händler ließen sich den Mangel an Bezugsscheinen teuer bezahlen, aber das Geld spielte für Édith keine Rolle. Sie war die liebende Frau, die für ihren Gatten Besorgungen machte – und damit ging für sie großes Glück einher. Es war die Erfüllung ihrer Sehnsüchte.

Doch Henri kam nicht.

Als ihr bewusst wurde, welch guter Schauspieler er war, räumte sie die Schubladen, die sie voller Begeisterung eingeräumt hatte, wieder aus. Batist, Baumwolle, Seide und Leinen flogen durch ihr Schlafzimmer. Als Simone dazukam, schrie sie: »Schmeiß das Zeug weg!«

Ihre Freundin war vernünftig genug, die Wäsche eines eleganten Herrn zwar aus Édiths Augen zu schaffen, aber sie packte sie in einen Koffer, den sie unter ihr Bett schob. Jedes einzelne Kleidungsstück besaß einen gewissen Wert auf dem Schwarzmarkt – und Simone sparte für schlechte Zeiten.

Nicht ahnend, dass Édith nach einer Weile nach den Sachen fragen würde, weil Henri ihr wieder Versprechungen gemacht hatte und sie seine Schublade erneut füllen wollte. Also gab Simone alles heraus. Vier Wochen später wiederholte sich die Szene.

»Doris hat geweint«, behauptete Henri mit seinerseits von Tränen erstickter Stimme. »Sie hat sich an mich geklammert, und ich habe nachgegeben. Sei großmütig, und gib Doris noch ein wenig Zeit. Ich liebe nur dich.«

Für Édith war es eine jahrelange Achterbahnfahrt zwischen Sehnen und Hoffen, Bangen und Warten. Irgendwann begriff sie, dass sie Henri nur vertrauen durfte, wenn es nicht um seine Ehe ging. Simone tauschte die Garderobe, die sie liebevoll ausgesucht hatte, in mehrere Flaschen Wein, den sie brauchte, um den Schmerz über seine Untreue zu ertränken. Doch danach war sie befreit von der Leiden-

schaft für ihn. Sie konnten Kameraden sein. Dachte sie jedenfalls.

Er blickte sie so bestürzt an, dass er ihr leidtat.

»Gibt es einen anderen?«, wollte er mit brüchiger Stimme wissen.

»Das wäre dir aufgefallen«, antwortete sie.

Er lächelte traurig. »Du machst keine Mördergrube aus deinem Herzen. Das mag ich so an dir. Du bist ein sehr wertvoller Mensch, meine kleine Édith. Deshalb ist es mir recht, dein Freund zu bleiben, obwohl ich in diesem Augenblick viel lieber dein Geliebter wäre.«

Was soll's?, fuhr es ihr durch den Kopf. Es war doch immer schön mit ihm, und ich mag nicht zugucken, wie er leidet.

Außerdem war sie bester Stimmung, nachdem sie einen Ausweg aus der Katastrophe namens Auftrittsverbot gefunden hatte.

Ihr Bett war warm, ihr Körper noch entspannt vom Schlaf, weich und willig. Henri war so nah, sein Duft so vertraut, seine Haut, sein Körper, die Falten in seiner Stirn, das glatte dunkelblonde Haar. Das, was zwischen ihnen existierte, war nie ganz zerrissen. Wie ein Feuer, das nicht erlosch, sondern leise vor sich hin glomm. Ein winziger Funke entfachte es neu.

Sie streckte die Hand nach ihm aus. »Komm her ...«

KAPITEL 8

Die offizielle Anklage wegen Kollaboration ließ weiter auf sich warten, und Édith begann sich wieder mehr mit ihren Auftritten zu beschäftigen statt mit dem drohenden Verbot derselben. Möglicherweise hatte die Kommission ja so viel zu tun, dass sie die angeblichen Verfehlungen einer kleinen Chansonsängerin einfach vergaß. Doch dann erinnerte sie sich, dass sie ein Star war. *Die Piaf* war den Leuten präsent. Und letztlich tat sie selbst alles, damit es so blieb. Das Warten auf etwas, von dem sie – gleich einem schweren Unwetter – nicht wusste, wann und in welcher Konsequenz es auf sie zurollte, kam ihr wie die Rache unsichtbarer Neider auf ihre Karriere vor. Sie fühlte sich nicht wohl mit diesem Gedanken, sobald sie es zuließ, dass er sich in ihr Bewusstsein drängte.

Ihr Alltag forderte ihre volle Aufmerksamkeit, die Wiedereröffnung des Moulin Rouge nahte. Eines späten Nachmittags stand sie auf der Bühne des legendären Musiktheaters zur Probe im Licht der Scheinwerfer und wartete auf den Einsatz der Harmonika. Obwohl sie nicht zählen konnte, wie oft sie das Lied des »L'accordéoniste« bislang gesungen hatte, trat sie selbstverständlich nicht auf, ohne es vorher unter den bestehenden Bedingungen probiert zu haben. Perfektion war ein Teil ihrer Arbeit, sie überließ nichts dem Zufall oder gar dem Glück. Sie gab dem Dirigenten im Orchestergraben ein Zeichen, kurz darauf begann der Musiker, der die Harmonika spielte, und dann zählte sie stumm die Takte. Die vertrauten Worte flossen über ihre Lippen:

>>*La fille de joie est belle*
Au coin de la rue là-bas
Elle a une clientèle ...«

Die Geschichte einer Prostituierten, die sich in einen jungen Akkordeonspieler verliebt, der in den Krieg ziehen muss und nicht zurückkehrt, war so aktuell, dass sie einer Nachrichtensendung im Rundfunk hätte entstammen können. Édith wusste, dass sie mit diesem Chanson die Herzen ihrer Zuhörer berührte. Viele Familien hatten ihre Söhne, Väter, Brüder und Männer verloren oder warteten noch in Ungewissheit auf deren Heimkehr. Doch die Deutschen wehrten sich verbissen gegen die Übermacht der alliierten Armeen, es konnte noch lange dauern, bis alle französischen Soldaten zurückgekehrt wären – sofern sie überlebt hatten. Michel Emer, der Komponist und Textdichter des Liedes, war einer von ihnen. Er war ihr ein guter Freund, den sie im Februar vor vier Jahren mit seinem eigenen Chanson ins Feld geschickt hatte. Deshalb benötigte sie nicht sonderlich viel Pathos, um ihrer Vorstellung Empathie zu verleihen. Sie stand still auf der Bühne, die Arme herabhängend, und sang, was sie fühlte. Es war ihr wichtig, dass sie das Herz ihres Publikums ergriff. Jeder, der ihr zuhörte, sollte an das glauben, was sie vortrug. Dafür brauchte sie keine großen Gesten.

Die Musik brach ab, doch Édith sang voller Inbrunst weiter, wie sie es damals mit Michel Emer vereinbart hatte: *»Arrétez! Arrétez la musique!«* Und dann war es still.

Édith holte tief Luft.

Im nächsten Moment klapperten die Instrumentenbögen und der Taktstock des Dirigenten auf den Notenständern. Der Applaus der Musiker war eine tiefe Verbeugung vor ihrer Kunst.

Ein flüchtiges Lächeln, dann deutete sie mit einer wegwerfenden Geste an, dass sie noch nicht zufrieden war. Sie beschattete ihre Augen mit ihrer Linken und sprach in das gleißende Scheinwerferlicht. Dabei fühlte sie sich wie blind, denn bei der herrschenden Beleuchtung konnte sie weder den leeren Zuschauersaal noch die Gesichter der einzelnen Musiker im Orchestergraben erkennen.

»Danke, vielen Dank. Aber wir müssen den Einsatz noch einmal wiederholen. Ich glaube, da war ich zu spät ... Vielleicht kann man auch etwas am Licht ändern – ich sehe gar nichts ...«

»Licht, bitte!«, rief die Stimme eines Inspizienten im Hintergrund. »Wo ist der Beleuchter?«

»Aber bitte, lasst mich nicht im Dunkeln stehen«, scherzte Édith, als sie eilige Schritte auf dem Holzboden hinter der Bühne vernahm.

Kollektives Lachen antwortete ihr aus dem Orchestergraben. »Der Beleuchter macht seine Arbeit – und wir machen die unsrige«, forderte sie die Musiker auf. »Also, bitte, alles noch einmal von vorn.«

Einen Atemzug später erklangen die ersten Töne des Akkordeons.

Konzentriert zählte sie die Takte bis zu ihrem Einsatz, dann begann sie.

Sie probten dieses Chanson noch mehrmals und dann weitere aus ihrem Repertoire. Sie verlangte ihrer Stimme alles ab, vergaß dabei aber selbst im größten Eifer nicht die Gesangstechnik und handwerklichen Regeln, die ihr Raymond Asso beigebracht hatte. Auch seinen Titel »Mon légionnaire« sang sie, der inzwischen ihr Lied war und nicht mehr das von Marie Dubas. Denn ihre Stimme war nicht nur einzigartig ausdrucksvoll – vor allem blieb Édiths Vortrag trotz all ihres musikalischen Könnens immer natürlich und echt, so dass man die Geschichten von Verlust und Einsamkeit und Liebe, von denen sie in ihren Liedern erzählte, einfach nachempfinden musste.

Von Raymond hatte sie ebenso lange nichts mehr gehört wie von Michel Emer oder von dem deutsch-jüdischen Komponisten Norbert Glanzberg, dem Andrée geholfen hatte, sich vor der Verfolgung durch die Nazis zu verstecken. Während Édith seine Melodie mit ihrer Stimme lebendig werden ließ, wurden die Erinnerung an die alten Freunde wach, und sie dachte daran, dass sie Raymond für den Schauspieler Paul Meurisse verlassen hatte, der bei Kriegsbeginn natürlich auch eingezogen worden war und es – im Gegensatz zu all den anderen – irgendwie geschafft hatte, kurz darauf wieder nach Hause zu kommen. An Pauls Seite hatte Édith ein fast schon bourgeoises Leben geführt, bis es Zeit wurde, ihn zu verlassen, als sie Henri Contet begegnete. Auch wenn sie wieder mit ihm schlief, stellte sich nun die Frage, wie lange sie es noch mit ihm aushalten wollte. Henri war wirklich liebenswert und verdiente ihre Zuneigung wahrscheinlich, aber sie war keine Frau, die bereit war, einen Mann auf Dauer zu teilen. Wenn er sich nicht endlich von seiner Ehefrau Doris trennte, waren ihre intimen Stunden gezählt. Im Grunde ihres Herzens wusste sie längst, dass sie ihn niemals ganz für sich haben würde. All das ging ihr durch den Kopf, als sie von Liebe und Schmerz sang. Diese Leidenschaft und den verzehrenden Kummer spürte sie am eigenen Körper. Sie wollte nichts so sehr wie für ihr Publikum die lebendig gewordenen Zeilen ihrer Texte sein – und schaffte genau das immer wieder aufs Neue, weil eben diese Gefühle ein so wichtiger Teil ihres eigenen Lebens waren.

Die Probe zog sich hin. Inzwischen hatte der Beleuchter das Licht so eingestellt, dass Édith Augenkontakt mit dem Dirigenten aufnehmen konnte. Als er ihr mit einer Geste bedeu-

tete – seine Linke fuhr zum Mund, wo er demonstrativ aus-
blies –, dass es Zeit für eine Zigarettenpause wurde, antwortete
sie mit einem Lächeln und einem Handzeichen vor der Brust,
das das vorläufige Ende ihrer Bühnenarbeit anzeigte. Tatsächlich wollte auch sie gern kurz entspannen und etwas trinken.
Hoffentlich hatte Loulou daran gedacht, ihr eine Flasche Wein
in die Garderobe zu bringen. Und ein Glas Wasser. Vielleicht
auch etwas Hochprozentiges, falls er irgendwo eine Flasche
Cognac hatte ergattern können.

»Zehn Minuten Pause!«, rief der Inspizient.

Das Licht wurde von einem unsichtbaren Helfer auf die
Notbeleuchtung heruntergedreht. Füßescharren, das Quiet-
schen eines weggelegten Instruments, die knarrenden Stühle
und Stimmengemurmel erfüllten den Raum, durch den zuvor nur die glasklaren Töne des Orchesters und Édiths wundervolle Stimme geklungen waren, irgendwo klappte eine
Tür.

Édith wischte sich mit der Hand über die schweißnasse Stirn.
In Gedanken versunken wandte sie sich in Richtung ihrer
Garderobe. Takt für Takt ging sie die Probe durch, überlegte,
wo sie Verbesserungen einbauen könnte, bei welchem Lied sie
ihre Hände zu einer ausdrucksstärkeren Interpretation einsetzen sollte und wo die Musiker noch nicht ganz perfekt auf-
gespielt hatten …

»Madame Piaf!«

Verblüfft hielt sie inne. Noch zu sehr mit sich selbst beschäftigt, dachte sie im ersten Moment, sie bilde sich die tiefe

Stimme ein. Verfolgte sie etwa der Geist Yves Montands? Sie hatte doch gar nicht an ihn gedacht.

»Mademoiselle Piaf«, korrigierte sich der junge Sänger. Sein Ton klang erstaunlich unterwürfig.

Er war aus den Vorhängen hinter der Bühne auf sie zugetreten. Da stand er nun leibhaftig vor ihr in seinem albernen karierten Sakko, in seiner Statur so viel größer als sie, obschon er um vieles kleiner wirkte.

Es war kein Irrtum. Dennoch hob sie die Hand, um sich zu vergewissern, dass er es leibhaftig war. Ihre Fingerspitzen berührten flüchtig sein Jackett. Die Qualität des Stoffes hatte sich natürlich nicht gebessert. Sie zog ihre Hand zurück und zwang sich zu einem neutralen Gesichtsausdruck.

Yves Montand zögerte, offenbar verunsichert, weil sie nichts sagte. Schließlich setzte er an: »Wenn Ihr Vorschlag bezüglich meiner Gesangsausbildung noch gilt, bin ich einverstanden.«

Das Lächeln, das sich in ihrem Körper ausbreitete, erreichte ihre Lippen. Sie konnte es nicht verhindern. »Trotzdem stinkt es dir, dass du dich einer Frau fügen sollst«, bemerkte sie amüsiert. »Nicht wahr?«

»Nein.« Er schüttelte vehement den Kopf. »Nein, das tut es nicht. Wissen Sie, ich habe begriffen, was der Unterschied zwischen uns beiden ist. Ich saß eben bei Ihrer Probe im Parkett und habe Sie singen hören. Sie können alles, was ich nicht kann, Mademoiselle Piaf. Deshalb möchte ich von Ihnen lernen.«

»Édith. Ich heiße Édith.«

»Gilt Ihr … dein … Angebot noch?«

Natürlich galt es noch. Was für ein Dummkopf! Aber das sagte sie ihm nicht. Sie lobte ihn auch nicht für seine Entscheidung, die zeigte, dass er womöglich ein kluges Kerlchen war. Sie nickte nur. Und dann lud sie ihn, einem spontanen Entschluss folgend, ein:»Ich gehe zum Abendessen mit ein paar Freunden ins Bistro La Bonne Franquette an der Butte de Montmartre. Wir treffen uns um zehn. Komm doch auch.«

Er wurde blass, dann errötete er wie ein kleiner Junge, öffnete den Mund, blieb jedoch stumm. Seine blauen Augen indes strahlten wie ein ganzer Sternenhimmel.

Um der Peinlichkeit ein Ende zu bereiten, sah sie sich um. Im Hintergrund sah sie den Inspizienten auf sie zustürzen, gefolgt von Loulou, der hilflos mit den Achseln zuckte.

»Entschuldigen Sie die Störung. Ich konnte ihn nicht aufhalten«, behauptete Édiths Impresario.

Sie wandte sich ab.»Jetzt muss ich arbeiten«, rief sie dem jungen Sänger über die Schulter zu.»Wir sehen uns später.«

La Bonne Franquette war ein traditionsreiches, etwas altmodisches Restaurant in einem für die Gegend typischen Fachwerkhaus, das seine besten Jahre wahrscheinlich während der Belle Époque und unmittelbar nach dem Großen Krieg erlebt hatte, als hier Aristide Bruant und Toulouse-Lautrec, Zola oder Monet und die berühmtesten Künstler ihrer Zeit zu den

Stammgästen zählten. Bilder von früheren Gästen zierten die Wände, und Édith fragte sich bei jedem Besuch, wie es der Wirt geschafft hatte, diese Werke vor dem Zugriff der *Fritzen* zu bewahren. Sie kannte die lebendige Gaststätte mit der hervorragenden Küche und den moderaten Preisen seit ihrer Jugend. Damals hatte sie sich die Nase noch von außen an den kleinen Fenstern plattgedrückt, später war sie ein Stammgast geworden, hatte hier auch schon gesungen. An diesem Abend hielt sie an einem langen Tisch zwischen ihren Freunden und Mitarbeitern Hof, genoss die zuvorkommende Bedienung und den exquisiten Wein ebenso wie die Anerkennung durch andere Gäste, die sich in ihre Nähe wagten und um ein Autogramm baten. An ihrer Seite saß Henri, der sich um ihre Aufmerksamkeit bemühte, doch Édiths Augen wanderten immer wieder zum anderen Ende der Tafel.

Von dem überheblichen jungen Mann, der Édith in ihrem Hotelzimmer getrotzt hatte, war wenig übrig geblieben. Sie bedauerte sogar, dass sie ihn so arg zurechtgestutzt hatte. Ein wenig Grandezza schadete nicht. Yves Montand jedoch wirkte auf einmal linkisch und unbeholfen, er fühlte sich nicht wohl in seinem lächerlichen Sakko, das sah sie ihm an. Auch schien er noch nie an einem Tisch gesessen zu haben, der mit mehreren Leinentüchern, Tellern verschiedener Größe und Form und Besteck für zahlreiche Gänge eines Menüs gedeckt war. Amüsiert beobachtete sie, wie er sein Gedeck hin und her schob und nicht wusste, nach welcher Gabel er bei der Vorspeise greifen sollte. Durch seine Unwissenheit fühlte sie sich ihm verbunden.

Seine Augen wurden angesichts der Vielfalt und Üppigkeit der aufgetragenen Speisen immer größer. Der Star des Abends wurde mit einer kulinarischen Fülle bewirtet, die dieser Tage kaum üblich war. Die meisten Pariser lebten von nicht einmal tausend Kalorien täglich, auch Édiths Schlemmereien hielten sich in Grenzen, aber dass Yves beim Anblick des Entrecôtes sein gerade aufgefülltes Weinglas vor Schreck umstieß, berührte sie sehr. Seine Verwirrung brachte jene Saite in ihrem Innersten zum Klingen, die sie mit ihrer eigenen Kindheit verband. Yves Montand war so dünn, wahrscheinlich hatte er seit Jahren nichts Anständiges zu essen bekommen. Vielleicht sogar noch nie. Und das hatte nichts mit Besetzung und Krieg zu tun. Durch die erlittenen Entbehrungen erkannte sie die unsichtbare Verbindung zwischen seiner und ihrer Lebensgeschichte – und wäre am liebsten aufgesprungen, um ihn zu umarmen.

Stattdessen bestellte sie eine neue Flasche Wein und bat mit eiligen Gesten, dass die leeren Gläser unverzüglich aufgefüllt werden müssten, auch das des jungen Sängers. Und ihres, denn das hatte sie rasch ausgetrunken.

Zufällig begegnete sie Simones Blick, die sie von der gegenüberliegenden Seite anschaute.

Vorhin hatte die Freundin ihr besorgt ins Ohr geflüstert: »Wie sollen wir das alles bezahlen? Auf dem Schwarzmarkt wird ein Kilo Brot, das eigentlich nur drei Francs kosten darf, derzeit für dreißig Francs angeboten. O Édith, was wird der Wirt wohl für das Menü heute Abend verlangen?«

Édith hatte sie ausgelacht. »Keine Ahnung. Wir lassen anschreiben und holen uns einen Vorschuss auf meine Gage im Moulin Rouge. Oder Henri bezahlt die Rechnung. Was weiß ich? Lass mich in Ruhe mit deinen ewigen Fragen nach Geld. Genieß lieber den schönen Abend, Momone.«

Jetzt schienen Simones durchdringende Augen ihr zu sagen, dass sie genau wusste, was Édith hier veranstaltete. Simone meinte, dass sie Yves Montand beeindrucken wollte. Das war vielleicht ein kleiner Teil der Wahrheit, aber eben nur ein kleiner, weil der Tisch schon von Andrée reserviert worden war, bevor der junge Mann im Moulin Rouge aufgetaucht war. Édith wollte das Leben feiern, den Beginn ihrer Proben im Moulin Rouge, die Hoffnung, dass sie ihr Engagement ohne Störung oder Behinderung durch die Obrigkeit erfüllen durfte. Vielleicht wollte sie sogar das Wiedererstarken ihrer Liebe zu Henri feiern. Und die Entdeckung eines neuen Talents.

Es konnte nie genug Gründe geben, um gut zu essen und zu trinken.

Sie plauderte, lachte und alberte herum. Dabei sah sie immer wieder zu Yves. Flüchtig nur, aber sie behielt ihn genau im Blick. Wenn er nicht gerade unglaubliche Mengen verspeiste, versuchte er sich an einer Unterhaltung. Die war wohl unbeholfen oder gar unpassend, wie sie an den Mienen seiner Tischnachbarn ablesen konnte. Die Frauen an den Nebentischen jedoch fanden ihn anscheinend charmant, denn sie starrten hingerissen zu ihm. Der richtige Typ für eine große

Schwärmerei. Édith klopfte sich innerlich auf die Schulter, weil sie seine Wirkung auf Frauen richtig eingeschätzt hatte.

Als der Käse serviert wurde, zog er endlich sein Jackett aus. Seine Attraktivität steigerte sich in einem Maß, die sogar ihr für einen Moment die Sprache verschlug. Wieder trug er ein schlichtes weißes Oberhemd, keine Krawatte, den obersten Knopf am Hals offen. Er sah großartig aus.

Yves wandte sich zur Seite, um dem Kellner Platz zu machen, und begegnete wie zufällig ihrem Blick.

Sie hielt ihm stand, so dass er seine Augen nicht von ihr lösen konnte.

Dann erwiderte er ihr Lächeln mit unverhohlener Bewunderung. Und auf Édiths Gesicht breitete sich ein Strahlen aus, als wäre eben die Sonne aufgegangen.

Die Geräusche um sie herum und auch die Frage, die Henri gerade an sie gerichtet hatte, waren mit einem Mal ausgeblendet. Für einen Moment fühlte sie sich ganz allein mit Yves. Sie dachte, dass das Leben in dieser Nacht wunderbar war, voller Schönheit und Vollendung wie eine rote Rose, und in ihren Gedanken erklang ein kleines Chanson, das von Liebe, Glück und Zusammengehörigkeit handelte. Wie von selbst entstanden in ihrem Kopf die Textzeilen. Sie hatte sie noch nie gehört oder gesungen, aber sie prägten sich ihr ein, als könne sie sie irgendwo Wort für Wort lesen. Ja, sinnierte sie beim Blick in Yves Montands Augen, es stimmt, das Leben ist wunderschön – *la vie en rose* ...

KAPITEL 9

»Mein Konservatorium war die Straße, meine Intelligenz der Instinkt«, erklärte Édith. »Raymond Asso brauchte drei Jahre, um aus mir etwas anderes zu machen als ein Phänomen, dessen Stimme man sich anhört, wie man einen seltenen, auf dem Jahrmarkt zur Schau gestellten Vogel bestaunt. In diesen drei Jahren wurde ich eine echte Sängerin.« Sie legte eine Kunstpause ein und fügte hinzu: »So viel Zeit haben wir beide nicht. Du musst schneller lernen und verstehen.«

»Ich bin bereit«, erwiderte Yves. »Ich werde von dir lernen und tun, was du sagst.«

Sie schmunzelte, vermied es dabei aber, zu ihm aufzusehen und in seine verführerischen blauen Augen zu blicken. Eine Lehrerin sah ihrem Schüler nicht in die Augen. Jedenfalls nicht, wenn sie befürchten musste, seinem Charme zu erliegen. Sie rettete sich vor ihrem Begehren in ihre Professionalität.

Das Umdenken fiel ihr allerdings nicht sonderlich schwer, denn die neue Rolle als Lehrmeisterin passte überraschend gut zu ihr. Zum ersten Mal verstand sie, was damals Raymond Asso angetrieben hatte: Nicht die Affäre mit einem aufgeweckten, sinnenfreudigen jungen Mädchen von der Straße, sondern die Befriedigung, die sich aus dem Weitergeben von Wissen ergab, die Freude über die positive Resonanz bei einem außergewöhnlichen Talent, die Begeisterung, gemeinsam die Kunst der Musik zu entdecken. Seit ihrem ersten Abend im La Bonne Franquette ließ sie Yves täglich zu sich ins Hotel kommen, schloss die Tür ab – und probte mit ihm.

»Das Wichtigste an einem Chanson ist dessen Geschichte und dass du dich damit identifizieren kannst«, dozierte sie, während sie langsam vor ihm auf und ab schritt. Er saß rittlings auf dem Schreibtischstuhl, der von dem Sekretär weggedreht war. »Wenn du ein Lied singst, bist du die Personifizierung seiner Geschichte. Dennoch sind es nicht nur die Worte: Text und Musik sind untrennbar miteinander verbunden. Du solltest – genauso wie ich – beides gleichzeitig lernen.«

Der Stuhl knarrte leise, als er seinen Rücken streckte. »Du meinst, ich brauche ein neues Repertoire. Das habe ich verstanden, Édith. Aber wo soll ich Chansons herbekommen? Wer soll die Titel für mich schreiben? An wen soll ich mich ...«, er unterbrach sich kurz, fuhr dann fort, während er sie eindringlich anschaute: »An wen willst du dich wenden?«

»Nur die Ruhe«, mahnte sie mit einem Lächeln. »Das läuft schon, im Hintergrund geschieht einiges.«

Wieder knarrte der Stuhl, als er seine übergeschlagenen Beine noch einmal wechselte. »Wen hast du beauftragt, für mich zu schreiben?«

Stumm schüttelte sie den Kopf.

»Warum darf ich nicht wissen, welche Autoren für mich arbeiten?« Sein Ton wurde scharf.

Ihre freundliche Miene erstarb. »Hast du Vertrauen zu mir – ja oder nein?«

»Ja.« Er nickte, wirkte jedoch nicht überzeugt. Nach einer Weile kapitulierte er und wiederholte ruhig: »Ja, natürlich.«

Sie atmete tief durch, trat zu dem Papierstapel, der auf dem Schreibtisch lag, und gab vor, darin etwas zu suchen. Tatsächlich war sie dankbar, ihre Lider für einen Moment senken zu können. Ansonsten würden sie ihre Augen vielleicht verraten. Es gab nämlich noch keinen Text, der für Yves Montand geschrieben worden war. Da ein Chanson für sie unwiederbringlich mit seinem Interpreten in Verbindung stand, musste die Geschichte etwas aus Yves' Leben erzählen – und sie wusste eigentlich nichts über Ivo Livi, außer dass er aus dem Süden stammte und am liebsten Fred Astaire wäre. Das war aber definitiv zu wenig, um einen Textdichter zu beauftragen oder aus einem Konvolut neuer Chansons das eine herauszusuchen, das für einen anständigen Bühnenauftritt taugte. Doch war es nicht der richtige Moment, ihm dies offen zu sagen.

Um sich zu sammeln, fuhr sie sich mit der Hand durch das lockige Haar. Dann zwang sie sich zu einem neutralen Gesichtsausdruck und reichte ihm ein Blatt Papier. »Wir arbeiten zunächst einmal an deiner Sprache. Lies das laut vor.«

Gehorsam begann er, doch schon nach den ersten beiden Zeilen unterbrach sie ihn ungeduldig: »Halte diesen Marseiller Dialekt im Zaum. Er klingt nach Knoblauch. Allein dein langgezogenes O hört sich schrecklich an. Steck dir einen Bleistift zwischen die Zähne, und sprich die Worte nach ...«

»Ich soll mit einem Bleistift im Mund reden?«, wiederholte er ungläubig. »Wie sieht das denn aus!«

Sie beugte sich noch einmal zum Schreibtisch, um einen Stift aus der Schale mit den Schreibutensilien zu nehmen, den sie ihm reichte. »Es spielt keine Rolle, wie du bei der Probenarbeit aussiehst. Das Ergebnis auf der Bühne zählt. Wir arbeiten hart – nicht mehr und nicht weniger. Also, fang an!« Diesmal klang sie energischer, als es der Situation wahrscheinlich angemessen war, aber sie spürte, wie sie die Geduld zu verlieren begann. Doch sie wollte ihn nicht anschreien und damit womöglich vergraulen. Dass er ein sturer Kerl war, hatte sie ja von Anfang an gewusst.

Seine Widerspenstigkeit löste sich in Ergebenheit auf.

Sie sah ihm an, wie unbehaglich er sich fühlte. Er wirkte plötzlich rührend, fast kindlich naiv, und sie hätte ihm gern mit der Hand das Haar zerstrubbelt. Doch sie ballte die Faust hinter ihrem Rücken und wartete regungslos ab, dass er den alten Schauspielertrick ausprobierte, den sie selbst vor vielen Jahren angewandt hatte, bis sie die Sprache der Straße endlich abzulegen vermochte wie all die Kleidungsstücke, die mehr zu einer lustigen Zirkusprinzessin passten als zu einer ernstzunehmenden Chansonnette.

»Nein, nein, nein!«, polterte Raymond Asso. »So wie du meinen Text deklamierst, klingt er ordinär.«

Verblüfft sah Édith zu ihm auf. »Was kann ich dafür, dass du so schreibst?«, schnappte sie zurück. Schließlich hatte sie nichts anderes getan, als abzulesen, was auf dem Blatt Papier in ihren Händen stand. Wenn er die Worte so wählte, sollte er sich nicht beklagen. Manchmal übertrieb es Raymond mit seiner Besserwisserei.

»Du verstehst nicht, worum es wirklich geht. Du trägst den Sinn meiner Zeilen nicht vor. Und so klingen meine Reime bei dir auf einmal ebenso furchtbar wie deine Gossensprache.«

Und sie war schon stolz gewesen, dass es ihr gelungen war, flüssig vorzulesen. Dass er ihr dafür keine Anerkennung schenkte, verletzte sie. »Dann schreib etwas anderes!«

Raymond verlegte sich aufs Schmeicheln: »Deine Stimme ist wundervoll, mein Mädchen, aber du entstellst den Sinn meiner Dichtung. Begreifst du überhaupt, welche Aussage du mit dem Text triffst?«

»Häh?«, gab sie trotzig zurück. Sie hätte auch antworten können, dass sie bei weitem nicht so dumm war, wie er anscheinend annahm. Aber sie fand es angemessen, patzig zu reagieren.

Auch wenn Raymond wahrscheinlich recht hatte – weil er immer recht hatte.

Raymond hatte damals von ihr verlangt, dass sie täglich mit einem Bleistift oder einem Korken zwischen den Zähnen übte. Als Hausaufgabe verlangte sie von Yves dasselbe. »Du musst immer wieder von vorn anfangen und darfst nicht aufgeben«, erklärte sie, »sonst hörst du nie auf, die Vokale in jedem Wort in die Länge zu ziehen.« Sie sah ihm an, dass er ihr nicht glaubte. Genau wie sie Raymond zunächst nicht geglaubt hatte.

Aber Yves widersprach nicht.

Den Stift, den er bei ihrer gemeinsamen Lehrstunde benutzt hatte, behielt sie. Nachdem er gegangen war, presste sie ihre Lippen darauf. Doch zurück blieb der Geschmack von Metall. Angewidert warf Édith das Ding in den Papierkorb.

Natürlich konnte Yves seine Ausdrucksweise nicht so rasch ablegen, wie Édith und die verbliebenen zehn Tage bis zur Premiere im Moulin Rouge es verlangten. Aber er bemühte sich und wurde deutlich besser. Allerdings nur im Gesang, wenn er sprach, behielt er seinen Dialekt bei. Hinzu kam, dass er in der Kürze der Zeit kein neues Repertoire einstudieren konnte, selbst wenn Édith die Chansons, auf die er wartete, zur Verfügung gehabt hätte. Deshalb musste sie sich bei ihrer Arbeit zunächst mit dem Vorhandenen begnügen, mit seinem Tonfall ebenso wie mit seinem bisherigen Programm. Das bedeutete jedoch nicht, dass sie trotz der geringen Mittel nicht das Bestmögliche aus Yves' Talent herausholen wollte.

»Du gestikulierst zu viel«, unterbrach sie seinen Gesangsvortrag.

Er hatte mitten im Zimmer gestanden und sein Lied gesungen, während sie langsam um ihn herumging. Mangels eines Klaviers hatte er a cappella gesungen. »Was meinst du?«, wollte er verwundert wissen.

»Wenn du deine Arme so hoch und so weit schwingen lässt, musst du sie anschließend wieder an den Körper bringen. Dieses Einziehen sieht nicht gut aus, verstehst du?« In dem Versuch, seine dramatische Geste zu kopieren, imitierte sie mehr einen Zirkusclown aus ihrer Kindheit.

Diese Demonstration ihres eigenen komischen Talents schien ihn zu verärgern. Mit versteinerter Miene sah er zu ihr herab, auf seiner Stirn bildete sich ein feuchter Film.

»Sing den Refrain noch einmal, und bleib dabei einfach stehen«, fuhr sie fort. Zur Unterstützung ihrer Forderung stellte sie sich auf die Zehenspitzen und schlang die Arme um ihn, hielt ihn fest umklammert, als wäre er ein kleines Kind, das sie am Wegrennen hindern wollte, und nicht ein erwachsener junger Mann, der sie um vierzig Zentimeter überragte. Im nächsten Moment wurde sie sich der Leidenschaftlichkeit ihrer Geste bewusst. Sie spürte die Wärme seines Körpers, atmete seinen männlichen Duft. Was eine Lehrstunde in Sachen Büh-nenpräsenz sein sollte, wurde zu einem Moment intimer Zweisamkeit. Sie schloss kurz die Augen, und als sie sie wieder öffnete, flatterten ihre Lider nervös. »Versuch es!«, forderte sie rau.

Er holte Atem – und über seine Lippen kam ein Schnauben, keine Melodie.

Immerhin nahm er nicht regungslos hin, was sie von ihm verlangte. Édith dachte, dass sie ein zu großes Maß an Unter-würfigkeit auch enttäuscht hätte. Was störte ihn wohl mehr – ihre Vorschriften oder ihre Umarmung?

»Ich bekomme keine Luft«, keuchte er. »Du hältst mich im Schwitzkasten.«

Sie sah zu ihm auf, befürchtete einen düsteren Blick. Doch seine Augen blitzten verräterisch, seine Mundwinkel zuckten. Sie ließ ihn los – und im nächsten Moment brachen beide in schallendes Gelächter aus.

Lachend wischte er sich über die Stirn. »Also gut. Ich singe und rühre mich nicht dabei. Versprochen.«

»Das meinte ich nicht.« Sie stöhnte gespielt genervt auf. »Du bist kein Besenstiel. Natürlich sollst du dich bewegen, aber denke immer daran, dass du nicht in der Oper singst. Deine Hände sollen die Worte, die du vorträgst, unterstreichen. Nicht wegwischen. Das musst du üben, Yves.«

»Okay.« Mit wenigen Schritten durchquerte er den Salon, trat durch die Verbindung in das Schlafzimmer und baute sich vor dem Schrank auf.

Édith beobachtete von ihrem Platz, wie er sich in Positur stellte. Dabei wirkte er unfreiwillig komisch, denn er war zu groß für den in die Schranktür eingelassenen Spiegel und überragte ihn um Haupteslänge. Er ging in die Knie, streckte die Arme aus, hob sie hoch, ließ sie sinken. Seine Bemühungen waren amüsant, doch diesmal konnte sie nicht mit ihm lachen.

»Lass das!«, herrschte sie ihn an. »Nur Dilettanten üben so. Wenn du die Musik fühlst, zieht sie durch dich hindurch bis in deine Fingerspitzen. Das ist nichts, was du vor einem Spiegel lernen kannst. Mach dich nicht lächerlich!«

Er fuhr zu ihr herum. »Sprich nicht so mit mir. Ich hatte Erfolg, so wie ich war. Vergiss das nicht.«

»Bitte! Komm nicht immer mit demselben Argument. Du willst ein echter Sänger werden – und das ist mehr, als nur Erfolg zu haben.«

»Ja. So ist es dann wohl.« Sie sah ihm an, wie viel es ihn kostete, vor ihr zu kapitulieren. Aber er gab nach. Mit schwingenden Schritten verließ er seinen Platz vor dem Spiegel und kehrte zu ihr zurück.

»Stopp!«, rief Édith.

Verblüfft hielt er inne.

»Du gehst viel zu schnell. Gewöhn dir ab, im Laufschritt auf die Bühne zu stürmen ...«

»Aber ich ...«, begann er, unterbrach sich jedoch und strich sich in einer hilflosen Geste über den Kopf. Der Schweiß brach ihm wieder aus. Er wirkte wie ein Vollblüter auf der Rennbahn in Longchamp, der kaum im Zaum zu halten war und kurz davor loszustürmen. Wohin auch immer.

Édith verstand, dass sie ihn nicht überfordern durfte, und schlug einen anderen Ton an. Eben hatte sie noch in harschen Worten mit ihm geschimpft, jetzt erklärte sie sanft und schmeichlerisch: »Das Publikum erwartet dich. Sie sitzen da, in der Dunkelheit des Zuschauerraums, und harren der Dinge, die gleich geschehen werden. Warum also die Eile? Du wirst künftig langsam, in aller Ruhe auf die Bühne kommen, denn je mehr Zeit du dir lässt, desto mehr Zeit haben die Leute für ihren Beifall.« Sie klatschte in die Hände, als säße sie im Parkett eines Musiktheaters. »Komm, probier es noch einmal.«

»Soll ich vor dir auf und ab laufen? Ich bin doch kein Mannequin!«

»Bist du nicht – ja. Aber ein hübscher Kerl. Und bald ein Star. Und vielleicht auch ein echter Musiker. Gib deinen Verehrerinnen die Chance, dich ganz in Ruhe ansehen und begrüßen zu dürfen.«

Ergeben machte er kehrt. »Du schaffst es immer wieder, mich zu überreden«, murmelte er verdrossen.

Nach dem stundenlangen Training seines Auftretens widmete Édith ihren Unterricht am nächsten Tag wieder seiner Sprache. »Du musst die Klassiker lesen!«, verkündete sie, nachdem sie Yves mit lustigen Kinderreimen eine Weile traktiert hatte.

»Was meinst du?«, nuschelte er, bevor er mit einem angewiderten Gesichtsausdruck den Bleistift aus seinem Mund nahm und auf den Sekretär warf. Heute saß er rittlings auf dem Schreibtischstuhl, während sie vor ihm durch das Zimmer wanderte. Er wirkte verwirrt und erholte sich nur langsam von der Wiederholung des Zungenbrechers, den sie ihm zugemutet hatte: *Un chasseur sachant chasser sait chasser sans son chien.* Immer wieder hatte er sich bei der albernen Wortfolge über einen Jäger, der auch ohne seinen Hund zu jagen wusste, verhaspelt.

»Fang mit Molière an«, schlug sie ihrem Schüler vor.

»Womit?« Yves krauste die Stirn. Dann wiederholte er verständnislos und mit der Betonung auf der falschen Silbe: »Mo-lière. Was ist das? Nie gehört!«

Seine Frage war aufrichtig. Er machte sich nicht lustig über sie. Und Édith hatte nicht die Absicht, sich über seine Unwissenheit zu amüsieren. Es überraschte sie nicht einmal, dass er keine Ahnung von Molière hatte. Schließlich wusste sie, wie es war, mit mangelnder Schulbildung ins Leben entlassen zu werden, und das spornte sie an, Yves beizubringen, was sie inzwischen gelernt hatte: »Molière ist einer der größten Dichter unserer Nation. Er lebte im siebzehnten Jahrhundert und schrieb wunderbare Komödien. Du wirst viel zu lachen haben, wenn du seine Stücke liest.«

In Gedanken spann sie den Faden weiter: Wenn Yves diese Aufgabe erfolgreich bewältigte, würde sie ihn ins Theater einladen. Die meisten Bühnen in Paris wurden bereits wieder bespielt. So könnte er »Der Geizige« oder eines der anderen Stücke Molières an ihrer Seite erleben und von ihrem Wissen profitieren. Und für sie musste es fabelhaft sein, die klassischen Komödien durch seine Augen zu sehen.

Sein Enthusiasmus hielt sich in Grenzen. »Meinst du wirklich, ein Schreiberling aus dem siebzehnten Jahrhundert könnte mich unterhalten?«

»Wenn nicht, bringt er dir wenigstens eine bessere Sprache bei.« Édith trat zu dem Sideboard, auf dem Stapel von Büchern lagen. Es waren Geschenke, die sie sorgsam aufbewahrte und bei jedem Umzug mit sich nahm. Sie zog einen schmalen Band heraus und reichte ihn Yves.

Er knurrte etwas Unverständliches, aber es klang eindeutig nicht begeistert. Zögernd fasste er nach dem Buch. Als sich ihre Hände wie zufällig berührten, wurde sein Griff plötzlich fester. Seine Finger schlossen sich um die ihren, warm, fordernd, sinnlich. Anscheinend war er mit seinen Gedanken nicht bei der hohen Literatur, sondern bei einem ganz anderen Thema.

Lächelnd entzog sie ihm ihre Hand. »Die Lektüre von ›Die Schule der Frauen‹ bereitet dir sicher mehr Spaß als ›Der eingebildete Kranke‹.«

Sie klang ein wenig atemlos, was an dem schnellen Pochen ihres Herzens lag. Insgeheim wünschte sie, Yves würde sie umarmen, festhalten und nicht mehr loslassen. Die Erinnerung an ihre Umklammerung neulich hatte in ihrem Körper noch Stunden später nachgeklungen, sogar ihren abendlichen

Auftritt in einem Kino begleitet. Um wieder eine gewisse Distanz herzustellen, nahm sie ihren Marsch durch das kleine Zimmer erneut auf. Obwohl ihre Beine zu Yves laufen wollten, zwang sie sie in die entgegengesetzte Richtung und steuerte auf Simone zu, die im Hintergrund leise kicherte.

Ihre Freundin war bei Yves' Ankunft im Salon geblieben, an den anderen Tagen war sie meistens irgendwo unterwegs oder zog sich in das kleine Einzelzimmer neben der Suite zurück, in dem sie schlief. Seit einer ganzen Weile saß sie nun aber in einem Sessel in der Ecke und strickte Socken. Édith war sich nicht sicher, ob die Handarbeit weise Voraussicht auf einen kalten Winter oder einer neuen Wollzuteilung geschuldet war. Gewiss schien indes, dass ihre Freundin, von Neugier getrieben, nicht weichen würde. Momone brannte darauf, zu erfahren, was sich hinter der sonst verschlossenen Tür abspielte.

Yves blätterte in dem Buch, hielt bei einer Seite am Anfang inne und rezitierte, wobei seine Sprachmelodie unter den erschwerten Umständen noch schwerfälliger als sonst wurde und sich die Vokale in jedem Wort angesichts des ungewohnten Textes in die Länge zogen, als hätte er in den vergangenen Tagen keine Sekunde an einer Verbesserung gearbeitet:

»… es scheint mir ganz erklärlich,
dass Sie für mich in Sorge sind.
Nach Ihnen ist's ein Evangelium,
dass jeden Ehemann die Hörner zieren …«

Er hob den Blick. »Das ist nicht dein Ernst, oder?«

»Ich bin nicht verheiratet. Deshalb kann ich gar keinem Ehemann die Hörner aufsetzen.«

Simone prustete, das Klappern der Stricknadeln wurde langsamer. »Er meint nicht dich, Môme, sondern Molière.«

»Der war in der Tat kein Kind von Traurigkeit.« Édith lachte unbefangen über das Missverständnis hinweg. »Möglicherweise hat Molière sogar seine eigene Tochter geheiratet. Die Sache wurde nie aufgeklärt, er bestritt zeitlebens die Vaterschaft. Gesichert ist aber, dass er zum fraglichen Zeitpunkt eine Affäre mit ihrer Mutter hatte.«

»Sodom und Gomorrha«, bemerkte Simone trocken.

Yves' erstaunte Blicke ruhten auf Édith. »Woher weißt du das alles?«

Sie trat vor ihn, umschloss mit ihren Fingern die Stuhllehne, so dass sie ihm nahe war, ohne ihn zu berühren. »Ich begegnete einem Mann, der mein Verständnis für Literatur weckte. Er ist mein allerbester Freund, wir sind Seelenverwandte. Durch ihn habe ich sowohl die Klassiker als auch moderne Autoren kennengelernt.«

»Keine Liedtexte?«

»Nein.« Sie schmunzelte. »Nein, in diesem Fall geht es nicht um Chansons, sondern um Bühnenwerke, Lyrik und Prosa. Das Lesen, den Klang der Worte zu verinnerlichen, bedeutet mir sehr viel. Und es ist wichtig für unsere Sprache in der Musik, für unseren Ausdruck und damit für den Gesang, verstehst du?«

Yves zögerte. Offensichtlich konnte er nicht nachvollziehen, was Édith meinte. »Ich habe Erfolg, ohne jemals einen amerikanischen oder französischen Schriftsteller gelesen zu haben«, meinte er schließlich stur.

»Einen flüchtigen und auf lange Sicht unbedeutenden Erfolg«, korrigierte sie, diesmal geduldiger als sonst.

»Hm«, machte er und schüttelte den Kopf. Dann: »Wer hat dir diese komischen Texte nahegebracht, Édith? Ist dein Freund wenigstens berühmt?«

Sie versetzte ihm eine kleine Kopfnuss, wie eine Lehrerin ihren einfältigen Schüler bestrafte. »Es ist Jean Cocteau, Schäfchen ...«

»Kenne ich nicht ...«

»Jean Cocteau ist der berühmteste zeitgenössische Dichter Frankreichs«, meldete sich Simone zu Wort.

»Kenne ich trotzdem nicht«, knurrte Yves, die Hand an seinem Kopf, wo ihn der leichte Schlag von Édiths Fingerknöcheln getroffen hatte.

»Dann solltest du ihn kennenlernen.« Sie trat fort von ihm und ging zurück zu dem Sideboard, um nach einem Band mit Novellen ihres Freundes zu suchen. »Nachdem du Molière und Cocteau gelesen hast, wird sich deine Aussprache verbessert haben«, redete sie weiter. »Am besten, du liest die Texte wieder mit einem Bleistift im Mund, dann sollte auch endlich diese Nuschelei aufhören. Wir fangen gleich damit an ...«

»O Édith!«, seufzte Yves.

»Gönn ihm eine Pause«, mahnte Simone.

Édith fuhr herum, ihre Augen blitzten. »Momone, bist du verrückt? Warum lenkst du ihn ab? Misch dich nicht ein!«

»Du überforderst ihn«, insistierte ihre Freundin.

»Wir arbeiten!«, protestierte Édith. Sie sah in der Hoffnung zu Yves, er würde ihr ein Zeichen senden, dass er einer Meinung mit ihr war. Stattdessen war sein sehnsuchtsvoller Blick auf Simone gerichtet, wobei deutlich war, dass sein Verlangen nicht der jungen Frau galt, sondern dem Gedanken an Freiheit, den ihre Worte in ihm geweckt hatten. Als hätte sich eine Wolke vor die Sonne geschoben, dachte Édith.

Plötzlich fürchtete sie, tatsächlich zu erbarmungslos vorzugehen. Was wäre, wenn er den Unterricht abbrach und nicht mehr wiederkam? Wie viel war er für seine Karriere zu geben bereit? Wenn sie es falsch anging, verlor sie nicht nur einen begabten Künstler für ihr Vorprogramm, einen Schüler, an dem sie gutmachen konnte, was Raymond Asso bei ihr geleistet hatte. Es würde ihr Selbstbewusstsein angreifen, weil sie als Lehrmeisterin versagt hätte. Und dann war da noch etwas: Wenn er fernblieb, verlor sie auch einen attraktiven Mann, der sie in herrlichste Aufregung versetzte, weil sie sich viel mehr zu ihm hingezogen fühlte, als sie es sich hatte eingestehen wollen.

Nach einer Schrecksekunde lenkte sie ein. »Na gut, geh mit ihm spazieren, Momone. Ich gebe euch eine Stunde frei, dann will ich euch wieder hier sehen und weitermachen.« Sie schickte die beiden vorsichtshalber zusammen weg, um sicherzugehen, dass er nicht doch fortlief. Simone würde selbst einen widerspenstigen Yves zu ihr ins Hotel zurückschleppen – darauf konnte sich Édith verlassen.

Freudig sprang er auf. »*À tout à l'heure*«, versprach er. »Bis später.« Er beugte sich hinunter und hauchte ihr einen Kuss auf die Wange. Sein Atem war heiß und traf ihre Haut wie eine zärtliche Berührung. Er reichte ihr das Buch. »Heb das gut für mich auf, kleine große Édith Piaf.«

Die Bezeichnung berührte ihr Herz – und ihren Verstand. Er war nicht der erste Mann, der sie so nannte. Und das machte sie glücklich.

»Sie sind die Dichterin der Straße«, sagte Jean Cocteau. Er führte Édiths Hand zur Begrüßung an seine Lippen. »Wir beide müssen uns gut verstehen, es kann gar nicht anders sein. Ich freue mich sehr, Sie kennenzulernen.«

Nie zuvor hatte sie einen schöneren Mann gesehen: Der berühmte Schriftsteller war groß und sehr schlank, sein welliges dunkles Haar war voller als bei den meisten Männern, sein Gesicht schmal, mit einer langen, geraden Nase und ausdrucksvollen Augen. Seine Hände waren die eines Künstlers wie aus dem Märchen, schön und feingliedrig, mit langen Fingern. Er trug einen eleganten Anzug und ein zu seinem weißen Hemd passendes Seidentuch, das in der vorderen Tasche seines Sakkos wie eine Rose steckte. Édith war ihm auf den ersten Blick hoffnungslos verfallen.

Dabei hatte sie sich gerade vor dieser Begegnung mehr als vor vielen anderen gefürchtet. Als die Musikverlegerin Yvonne Breton die mündliche Einladung zu einem Abendessen mit den Worten beendete: »Ich werde dich mit einem einzigartigen Menschen bekannt machen!«, bereute Édith ihre zuvor gegebene Zusage sofort. Selten war sie dermaßen eingeschüchtert.

Und dann nahm er ihr mit zwei Sätzen all das Unbehagen, das sich in ihr aufgestaut hatte. Ihr Wissen um ihre Herkunft, die mangelnde Bildung, unter der sie zunehmend litt, weil sie sich inzwischen in vornehmen Kreisen zu bewegen begann und bei den Gesprächen dort nicht immer den richtigen Ton traf. Als Tischdame von Jean Cocteau verlor sie ihre Scheu, lachte und plauderte, als besäßen sie tatsächlich Gemeinsamkeiten.

Die Themen ihrer Unterhaltung hatte sie sechs Jahre später weitgehend vergessen, ihre Bewunderung seines Wissens jedoch nicht. Ihr schien, als wisse er alles – wirklich alles. Und als würde er beim Sprechen jedes Wort auf die Goldwaage legen, seine Bedeutung immer wieder neu erschaffen und durch die Bewegung seiner Hände unterstreichen. Bis heute war sie fasziniert von seiner Sprache.

Seine Abschiedsworte damals blieben in ihr Gedächtnis eingemeißelt: »Wir müssen uns wiedersehen. Besuchen Sie mich, wann immer Sie möchten, kleine Piaf, die Sie sehr groß sind.«

KAPITEL 10

Am nächsten Nachmittag ging Édith mit Yves spazieren. Die Sonne begann sich bereits hinter die Dächer von Montmartre zu senken, es war noch warm, aber wurde zum Abend hin herbstlich kühl. Édith zog die Ärmel ihrer Strickjacke über ihre Handgelenke, verschränkte die Arme und schob die Finger in die wärmende Wolle. Im Vorbeigehen warf sie einen langen Blick auf die Frauen und Kinder, die unter den Straßenbäumen nach Kastanien, Eicheln und Bucheckern suchten – in den Jahren der Besatzung ein Ersatz für Seife, Kaffee oder Mehl, aber die Verhältnisse hatten sich für die meisten Pariser seit der *Libération* nicht merklich verbessert. Auch wenn wir es nicht wahrhaben wollen, sinnierte Édith: Es herrscht noch Krieg. Ihr Frösteln verstärkte sich.

Yves schien den körperlichen Ausdruck ihrer Gefühle nicht

zu bemerken. Er wanderte neben ihr her, den Blick geradeaus – und redete ununterbrochen, dabei gestikulierte er mit dramatischem Überschwang. Doch auch wenn sie sich liebend gern bei ihm untergehakt oder sogar seine Hand genommen hätte, unterließ sie alles, was ihn unterbrechen würde. Denn zum ersten Mal sprach er von sich – und erreichte damit noch mehr als durch seinen Gesang ihr Herz.

»Ich bin ein *rital,* ein Makkaronifresser, und wurde in einer kleinen Stadt namens Monsummano Terme, fünfzig Kilometer von Florenz, geboren. Die Toskana ist schön, aber für meine Eltern war das Leben hart. Es gab kaum Arbeit, die Armut war groß. Ich habe eine Schwester und einen Bruder, weißt du, und mit drei Kindern war es angesichts der politischen Lage für sie noch schwieriger.« Er holte kurz Luft und fuhr nach einem leisen Seufzen fort: »Mein Vater war gegen Mussolini, er ist Kommunist. Deshalb wollte er auswandern, und wir zogen zunächst alle nach Frankreich, als ich zwei Jahre alt war. In Marseille blieben wir hängen, weil mein Vater nicht genug Geld für eine Überfahrt nach Amerika auftreiben konnte. Also arbeitete er Tag und Nacht, um die Schiffspassage für fünf Leute irgendwann bezahlen zu können, und meine Mutter sparte jeden Centime, den sie erübrigen konnte. Genug war es nicht, und deshalb blieben wir. Aber immer, wenn es uns besonders schlecht ging, sagte mein Vater: ›Ihr werdet sehen, in Amerika ist alles anders, da wird es uns gut gehen.‹ Wir träumten von einem Leben auf der anderen Seite des Atlantiks, als wäre es das Paradies.«

Zu ihren Füßen sammelten sich die goldenen Blätter der Linden und Kastanien auf ihrem Weg von der Avenue Junot bis zur Place Constantin Pecqueur und raschelten, wenn Édith sie mit ihrer Schuhspitze zur Seite schob. Bald würde ein Straßenkehrer kommen und das Herbstlaub zusammenfegen – wie das Schicksal manchmal die Hoffnungen der Menschen zu einem Müllhaufen. Sie dachte über die Träume der Familie Livi nach und fragte nach einer Weile: »Wünschtest du dir deshalb, wie Fred Astaire zu sein?«

»Ja, klar«, gab er unumwunden zu. Er versuchte sich an einem Steppschritt, der auf dem Straßenpflaster noch weniger elegant wirkte als auf der Bühne. »Wenn ich schon nicht nach Amerika kommen konnte, wollte ich wenigstens so sein wie die Amerikaner. Und du machst mich jetzt zu einem richtigen Franzosen.« Es war kein Vorwurf. In seinem Ton schwang Belustigung mit, und er lachte kurz auf.

»Immerhin klingst du schon deutlich mehr nach einem richtigen Franzosen«, erwiderte sie, seinen schleppenden südfranzösischen Akzent imitierend. »Deine Sprache ist noch nicht perfekt, aber sie wird besser.«

Er blieb stehen, um in seiner Jacke nach etwas zu suchen. Als er den richtigen Zettel aus der Innentasche zog, erklärte er: »Ich habe mir ein Gedicht von deinem Freund Cocteau abgeschrieben, und damit übe ich meine Aussprache.« Er faltete das Stück Papier auseinander und rezitierte:

»Wir müssen uns beeilen, die Zeit verrinnt ja bald,

Lass uns Enthaltsamkeit und Ruhedurst verneinen,

In ein paar Tagen, da wirst du noch jung erscheinen,

Ich jedoch nicht, ich bin jetzt dreißig Jahre alt.«

»Gut, das ist sehr gut«, lobte Édith erfreut. »Warum hast du dir ausgerechnet diesen Text ausgesucht? Du bist doch noch nicht so alt.«

»Natürlich nicht. Aber die Zeit verrinnt schnell ...« Seine Stimme wurde leiser: »Ich muss noch so viel lernen, Édith. Es war das einzige Gedicht in dem ganzen Buch, das ich einigermaßen verstanden habe. Sonst stehen da so viele Worte, deren Sinn ich nicht begreife.«

»Du hast dich als Kind eben auf der Straße herumgetrieben«, sagte sie verständnisvoll. Sie dachte an ihre eigene Kindheit und daran, dass es in Marseille gewiss wärmer gewesen war als in Paris oder in der Normandie. Ivo Livi hatte sicher nicht so viel gefroren und war in das Licht, die Farben und die wundervollen Gerüche Südfrankreichs eingetaucht, ohne die frostige Dunkelheit des Nordens kennenlernen zu müssen. Ein wenig beneidete sie ihn darum. »Wer auf der Straße lebt, kann nun einmal nicht zur Schule gehen.«

Mit leichter Verwunderung in der Stimme antwortete er: »Nein, nein. Ich durfte nicht auf der Straße spielen. Oder zumindest fast nie. Meine *Mamma* passte auf jedes ihrer Kinder auf, damit wir keinen Unsinn machten und immer pünktlich zum Unterricht gingen.«

»Oh!« Die Vorstellung eines Lebens in einer Familie erschien ihr himmlisch. Um sich zu vergewissern, dass sie ihn richtig verstanden hatte, hakte sie nach: »Du bist regelmäßig in die Schule gegangen?«

»Jeden Tag«, versicherte er ihr unbefangen und fügte hinzu: »Ich war nicht einmal der Schlechteste in meiner Klasse. Einer meiner Lehrer nannte mich sogar intelligent, aber eben auch undiszipliniert.« Ein belustigter Seufzer unterstrich seine Worte. »Der *Maître* schrieb in mein Zeugnis, dass ich zu sehr wie ein Spaßmacher aus den amerikanischen Filmen herumalbere. Mein Vater schimpfte nicht. Er fand es großartig, dass ich schon einmal für Amerika übe.«

Die Gemeinsamkeit, auf der ihre Gefühle für Yves gründeten, zerfiel vor Édith wie ein vertrocknetes Herbstblatt. Offenbar war er kein Kind der Straße – zumindest nicht so, wie sie es war. Er hatte eine viel leichtere und – vor allem – behütetere Kindheit gehabt. Auch wenn seine Eltern keine Reichtümer aufgebaut hatten, gab es da eine liebevolle Familie mit Träumen und Hoffnungen, die jedes einzelne Mitglied einschlossen. Louis Gassion wäre – hätte sich ihm die Gelegenheit geboten – sicher allein nach Amerika ausgewandert und hätte auf die Notwendigkeit einer zweiten Passage für seine Tochter keine Rücksicht genommen, von ihrer Mutter ganz zu schweigen. Édith spürte einen Stich des Neids in ihrem Herzen. Wie sollte sie länger an der bislang empfundenen Nähe und Gemeinsamkeit festhalten, wenn diese sich doch vor allem aus der eingebildeten Ähnlichkeit ihrer Biographien ergab? Ihr kam es wie ein Täuschungsmanöver vor. Nicht von Yves, sondern vom Schicksal. War er doch nicht der Richtige, um sie zu seinem Pygmalion zu machen? Die Kälte, die durch ihre Glieder strich, verstärkte sich.

Yves faltete den Zettel mit dem Gedicht von Jean Cocteau zusammen und schob ihn zu den anderen Papieren und Fotografien, die er in seiner Brusttasche mit sich trug. Er deutete auf eine der Bänke am Rand des kleinen Parks, der den Platz schmückte.»Wollen wir uns setzen? Dann zeige ich dir Fotos von meiner Familie.« Er machte einen Schritt nach vorn und erschreckte die Spatzen, die auf dem schmalen Rasenstreifen nach Insekten oder Samen pickten. Der Schwarm stob zirpend auf und verschwand in den Wipfeln der Bäume.

»Ich verstehe das nicht«, platzte Édith heraus, seine Aufforderung ignorierend.»Wieso weißt du so wenig, wenn du doch in der Schule warst?« Alle Männer, die sie inzwischen kannte, hatten es durch ihre Bildung zu etwas gebracht. Nur wer nicht die Chance auf eine ordentliche Schullaufbahn besaß, blieb in seiner Herkunft gefangen.

Yves zuckte gleichmütig mit den Achseln.»Ich habe kein Lycée besucht, wenn du das meinst. Mit fünfzehn musste ich arbeiten gehen. Mein Vater schaffte es nicht nur nicht, genug Geld für die Überfahrt nach Amerika zusammenzukratzen, es gelang ihm nicht einmal, seine Frau und drei Kinder zu ernähren. Wir mussten alle helfen. Ich arbeitete als Kellner in irgendwelchen Bars, im Hafen, überall, wo man ein bisschen Geld verdienen konnte. Ich komme aus der Welt der Arbeiter – und genau dort probierte ich so ziemlich alles aus. Das war nicht immer einfach. Auf der Werft wurde ich als Metallhilfsarbeiter eingestellt, auf dem Bau war ich der sogenannte Zuschläger ...«

»Hast du dich geprügelt?« Sie warf einen Blick auf seine ansehnliche Nase, bevor sie sich auf die Parkbank setzte.

»O nein.« Er schüttelte den Kopf, ließ sich gemütlich neben ihr nieder, streckte die Beine aus. »Dazu gab es keinen Grund, ich fühlte mich ziemlich wohl in der Gemeinschaft der Arbeiter. Meine Tätigkeit damals war ganz anderer Art. Ich hämmerte Eisenplatten für riesige Bojen zurecht, mit denen die Hafeneinfahrten abgesperrt werden sollten. Dabei atmete ich viel Roststaub ein. Meine Mamma hatte gehört, dass man gesund bleibt, wenn man viel Milch trinkt. Also sparte sie die Lebensmittelkarten der ganzen Familie zusammen, damit ich die Milch von allen bekam.«

»Sie muss eine wunderbare Frau sein«, erwiderte sie leise.

»Das ist sie.« Er strahlte, und Édith spürte die Wärme, die er in seiner Kindheit und Jugend erfahren hatte, durch jede Faser seines Körpers.

Plötzlich hob er die Hand und fuhr in ihr volles, fast schulterlanges Haar. Er zog an einer Strähne, imitierte mit den Fingern eine Brennschere und versuchte, eine der krausen Locken zu einer sanften Welle zu drehen. »Da meine Schwester Friseurin geworden war, lernte auch ich schließlich Damenfriseur.«

»Au!«, rief sie in gespielter Empörung aus, obwohl er ihr

nicht wehgetan hatte. Lachend schob sie seine Hand fort. »Jetzt weiß ich wenigstens, warum du umgesattelt bist. Als Friseur hast du noch weniger Talent als bei deinem Cowboy-Auftritt.« Sie zwinkerte ihm zu und strafte ihre Worte damit Lügen.

»So war es nicht. Ganz im Gegenteil.« Yves spielte den Beleidigten, grinste jedoch. »Ich war sehr beliebt bei den Damen und bekam immer ein großzügiges Trinkgeld. Dafür kaufte ich mir Schallplatten von Maurice Chevalier und Charles Trenet …«

»Und von Fred Astaire?«

»Ja, von dem auch. Ich lernte alle Texte auswendig und übte vor dem Spiegel Gesten und Schritte. Auch wenn es dir nicht gefällt, ich kam damit an. Ich habe in einem Tingeltangeltheater vorgesungen und wurde sofort engagiert. Damit wurde ein Traum wahr, fast so schön wie eine Reise nach Amerika.«

Édith nickte. Langsam begann sie ihn zu verstehen. Es kristallisierte sich endlich das Bild heraus, auf das sie gewartet hatte, um die passenden Texte für seine Chansons auszusuchen. »Wurde aus Ivo Livi damals schon Yves Montand?«, wollte sie wissen.

»Ja. Der Besitzer des Nachtclubs meinte, Ivo Livi klinge zu gewollt.«

Sie brach in schallendes Gelächter aus, weil sie genau das von seinem Künstlernamen gedacht hatte.

»Was ist daran so lustig?«

Eine Weile lang sah er sie verwirrt an, aber da sie nur stumm den Kopf schüttelte, fuhr er mit seinem Bericht fort: »Ich übersetzte Ivo ins Französische und veränderte ein Wort aus dem Italienischen, das ich von meiner Mamma kannte. Wie gesagt, sie mochte es nicht gern, wenn ich auf der Straße spielte. Aber hin und wieder tat ich es eben doch, und dann rief sie: ›*Monta!*‹, was so viel heißt wie: ›Komm herauf!‹ So wurde Yves Montand geboren.«

Es war erstaunlich, wie wichtig die Mutter für diesen großen Jungen war. Seine Herkunft war ganz anders, als Édith sie sich vorgestellt hatte. Andererseits konnte ein Mann, der selbst so viel Liebe erfahren hatte, diese wahrscheinlich auch leichter weitergeben. Liebe, dachte sie, ist der Schlüssel zu allem, ohne sie ist man nichts.

»Bist du eingezogen worden?«, fragte sie leise. Er war zwar zu jung, um am Beginn des Krieges an die Front beordert und nach der Besetzung Frankreichs von der Vichy-Regierung zum Arbeitsdienst der Deutschen wieder nach Hause geschickt zu werden, aber er war alt genug, um für die Exilregierung an der Seite der Alliierten gekämpft zu haben.

»Nein«, antwortete er ernst. »Ich nicht. Aber mein Bruder ist Soldat. Giuliano wurde gefangen genommen. Er sitzt schon lange irgendwo in Deutschland in einem Lager. Seinen Sohn kennt er nicht einmal.«

Édith schwieg. Sie hatte die Stalags mit eigenen Augen gesehen, vielleicht sogar den Bruder von Yves irgendwo in Berlin oder Brandenburg getroffen. Giuliano Livi – der Name sagte ihr nichts, aber das bedeutete nicht, dass sie ihm nicht begegnet war. Doch darüber sprach sie nicht, schob den Gedanken schließlich in weite Ferne. Yves' Geschichte hatte einen Nerv getroffen, eine Saite in ihrem Inneren zum Klingen gebracht, auf deren Ton sie gewartet hatte. Langsam begann sich vor ihrem geistigen Auge ein Chansonnier zu entwickeln, der in seinen Liedern von seiner Herkunft erzählte, ein Mann des Volkes, der über die Gefühle der Arbeiterklasse sang. Das männliche Pendant zu ihr selbst.

Er hob noch einmal die Hand und fuhr ihr wieder durchs Haar, diesmal jedoch zärtlicher. Ohne Manieriertheit spielte er mit ihren Locken, wickelte sie um seine Finger. »Und da bin ich nun. Jetzt weißt du alles.«

»Du musst Liebeslieder singen«, brach es aus ihr heraus. »Das ist es!«

»Was?« Seine Hand sank herab. »Ich bin ein Mann. Merkst du das nicht? Eine Frau kann den Mond anjaulen, aber doch kein richtiger Mann.«

»Eben weil du ein Mann bist, sind dir Liebeslieder wie auf den Leib geschrieben. Du musst über die Liebe singen!« Sie legte eine Pause ein, um Luft zu holen, doch da er zu einer anscheinend heftigen Antwort ansetzte, sprach sie schnell und atemlos weiter: »Ein Mann, der sich zu seiner Liebe bekennt, wird vom Publikum verlangt. Ein wirklicher Mann. Kein aufgesetzter Gentleman, verstehst du? Ein Mann aus dem Volk. Die Welt verändert sich. Kultur ist nicht mehr nur etwas für die Oberen.«

Er hatte sich von ihr abgewandt, ließ seinen Kopf gegen die

Rücklehne der Parkbank sinken und blickte mit schmerzverzerrter Miene in das Stückchen Himmel zwischen den Baumwipfeln.

Da er nichts sagte, fügte sie hinzu:»Wovor hast du Angst? Du brauchst Chansons, die eine Geschichte über die Liebe erzählen. Das passt zu deiner Persönlichkeit – als Mann und als Sänger. Du kannst lieben, ich weiß es. Und wenn du davon auf deine Weise singst, wirst du den Schnulzensängern zeigen, was ein wahrer Künstler ist. Das ist dein Talent.« Mit jedem Wort war ihr Ton energischer geworden, ihre Stimme lauter – bis sie ihn anschrie:»Vertrau mir!«

Es war nicht erkennbar, ob er sich gegen sie auflehnte oder kapitulierte. In einer Geste der Verzweiflung rieb er über seine Lider.»Momone hat recht«, murmelte er,»du mutest mir ziemlich viel zu.«

»Nicht mehr als mir selbst.«

Endlich sah er sie wieder an. Das Strahlen war aus seinem Blick gewichen.»Dann schreib du doch einen Text für mich.«

Es sollte eine Provokation sein – er hatte offensichtlich nicht mit ihrer ruhigen Antwort gerechnet:»Vielleicht tue ich das tatsächlich irgendwann.«

Sichtlich überrascht fragte er:»Hast du es denn schon versucht?«

»Ja. Mehrmals. Ich kenne Tausende von Chansons, da liegt es doch nahe, es selbst einmal zu wagen, oder?«

Er stieß einen leisen Pfiff aus.»Respekt.«

»Danke. Es war nämlich leider nicht einfach.« Sie überlegte, ob sie ihm von ihrem Wunsch nach Anerkennung als Autorin erzählen sollte und davon, wie sie gescheitert war. Aber sie entschied sich dagegen. Er würde sie wahrscheinlich nicht verstehen. Mehr an sich selbst gerichtet, stellte sie die rhetorische Frage:»Was ist schon leicht?« Und dann murmelte sie: »Die SACEM wollte mich anfangs nicht einmal aufnehmen.«

»Die – wer?«

»O Yves!« Im ersten Moment erstaunt, lachte sie gutmütig. »Du bist unwissend wie ein kleines Kind.« Ungeachtet seines empörten Gesichtsausdrucks erklärte sie:»Die *Société des Auteurs, Compositeurs et Éditeurs de Musique* ist die französische Gesellschaft zur Verwaltung der Rechte von Textdichtern, Komponisten und Musikverlegern. Lieder, die man öffentlich vorträgt, sollten dort angemeldet sein. Man muss von der Kommission akzeptiert ...«, sie brach ab, weil allein das unüberlegt ausgesprochene Wort genügte, um wieder die Panik vor einem Auftrittsverbot in ihr aufsteigen zu lassen. Ihr Herzschlag beschleunigte sich so sehr, dass sie um Atem ringen musste. Das Bild einer rachedürstenden Kommission, das in ihrem Kopf aufgetaucht war, drohte sie zu überwältigen. Wie lange würde sie noch auf ihre Anhörung warten müssen? Dédée hatte herausgefunden, dass ihr Fall frühestens Mitte Oktober verhandelt würde, einen Termin gab es noch nicht, zu viele Künstler waren in Ungnade gefallen. Der Rausch der Euphorie, der sie seit Beginn ihres Unterrichts mit Yves Montand wie in seinen Sog gezogen hatte und sich viel besser als jede durchzechte Nacht anfühlte, drohte angesichts dieser

Ungewissheit zu verblassen. Sie holte tief Luft und zwang sich zur Ruhe.

Sie spürte Yves' Verwunderung fast körperlich. Sie würde ihm ein anderes Mal erklären, wie ein Textdichter Geld verdiente. Die Lehrerin musste auch einmal eine Pause einlegen. Zwar wusste Édith nicht viel über Musiktheorie oder Harmonielehre, aber ihre Sinneswahrnehmung konnte die feinsten Nuancen nicht nur des musikalischen Handwerks, sondern – zumindest in diesem Augenblick – auch von menschlichen Gefühlen wahrnehmen. Und sie wusste, dass es an der Zeit war, nicht weiterzudozieren.

»Es spielt keine Rolle, wie viel du weißt«, sagte sie endlich.

»Ich werde dir alles beibringen. Bis auf ...«

»... die Liebe?«, vollendete er und richtete sich auf.

Ihre Augen begegnetem seinem Blick, hielten ihn fest, tauchten in dieses leuchtende Blau ein. Instinktiv reckte sich ihr Gesicht dem seinen entgegen. Während sich seine Finger wieder in ihrer Frisur vergruben und er ihren Kopf sanft zu sich heranzog, teilten sich ihre Lippen. Der erste Kuss war vorsichtig, zögernd, wie eine Frage. Doch die war unnötig. Édith wollte mehr. Viel mehr. Sie wollte Südfrankreich schmecken: goldenes Licht, bunte Farben, wundervolle Düfte, Leidenschaft und pure Lebensfreude. Und dann versank sie in ihrem Traum, bis sie Yves um Atem ringend sanft von sich schob.

»Ich kann dir ein Chanson über die Liebe besorgen und dir beibringen, wie du es vorträgst, wie du dich dabei bewegst, es präsentierst«, flüsterte sie. »Ansonsten scheinst du mir ziemlich gut Bescheid über die Gefühle zu wissen, über die du singen wirst.«

»Nur singen?« Er nahm ihre Hand, spielte gedankenverloren mit ihren Fingern.

Lächelnd schüttelte sie den Kopf.

»Ich war schon in dich verliebt, als ich dich bei dem Vorsingen am Bühnenrand stehen sah. Es geschah fast auf den ersten Blick. Du warst unendlich reizvoll in diesem geblümten Kleid, hübsch und zart. Ich fand dich hinreißend.«

Sie legte ihren Kopf in seine Handfläche. »Davon habe ich nichts gemerkt.«

»Nun gut, nachdem du so streng mit mir ins Gericht gegangen bist, war ich wieder etwas weniger verliebt.«

»Und jetzt?« Sie wartete seine Antwort jedoch nicht ab, sondern küsste ihn von neuem. Ihr Herz jubelte, flog ihm zu, verband sich mit dem seinen wie ihre Hände, ihre Lippen.

Sie geriet ins Taumeln, als er aufsprang und sie mit sich in die Höhe zog. Er fing sie auf, schloss seine Arme fest um sie. Dann hob er sie hoch, schwang ihren kleinen Körper durch die Luft, als wäre sie für ihn so leicht wie eine Feder der Spatzen, die durch die unerwartete Bewegung von ihren Plätzen aufgescheucht wurden. Édith wurde schwindlig, aber sie lachte. Lachte über das Glück, das von ihr Besitz ergriff. Es ist zum Sterben schön, fuhr es ihr durch den Kopf.

Von den Ästen fiel das Laub herab, und ein goldenes Blatt

verfing sich in Édiths Haar. Nachdem Yves sie wieder auf die Füße gestellt hatte, zog er es mit einer Hand aus ihren Locken. Dann schob er es vorsichtig zu den Papieren und anderen Erinnerungsstücken, die er in der Innentasche seines Jacketts aufbewahrte. Hand in Hand schlenderten sie zurück in ihr Hotel. Alle paar Schritte blieben sie stehen, Yves beugte sich zu Édith hinunter und küsste sie wieder und wieder. Die letzten Schritte rannten sie, ungeduldig, endlich zueinanderfinden zu können.

Beglückt stellte Édith fest, dass sie sich nicht getäuscht hatte. Yves war ein wunderbarer Liebhaber. Seine ungestüme Jugend wurde eins mit ihrer Unersättlichkeit. Er war leidenschaftlich, aber so zärtlich und aufmerksam wie ein erfahrener Mann, seine Hände waren weich und sanft wie fallende Rosenblätter, und dann überraschte er sie wieder mit seiner jugendlichen Unbeschwertheit. Ein Naturtalent – wenn auch noch nicht perfekt. Sie ertappte sich bei dem Gedanken, ihn auch in der Liebe mit einem Diamanten zu vergleichen, der noch ein wenig geschliffen werden musste. Und wer eignete sich dafür besser als sie, die als junge Frau gute und schlechte Erfahrungen in der Halbwelt an der Pigalle gesammelt hatte? Sie war gerade mal sechs Jahre älter als ihr Geliebter, und bei manchen Gelegenheiten kam es ihr vor, als spiele der Altersunterschied keine Rolle, bei anderen trennten sie Welten. Das war während der gemeinsamen Arbeit nicht anders als im Bett.

Trotz ihres Begehrens verlor sie in der Zweisamkeit ihr eigentliches Ziel nicht aus den Augen. Kaum sank ihr Geliebter erschöpft neben ihr in die Kissen, dachte sie bereits wieder an den Unterricht für den Chansonnier. Sie schälte sich aus den Laken und tappte in das kleine Badezimmer, die Tür ließ sie einen Spaltbreit offen. Wenig zimperlich wusch sie sich auf dem Bidet mit dem winzigen Stück Lavendelseife, das sie noch besaß und wie einen Schatz hütete. Es störte sie nicht, dass er ihr womöglich nachgehen und zusehen könnte. Als sie aufhorchte, hörte sie jedoch an einem leisen, gleichmäßigen Schnauben, dass er eingeschlafen war.

Den Morgenmantel nur lose übergeworfen, ging sie in den kleinen Salon, um ein Buch zu holen. Es war bereits dunkel, und sie musste eine Weile suchen, bis sie ihre kleine Bibliothek sortiert hatte und die Schrift auf dem Rücken des gewünschten Bandes entziffern konnte. Sie wollte keine Lampe einschalten und musste sich in dem Licht orientieren, das durch die Fenster hereinfiel. Als sie endlich fündig geworden war, warf sie einen Blick auf die Uhr. Simone würde bald von ihrer Arbeit in der Fabrik zurückkommen. Für heute blieb deshalb wohl vielleicht noch Zeit für einen Dreiakter von Molière, nicht jedoch für einen ausgiebigen zweiten Liebesakt.

Sie legte sich auf die Bettdecke, das Buch in der Hand. Der Gürtel war nicht verknotet, weshalb ihr Körper auf reizvolle

Weise nur teilweise bedeckt war. Sie beugte sich über den schlafenden Mann an ihrer Seite und küsste ihn auf die Schläfe.

»Aufwachen!«, gurrte sie in sein Ohr.

Sie langte über ihn und schaltete die Nachttischlampe auf seiner Bettseite an, weil nur die über eine funktionierende Glühbirne verfügte, die Zuteilung hatte nicht für zwei Leuchten gereicht. Gelbes Licht ergoss sich in das Grau des frühen Abends.

Yves streckte sich. »Musst du heute arbeiten?«, fragte er schlaftrunken.

»Ich habe kein Engagement. Gestern hatte ich einen Auftritt in einem Kino, heute werde ich aber nicht singen. Trotzdem müssen wir beide arbeiten.«

Mit einem Mal wach, glitten seine Hände unter die fließende Seide ihres Morgenmantels. »Ich würde das zwar nicht arbeiten nennen, aber wenn du es so willst, soll es mir recht sein.« Mit sanfter Bestimmtheit drückte er sie in die Kissen und legte sich auf sie.

Für einen Moment bedauerte sie, dass sie ihn abweisen musste. Doch dann schlug sie ihm spielerisch mit dem Buch auf den Schädel. »Hier drinnen wird gearbeitet, *chéri*. In deinem Kopf und in diesem Buch. Nicht in deinem …«, die Finger ihrer freien Hand fuhren über seinen Körper, ertasteten seine Rippen, strichen über seine schmalen Hüften. Gütiger Himmel, war er dünn! Als sie fand, was sie suchte, kicherte sie leise. »Oh, dein *bite* ist genial. Aber heb dir das bitte bis morgen auf.« Sie schmatzte einen Kuss auf seinen Mund, ließ ihn los und schob ihn von sich. »*Alors*, Monsieur, beginnen wir mit der nächsten Lektion: Wir lesen gemeinsam in ›Der Menschenfeind‹ von Molière.«

»Hast du nichts Freundlicheres auf Lager?«, murrte er, während er sich auf den Rücken rollte.

Sie lachte. »Es ist eine Komödie und handelt von einem Mann, der unabhängig und wahrhaftig sein will, dadurch aber auch rücksichtslos ist und andere verletzt. Ich finde, das passt sehr gut.«

»Ich bin weder rücksichtslos noch verletzend!«

»Aber ebenso eigensinnig wie der Protagonist Alceste. Die Liebe spielt in dieser Geschichte übrigens auch eine große Rolle – und die Frage, was man dafür zu tun bereit ist. Inwieweit ein Mann seine Vorsätze über den Haufen schmeißen kann – für eine Frau. Natürlich!« Ihr Lachen wurde lauter und alberner.

»Für eine Frau. Natürlich!« Spöttisch imitierte Yves ihren Tonfall. Dann richtete er sich auf und fragte ernst: »Würde eine Frau das denn nicht auch für den Mann tun, den sie liebt?«

»Wenn die Liebe groß genug ist, würde sie das sicher.« Ernst sah sie ihn an. »Yves, was du bei mir lernst, ist für dich. Für dich ganz allein. Du sollst nicht um meinetwillen ein besserer Sänger werden.«

»Ich weiß. Dennoch muss ich immerzu nur an dich denken.«

Er schenkte ihr sein entwaffnendes, unwiderstehliches Lächeln. »Also gut, Édith, ich füge mich deinem Wunsch. Welche Rolle soll ich lesen?«

Als Simone ins Hotel kam, lag Édith, an Yves' Schulter geschmiegt, im Bett – und die beiden lasen sich gegenseitig Dialoge von Molière vor. Dabei drängte Édith darauf, bestimmte Textpassagen mehrmals zu wiederholen, um seinen Ausdruck zu verbessern. Ihr war natürlich bewusst, dass er in der noch verbliebenen Woche bis zur Wiedereröffnung des Moulin Rouge niemals die Sprechtechnik eines echten Bühnenschauspielers erreichen würde, aber sie hoffte inständig auf eine Verbesserung. Und Yves machte tatsächlich immer größere Fortschritte.

Simone hatte ein paar Kleidungsstücke vom Boden des Salons aufgehoben und sich über den Arm gelegt. »Ich habe hier Hemd und Hose des angehenden Stars der Comédie-Française«, erklärte sie mit einem breiten Grinsen.

Ihn mitsamt Édith zwischen den Kissen zu erwischen schien sie nicht sonderlich zu überraschen. Lediglich als ihr Blick das Buch in der Hand der Freundin streifte, war eine gewisse Unsicherheit erkennbar. Sicher hätte es sie weniger verwirrt, Édith und Yves in inniger Umarmung anzutreffen als bei einer Leseprobe – mit dem Bett als Bühne. Unwillkürlich brach Édith in schallendes Gelächter aus. Doch das erstarb augenblicklich, als sie staunend sah, dass Yves nun so rot wie ein wohlerzogenes junges Mädchen nach dem zweideutigen Kompliment ihres ersten Verehrers geworden war.

»Ich ... ich ... sollte ... jetzt gehen ...«, stammelte er.

Natürlich fiel seine Unsicherheit auch Simone auf. »Es braucht dir nichts peinlich zu sein«, sagte sie gutmütig und legte seine Sachen auf das Fußende. »Dein Dialekt nicht. Und schon gar nicht, dass du dich in unsere Môme verliebt hast. Das tun alle.«

»Alle?«, wiederholte Yves tonlos. Simones Bemerkung trug offensichtlich nicht dazu bei, sein Selbstbewusstsein wieder-aufzurichten.

»Na, wenn schon ...« Édith kicherte glücklich. »›Wer liebt, zweifelt an nichts‹, sagte Honoré de Balzac. ›Oder an allem.‹« Sie wischte mit einer wegwerfenden Geste die Antwort weg, die Yves anscheinend auf den Lippen lag. Womöglich wollte er nur fragen, wer dieser Mann war, den sie zitierte. »Ich habe mehr als die Hälfte meines Lebens darauf gewartet, geliebt zu werden. Also ist es doch eine deutliche Verbesserung, wenn es jetzt *alle* tun.«

Simone warf ihr einen bewundernden Blick zu, der wohl ihrer Schlagfertigkeit galt. Dann drehte sie sich um und mar-schierte zurück in den Salon. »Möchtet ihr ein Glas Wein?«, rief sie über die Schulter. »Ich habe eine Flasche Beaujolais mitgebracht.«

»Eine Zigarette wäre mir lieber«, murmelte Yves.

Édith ignorierte die Freundin ebenso wie seinen Wunsch. »Das Besondere ist«, sagte sie leise, »dass *du* mich liebst, Ivo Livi.«

Endlich lächelte er wieder. »Ich gehe sehr ungern. Das weißt du hoffentlich. Aber es muss sein ...« Das Ende des Satzes ging in Seufzen unter.

»Allerdings.«

»Hm«, machte er und richtete sich zögernd auf. Seine Augen flogen zu dem Durchbruch, hinter dem im gelben Licht einer Stehlampe der Schatten von Simone immer wieder auftauchte, die aufzuräumen schien. Er streckte seinen langen Arm aus und griff nach seinen Sachen.

Édith genoss es, ihm zuzusehen, wie er sich anzog. Er ist viel zu dünn, dachte sie wieder bei sich, aber er besaß einen makellosen Körper. Verlangen wallte in ihr auf. Am liebsten wäre sie aufgesprungen, hätte seine Schultern umfasst und ihn zurück in ihr Bett gezogen. Doch statt ihrer Sehnsucht nachzugeben, schlug sie das Buch zu und fragte sachlich: »Hast du schon über deine Bühnengarderobe nachgedacht?«

Seine Miene wandelte sich sofort. Von dem Bedauern des vertrösteten Liebhabers in pure Verzweiflung. Seine Hände, die gerade die Knöpfe an seinem weißen Hemd schlossen, sanken wie in einem Akt der Hilflosigkeit herab. »Du magst mein Jackett nicht, das habe ich verstanden. Aber ich habe nichts anderes. Und ich habe nicht genug Geld, mir etwas Neues zu besorgen.«

»Na und?« Sie schwang ihre Beine herum, stand auf und

ging auf ihn zu. »Du sollst ja nicht im Smoking singen. Ein Hemd und eine Hose genügen völlig.«

Verblüfft sah er an sich hinunter. »Ja, aber ...«

»Textilien sind immer noch rationiert. Niemand wird sich wundern, wenn du nicht im großen Kostüm auftrittst. Außerdem bist du ein Künstler der Arbeiterklasse.« Zärtlich zog sie an seinem Ärmel. »Aber nimm nicht dieses weiße Hemd. Es passt so gar nicht zu deinem Typ und würde mich immer daran erinnern, dass du es in meinem Schlafzimmer angezogen hast. Wir kaufen dir ein schwarzes Hemd. Ja, ein schwarzes Hemd zu deiner schwarzen Hose – das soll die Linie von Yves Montand sein ...«

»Ich kann nicht in einem schwarzen Hemd auftreten!«, protestierte er heiser. Mit einem Mal wirkte er aufgebracht, empört, fast schockiert.

Ihr Atem stockte. »Warum denn nicht?«

»Mein Vater ist vor den *Schwarzhemden* aus seiner Heimat Italien geflohen«, schleuderte er ihr entgegen. »Er gab alles auf, damit seine Söhne niemals die Uniform der *Balilla*, der Jugendorganisation der Faschistischen Partei, tragen musste. Wenn ich mich in einem schwarzen Hemd auf die Bühne stelle, verrate ich meinen *Papà*.«

Er wirkte regelrecht verzweifelt, und sie verstand sein Argument sogar. Der Krieg war nicht vorbei, aber wie lange würde dieses schreckliche Gemetzel noch dauern? Sicher nicht mehr so lange, wie sie hoffte, dass Yves' Karriere anhielt. Und die Franzosen wollten schon heute vorwärtsschauen und nicht zurückblicken. Niemand würde die Bühnengarderobe eines Chansonniers mit Mussolini verbinden. Außerdem hatte Édith nicht die Absicht, sich so leicht von ihrer Idee abbringen zu lassen.

»Niemand wird an diese schrecklichen Leute denken, wenn du von der Liebe singst«, schmeichelte sie. »Ein Hemd in derselben dunklen Farbe wie deine Hose unterstreicht deine Figur. Du besitzt die Hüften eines Vorstadtkaters, das musst du ausnutzen. Die Frauen werden dir zu Füßen liegen.« Um Zustimmung heischend blickte sie zu ihm auf.

»Kein schwarzes Hemd«, beharrte er, aber sein Ton war weicher geworden.

»Ich will nicht mit dir streiten«, behauptete sie, obwohl sie durchaus willens war, noch eine Weile mit ihm über das Thema zu debattieren, »aber bedenke bitte, dass Kellner weiße Hemden tragen. Und Gigolos. Du bist keines von beiden.«

»Ja. Das stimmt natürlich«, murmelte er beklommen.

»Du bist ein großartiger Chansonnier. Und das sollst du den Leuten zeigen. Dein Vater wird stolz auf dich sein, wenn das Publikum vor Begeisterung tobt.«

»Wenn man in Marseille ins Theater geht, nimmt man Autohupen, Tomaten und faule Eier mit.« Ein kleines Lächeln spielte um seine Mundwinkel. »Die Hupe macht ziemlich viel Lärm, und das andere Zeug wirft man auf die Bühne, wenn einem ein Auftritt nicht gefällt. Ich hatte ziemliche Angst davor. Aber weißt du, bei mir ging es damals gut, die Zuschauer mochten mich.«

Sie stellte sich auf die Zehenspitzen, um ihm einen letzten, kurzen Kuss zu geben. »Künftig werden sie dich anbeten.«

»Ein schwarzes Hemd wäre vielleicht damals schon eine gute Vorsichtsmaßnahme gewesen – daraus lassen sich die Flecken leichter entfernen, nicht wahr?«

Sie lachte verhalten. »Ich habe keine Ahnung.« Innerlich jubilierte sie, weil sie spürte, dass sie Yves überzeugt hatte. Er wollte nur noch nicht vor ihr klein beigeben.

»Darf ich über deinen Vorschlag nachdenken?«, fragte er ernst.

»Natürlich. Überschlafe das. Wir reden morgen darüber.« Sie musste sich zwingen, nicht allzu fröhlich zu klingen, damit ihr Triumph nicht so deutlich ausfiel. In Gedanken schickte sie Simone bereits auf den Schwarzmarkt, um die neue Bühnengarderobe für Yves Montand zu besorgen. Er würde großartig in seiner schwarzen Hose und einem neuen schwarzen Hemd aussehen.

»Ich brauche neue Lieder«, murmelte er versonnen. »Wenn ich meinem Vater das Herz brechen muss, will ich mit den Chansons keine halben Sachen machen.« Er legte einen Finger unter ihr Kinn und sah ihr ernst in die Augen. »Was immer du vorhast, Môme, du solltest wissen, dass ich keinen Text von Henri Contet singen werde.«

»Oh!« Sie war bestürzt ob der Verwicklungen, die sich plötzlich auftaten. Mit dieser Verweigerung hatte sie nicht gerechnet. »Ich dachte, ihr seid Freunde?«

Yves schüttelte den Kopf. »Spätestens seit heute Nachmittag sind wir es nicht mehr.«

Offensichtlich war er eifersüchtig. Dass er ein Mann großer Gefühle war, hatte sie von Anfang an gemerkt, und natürlich sagte man das seinem ganzen Heimatvolk nach. Italiener waren leidenschaftliche Männer, berühmte Dramen waren darüber verfasst und ganze Opern geschrieben worden. Édith ärgerte sich, dass sie wider besseres Wissen keinen Moment daran gedacht hatte, ihr neuer Liebhaber könne auf ihren bisherigen Geliebten eifersüchtig sein. Bei näherer Betrachtung war Yves' Misstrauen durchaus rührend und vielleicht sogar schmeichelhaft, aber es warf Probleme auf. Nicht nur, weil sie sich noch nicht von Henri getrennt hatte. Obwohl sie die schwierigen Zeiten, in denen sie lebten, alle bisweilen verleugneten, war es dieser Tage unmöglich, die Namen ebenso verfügbarer wie talentierter Textdichter aus dem Ärmel zu schütteln. Henri war der einzige Autor, den sie sich im Moment für Yves' Karriere vorzustellen vermochte. Deshalb musste sie ihren Weg weitergehen, was bedeutete, ihren Kopf gegen seinen Willen durchzusetzen – auch wenn der noch so stark war.

Mit liebenswürdiger Stimme verkündete sie: »Geh mir jetzt aus den Augen, *chéri*, damit ich mich hinsetzen und in Ruhe ein Lied für dich schreiben kann.«

»Ich werde von dir träumen«, hauchte er in ihr Ohr. »Von deinen wundervollen Augen und den Liebkosungen deiner Hände.«

Während er sie zum Abschied küsste, dachte sie an einen Sonnenuntergang in Südfrankreich. Sie fühlte Wärme und Süße. Ihr ging durch den Kopf, dass seine Umarmung ihr Leben in rosarote Farben tauchte, dass die Grautöne wie weggewischt waren. Es war wundervoll, in den Mann, der sich Yves Montand nannte, verliebt zu sein.

KAPITEL 11

Mitten in der Nacht klingelte das Telefon. Der späte Anruf war bei Édiths Lebensstil nicht ungewöhnlich. Es überraschte sie jedoch, dass sich Henri am anderen Ende der Leitung befand – und nicht Yves. Nach dem wunderbaren Tag, den sie zusammen verbracht hatten, sehnte sie einen Gutenachtgruß von ihrem neuen Freund herbei. Der Augenblick dafür war perfekt, da sie an dem kleinen Sekretär im Salon saß und sich Notizen machte.

Ich werde von deinen wundervollen Augen und den Liebkosungen deiner Hände träumen. Die Worte, die ihr Yves zum Abschied zugeflüstert hatte, gingen ihr nicht mehr aus dem Kopf. Stumm wiederholte sie sie, als wäre ihr Gehirn ein Grammophon mit einer hängen gebliebenen Schallplatte. *Wundervolle Augen* und *Liebkosungen deiner Hände* waren die richtigen Begriffe für ein Chanson über die Liebe, gesungen von einem Mann, der diese Liebe lebte. Was könnte authentischer sein? Sie schrieb im Licht einer einzigen schwachen Glühbirne, um Strom zu sparen, strich eine erste Idee durch und ersetzte sie durch eine andere:

>»Elle a des yeux
C'est merveilleux
Et puis des mains ...«*

Da klingelte das Telefon. Lächelnd hob sie ab und meldete sich nicht mit dem üblichen »Âllo, c'est qui?«, sondern sagte nur: »Chéri?«

»Was für eine liebevolle Begrüßung«, erwiderte Henri. Er schmunzelte. Das konnte sie aus jeder Silbe hören.

Ihr sank das Herz. »Oh!« Sie schluckte, um nicht allzu enttäuscht zu klingen. »Du bist es«, fügte sie matt hinzu.

»Ja, ich bin's. Wer sonst?« Anscheinend wurde er ein wenig argwöhnisch.

Sie zwang sich zu einem heiteren Lachen. »Da gibt es einige Möglichkeiten. Angefangen bei General de Gaulle ...«

»Veralbere mich nur«, unterbrach er sie sanft. »Es war eine dumme Frage. Tut mir leid. Ich wollte dir nur sagen, dass ich seit Stunden an dich denke. Ich habe einen Text mit dem Titel ›Ma Môme, ma petite gosse‹ geschrieben – und wer anderes sollte ›mein kleines Mädchen‹ sein als du?«

»Doris«, entfuhr es ihr, obwohl sie eigentlich gar nicht böse sein wollte. Dennoch wiederholte sie: »Doris, deine Frau.«

»Unsinn!«, widersprach Henri. »Ich liebe nur dich. Deshalb ist mir auch diese Zeile eingefallen: ›Meine Môme, meine Kleine, komm, wir machen einen drauf ...‹ Soll ich dich abholen, und wir trinken irgendwo noch ein Glas Wein?« Es würde sicher nicht dabei bleiben. Nach dem Absacker würde er mit ihr ins Hotel kommen und die Nacht mit ihr verbringen wollen. In jeder anderen Nacht hätte sie die Arme für ihn ausgebreitet, aber nicht, während sie noch den Duft des Südens in der Nase hatte und die Wärme eines anderen Körpers spürte. »Nein. Heute nicht, Henri. Ich muss noch arbeiten.«

Er pfiff eine kleine, schlichte Melodie, die wahrscheinlich von ihm stammte, nicht von einem Komponisten. Trotz ihrer Absage schien er bester Laune, als er seinen Text in einer Art Sprechgesang wiederholte:

> *»Ma Môme, ma petite gosse,*
> *on va faire la noce,*
> *je t'emmène en carrosse ...«*

»Wie findest du diese Zeile?«, wollte er wissen. »›Ich nehme dich mit in der Kutsche‹ klingt vielleicht ein wenig antiquiert, aber mir gefällt das Szenische daran. Es hat etwas vom Cabaret.«

»Antiquiert? Wieso das? Kutschen sind heutzutage einfacher zu bekommen als Automobile.« Plötzlich sah sie einen jungen Mann vor sich, der seine Liebste zu der einzigen Art

Ausflug überreden wollte, die er sich leisten konnte. Ein Fuhrwerk war dafür in diesem Fall sicher angemessener als ein Rolls-Royce. Vor ihrem geistigen Auge erschien eine Bühne, auf der dieses Lied glaubhaft inszeniert wurde. Die Lacher waren auf der Seite des Interpreten, der seine Geschichte mit sentimentalem Humor zum Besten gab. Ein Sohn aus der Arbeiterschicht, der seine komische Ader ausleben und trotzdem ein Liebeslied darbieten wollte ...

»Maurice Chevalier würde das Chanson ganz hervorragend singen«, unterbrach Henri ihre Gedanken.

Das Bild in Édiths Kopf löste sich noch nicht vollständig auf. Hin und her gerissen zwischen Traum und Wirklichkeit sah sie den Telefonhörer ungläubig an, bevor sie ihn wieder an ihr Ohr presste und hervorstieß: »Nein. Das geht nicht. Doch nicht Chevalier!«

»Warum denn nicht?«, gab Henri arglos zurück. »Ich weiß natürlich, dass er sich in sein Landhaus zurückgezogen hat, aber ein Star wie er wird nicht für immer der Bühne fernbleiben. Die Zeiten ändern sich ...«

»Genau deshalb ist das nichts für Chevalier«, fiel sie ihm ins Wort. Sie schluckte die Bemerkungen herunter, die ihr angesichts ihrer eigenen ungewissen Zukunft auf der Zunge lagen, konzentrierte sich ganz auf die Zukunft ihres Schülers und neuen Liebhabers. Die Kontemplation gelang ihr sogar so gut, dass sie vor ihrem geistigen Auge Yves in schwarzem Hemd und schwarzer Hose auf der Bühne sah, wobei die Zeile »Ma Môme, ma petite gosse« über seine Lippen perlte. Aufgebracht rief sie ins Telefon: »Das ist ein Chanson für Yves. Für niemanden sonst.«

»Yves? Meinst du Yves Montand?«

»Wen sonst?« Ihre Stimmlage hob sich, sie wurde lauter.

»Vergiss Chevalier. Heb diesen Text für Yves auf!«

»Aber, Môme ...«, hob Henri an, unterbrach sich und fuhr dann fort: »Ich glaube nicht, dass er dafür die Klasse hat. Wohingegen ein Mann wie Chevalier ...«

»Ich denke, du bist sein Freund«, protestierte Édith.

»Na ja ... Ja. Er ist mein Freund, solange er der Anheizer für dich ist. Wir haben nicht darüber gesprochen, dass er ein eigenes Programm bekommen soll. Dafür ist er noch viel zu jung und nicht gut genug, wohingegen Maurice Chevalier ...«

»Ich habe dir gesagt, du sollst ihn vergessen!«

Henri stieß am anderen Ende der Leitung einen tiefen Seufzer aus. »*Ma chère*, ich habe dich angerufen, um dir meinen neuen Text vorzulesen. Nicht, um eine Grundsatzdiskussion mit dir zu führen. Was ist los mit dir? Wofür braucht Yves Montand überhaupt ein eigenes Chanson? Ich dachte, du hilfst ihm für die zwei Wochen im Moulin Rouge auf die Sprünge – und das war's.«

»Falsch. Ich werde seine Karriere protegieren.«

Henris Erstaunen war so deutlich, dass Édith es durch das Telefon spüren konnte. In seiner Wortwahl bedacht, erinnerte er sie: »Du hast selbst gesagt, dass er keine Klasse besitzt.«

Ihre Geduld mit ihrem alten Freund war aufgebraucht, und

fast wäre ihr der Kragen geplatzt, und sie hätte Henri ange-
schrien, aber dann fiel ihr wieder ein, dass die Auswahl an
guten Textdichtern begrenzt war. Sie brauchte ihn noch und
sollte ihn daher bei Laune halten. Und dann erinnerte sie sich
endlich an den Sänger, der ihr nur allzu deutlich zu verstehen
gegeben hatte, von wem er keine Chansons geschrieben haben
wollte. Es war derselbe Henri Contet, von dem sie gerade verlangte, einen langjährigen Weggefährten zu vernachlässigen.
Das ist egal, entschied sie im Stillen. Es geht um unsere Arbeit,
nicht um irgendwelche unsinnigen Ressentiments.

Mit deutlich milderer Stimme bat sie: »Heb das Chanson
für Yves auf. Es passt zu ihm. Mein Instinkt trügt mich nicht.«

»Neulich Abend ...«, begann Henri.

»Da habe ich nicht Yves falsch eingeschätzt, sondern seinen
Auftritt als die Katastrophe gesehen, die er war. Du wirst sehen, er ist bereits viel besser geworden. Die Musikwelt wartet
auf einen wie ihn. Wenn er die richtigen Chansons hat, kann
ein Weltstar aus ihm werden.«

Henri schwieg. Nach einer Weile behauptete er: »Du hältst
auf einmal ziemlich viel von ihm. Aber häng dich da nicht so
rein, Édith. Audiffred hat mir gesagt, dass Yves Montand der
Zusammenarbeit mit dir nur zugestimmt hat, weil er das Geld
braucht. Obwohl er dich ... entschuldige, wenn ich das so
deutlich sage ... also, obwohl er dich nicht wirklich schätzt,
kann er auf die Gage nicht verzichten.«

Ein Schmunzeln umspielte ihre Lippen, die Yves so leidenschaftlich geküsst hatte, dass sie noch seinen Mund darauf

spürte, wenn sie an seine Küsse dachte. Am Nachmittag hatte sie erlebt, wie eifersüchtig er auf Henri war – und jetzt erfuhr sie, dass Henri die Situation ebenso suspekt zu sein schien. Bislang war Édith die unsichtbare Dritte in der Ehe von Henri und Doris gewesen. Wenn Henri sich nun in seiner Liaison mit Édith von Yves gestört fühlte, war das eine bemerkenswerte Entwicklung. Das war amüsant. Dreiecksbeziehungen führten meist zu dramatischen Szenen – und was könnte besser sein für die Kunst, für die sie alle lebten – die Musik? Wo, wenn nicht im Chanson, war Platz für solche Gefühle? Womöglich standen sie alle am Beginn einer Phase größter Kreativität.

Sie zwang sich zu einem ernsten Ton, als sie auf Henris Gehässigkeit antwortete:»Wenn du dieses Chanson nicht für Yves aufhebst, rede ich kein Wort mehr mit dir.«

Diesmal dauerte das Schweigen länger. Schließlich seufzte er und fragte:»Soll ich es Guite schicken?«

Sie hatte gewonnen!

Édith strahlte. Jetzt hatte sie keine Veranlassung mehr, ihre Freude zu verbergen. Auf Henris Wort war Verlass.»Das ist eine wunderbare Idee, *mon cher*. Guite soll die Melodie dazu schreiben. Kümmere dich darum. Ja. Aber ich rufe sie morgen auch gleich an.«

In Gedanken fügte sie hinzu, dass Marguerite Monnot genau die Richtige war, um Ruhe in die Zusammenarbeit zwischen Henri und Yves zu bringen. Zumindest diente es ihrer aller Karriere, den jeweiligen Argwohn der Männer begrenzt zu halten und nicht allzu große Zwietracht zu säen. Édith kicherte. Sie würde Henri nicht sagen, dass sie in Yves verliebt war. Und Yves würde sie nicht sagen, dass Henri nicht wusste, dass sie in ihn verliebt war. Wie amüsant das Leben plötzlich sein konnte!

KAPITEL 12

Die Basilika Sacré-Cœur wirkte vor dem tiefblauen Herbst-
himmel wie aus weißer Zuckerwatte erbaut. Auf den Stufen,
die hinauf in die Kirche führten, lümmelte eine Gruppe junger
US-Soldaten, die offensichtlich ihren freien Nachmittag genossen. Die Ärmel ihrer wie nagelneu wirkenden sandfarbe-
nen Hemden hatten sie aufgekrempelt, die schiffchenförmi-
gen Feldmützen, die in Frankreich *calot* genannt wurden, aus
der Stirn geschoben. Sie rauchten und schauten interessiert
den Schülerinnen in ihren abgetragenen Uniformen zu, die
offenbar in die *terminale* eines *lycée* gehörten und sich für ein
Foto vor ihrer Lehrerin aufstellten. Die jungen Mädchen be-
merkten die Blicke und steckten kichernd die Köpfe zusammen. Eines löste sich von ihren Freundinnen und schritt wie
auf einem Laufsteg die Treppe hinab, blieb stehen, blickte kurz
über die Schulter, als wäre sie ein Filmstar und trüge eine der

glamourösen Roben von Elsa Schiaparelli. Die anerkennenden Pfiffe der Amerikaner folgten der Schönheit, der energische Protest der Aufsichtsperson mit der Kamera beorderte das Mädchen allerdings wieder an seinen Platz. Langsam ging es an seinen Bewunderern vorbei.

Édith musste bei ihrem Aufstieg stehen bleiben, um die Kleine vorbeizulassen. Kopfschüttelnd sah sie zu den Soldaten. »Ich verstehe nicht, warum Männer so hinter hochbeinigen Frauen her sind. Je länger die Beine einer Frau sind, desto schwieriger ist es doch, sie einzuholen, wenn …«

»Ich habe gar nicht hingesehen«, warf Yves beleidigt ein.

Ungerührt beendete sie ihre Feststellung: »… wenn sie fortlaufen wollen.«

Yves legte seine Arme um sie. »Du wirst mich nicht verlassen, nicht wahr?«

»Niemals«, rief sie lachend aus, warf den Kopf in den Nacken und strahlte ihn an. Ein winziger Stachel bohrte sich jedoch in ihr Herz, weil sie wusste, dass sie nicht die Wahrheit sprach.

Bislang hatte sie sich über kurz oder lang noch von jedem Mann getrennt, der gut zu ihr gewesen war und den sie geliebt hatte. Es war stets wie eine Flucht gewesen. Manchmal schien es ihr, als wolle sie nicht glauben, dass sie der Liebe wert war. Und sie vertraute dem Glück nicht – dennoch sehnte sie sich nach nichts mehr. Vielleicht war es auch einfach das bürgerliche Leben, das mit dem Konzept einer lebenslangen Liebe einherging, dem sie misstraute. Dieses Leben schien sich nicht mit ihrem Beruf vereinbaren zu lassen, wenngleich sie mit dem Singen die Gefühle verband, die einen Mann und eine Frau einten. Aber sie war auf der Bühne deutlich besser, konnte ihre Kunst mit mehr Leidenschaft verkörpern, wenn sie verliebt war. Das stand fest.

»Küss mich«, rief sie ihrem neuen Liebhaber fröhlich zu und spitzte albern die Lippen.

Der küsste sie auf die Stirn. »Im Schatten von Sacré-Cœur nehme ich dein Versprechen sehr ernst. Du bist viel gläubiger als ich. Eigentlich bin ich gar kein Kirchgänger.«

»Es ist wichtig, dass wir vor dem Auftritt im Moulin Rouge um den Beistand der Heiligen bitten.«

»Dir ist es wichtig«, korrigierte Yves. »Und für mich ist es selbstverständlich, dich zu begleiten. Mehr nicht.« Er löste sich von ihr und nahm an ihrer Seite langsam Stufe für Stufe.

Während sie an den Schülerinnen und den Soldaten vorbeigingen, galt sein Interesse ganz offensichtlich mehr den Amerikanern. Als wünsche er sich selbst in eine Uniform der US Army. Schließlich konzentrierte er sich wieder auf den Grund seines Hierseins, neigte sich zu Édith und gestand leise: »Weißt du, ich war bisher noch nicht einmal als Tourist in Sacré-Cœur.«

»Hätte ich mir denken können«, murmelte sie in sich hinein. Laut sagte sie: »Dann wird es Zeit.«

Er blieb wieder stehen und blickte an dem imposanten sakralen Bauwerk bis zu dem Kreuz auf der Turmspitze der höchsten der drei Kuppeln empor. »Dieses Gebäude erschlägt den Betrachter mehr als Notre-Dame. Die Arbeiter hier haben Großartiges geleistet.«

»Es ist eine Wallfahrtskirche«, erwiderte Édith.

Sie dachte an die Basilika in Lisieux, die nach dem Vorbild von Sacré-Cœur zu Ehren der heiligen Thérèse erschaffen werden sollte und wegen des Krieges noch nicht fertiggestellt worden war. Ob die Mauern den Bomben getrotzt hatten? Der Wunsch, in die Normandie zu wallfahren und dort für ihre Zukunft als Sängerin zu beten, war noch immer ungebrochen. Der gute, geduldige Loulou Barrier hatte sich auf ihre Bitte hin erkundigt und erfahren, dass eine Reise nach Lisieux tatsächlich ausgeschlossen war. Wie Simone es gesagt hatte. Es ärgerte Édith, dass ihre Freundin recht hatte, noch mehr jedoch ärgerte sie sich über die Mächte, denen sie sich fügen musste. Es war wie eine Kettenreaktion, sinnierte sie, als würde sie das Schicksal foppen wollen. Erst die Vorladung und dann die Drohungen dieses unsäglichen Ermittlungsbeamten, eines Kommunisten, und am Ende wurde ihr auch noch die Möglichkeit genommen, dort zu beten, wo es für sie unermesslich wichtig gewesen wäre. Oder Buße zu tun. Oder Sühne zu zeigen. Auch wenn sie nicht gesündigt hatte. Zumindest nicht so, wie der Typ in der *Préfecture* behauptete.

»Sacré-Cœur wurde erbaut, um für die Verbrechen der Kommunarden achtzehnhunderteinundsiebzig Buße zu tun«, hörte sie sich plötzlich sagen. Sie hatte diesen Teil der Geschichte eigentlich für sich behalten wollen, da sie annahm, dass Yves die historisch-politischen Zusammenhänge ebenso wenig verstand wie sie, bevor Paul Meurisse ihr davon berichtet hatte. Sie wollte nicht oberlehrerhaft wirken. Nicht hier, an diesem für sie bedeutungsvollen Ort.

»Von der Pariser Kommune habe ich gehört«, erwiderte Yves rasch. In seiner Stimme schwang ein gewisser Stolz. »Mein Vater hat mir beigebracht, dass für kurze Zeit das Proletariat herrschte. Wie kann es ein Verbrechen sein, die Macht für das Volk zu erkämpfen? Der Sturm auf die Bastille war doch nichts anderes.«

»Der Erzbischof von Paris wurde von den Kommunarden erschossen. Ist das kein Verbrechen?«, fragte sie mit tonloser Stimme.

»Du nennst dich selbst die Chansonnnière der Arbeiterklasse. Wie kannst du dann nicht verstehen, welche Reformen das Volk wirklich weiterbringen? Dafür müssen Opfer gebracht werden. Der *Parti communiste* ist nun an der neuen französischen Regierung beteiligt und wird endlich für die Verstaatlichung der großen Fabriken sorgen. Ein Unternehmen wie Renault etwa gehört in die Hände des Volkes, damit es hier vorwärtsgeht. Das gelingt nur, wenn die alten Strukturen zerstört werden.« Mit finsterer Miene sah er ihr in die Augen.

»Eine politische Partei ersetzt keine Religion.«

»Aber an Männer zu glauben, die für eine Verbesserung der Lebensumstände von einfachen Leuten wie uns sorgen, erscheint mir sinnvoller als an einen Gott, der zugelassen hat, was in dieser Stadt in den vergangenen vier Jahren geschehen ist.«

»Du teilst die Welt in Schwarz und Weiß, und der Himmel existiert für dich nicht«, stellte sie sachlich fest. Als er den Mund öffnete, brachte sie ihn mit einer kleinen Geste zum Schweigen. Dann nahm sie seine Hand, ihre Finger umschlossen die seinen mit eisernem Griff. »Komm, lass uns weitergehen. Ich möchte dir erzählen, warum die heilige Thérèse von Lisieux so wichtig für mich ist. Im Gehen lässt es sich leichter reden.«

Sie war sieben Jahre alt, als sie zum ersten Mal am Grab von Thérèse Martin auf dem Friedhof von Lisieux stand. Ein kleines Mädchen, das die Magie spürte, die von der verstorbenen Ordensschwester ausging. Édith gefielen die schönen Geschichten über Mildtätigkeit und vor allem Liebe, die ihr Großmutter Léontine Gassion über Thérèse vom Kinde Jesus erzählte. Aber sie sah nicht die steinernen Grabmale und hölzernen Kreuze, nicht die Kieswege, die an den Grasflächen vorbeiführten, und nicht die Thujen am Rande der letzten Ruhestätte. Seit langem litt sie schon an einer geheimnisvollen Krankheit, ihre Mamie sagte, es seien jetzt drei Jahre. Ihre Augen waren ständig entzündet, und inzwischen konnte sie nur noch Licht und Dunkel unterscheiden. Sie nahm den Duft der Blumen wahr, die andere Gläubige für die wundertätige Frau hinterlassen hatten, und das würzige Aroma frisch aufgeworfener Erde stieg ihr in die

Nase, aber ansonsten waren da nur Schatten in einem endlosen Feld, das in dichten Nebel getaucht schien.

Sie klammerte sich an die Hand ihrer Großmutter, die sie abzuschütteln versuchte.

»Ich bin beschäftigt«, behauptete Grand-mère.

Édith sah nicht, womit.

Auf der Rückfahrt drückte die alte Frau ein Leinentuch, gefüllt mit Erde von dem Grab, fest auf Édiths fast erblindete Augen. Sie wusste, dass es diese spezielle Erde war, weil sie den Geruch erkannte, der so anders war als der Gestank in dem Pferdewagen, der sie nach Bernay zurückbrachte.

Ihre Nase gab ihr die einzige Erinnerung an den Friedhof, auf dem die Nonne begraben war, ein Bild davon besaß sie nicht.

Mit der Augenbinde war nichts mehr hell und verschwommen, alles war schwarz um sie, aber der sonderbar würzige Duft gab ihr einen gewissen Halt. Wie gelegentlich die Hand ihrer Mamie.

Eine Woche später nahm Maman Tine, *wie die Großmutter von ihren Huren genannt wurde, den Verband ab – und vor den Blicken des kleinen Mädchens entfaltete sich eine bunte, farbige Welt. Édith konnte wieder sehen.*

Seitdem betete sie zu Thérèse von Lisieux. Das Grab der späteren Heiligen hatte sie niemals wirklich gesehen. *Sie kehrte erst als Erwachsene nach Lisieux zurück, doch da waren die sterblichen Überreste der Karmelitin bereits in die kleine Kapelle des Klosters überführt worden, in dem sie ihre Liebe zu Gott gelebt hatte. Der auf einem Podest ruhende, gläserne Sar-*

kophag und die der Sterbenden nachgebildeten Marmorstatue hatten nichts gemein mit dem Friedhof, über den Édith später auf der Suche nach einem Wiedererkennen wanderte. Nur der Duft war unverändert. Und der Zauber, der dem Gedenken an die Ordensfrau innewohnte.

KAPITEL 13

Édith legte ihre Hände auf Yves' Unterarme. Durch ihre Finger spürte sie die pulsierende Ader, die an der Speiche entlangführte. Sie konnte sein Lampenfieber buchstäblich greifen. Dabei versuchte er, sich so unaufgeregt wie möglich zu geben, wirkte nach außen hin gelassen und fröhlich, grinste die an ihm vorbeilaufenden Tänzerinnen in ihren kurzen Röcken an wie ein Routinier. Édith wusste, dass sein Herz unter dem schwarzen Hemd fast zerbarst vor Aufregung. Der Druck ihrer Hände war jedoch das Einzige, was sie ihm in diesem Moment mit auf den Weg geben konnte. Für den Rest musste er selbst sorgen: für die Konzentration, die ihn durch seinen Auftritt begleiten sollte, und schließlich für eine gelungene Darbietung. Er würde zwar dasselbe Repertoire bringen wie vor Wochen im ABC, aber sie hoffte inständig, dass er sich auch angesichts des Publikums an ihre Vorgaben erinnerte.

In der Abgeschiedenheit ihres Hotelzimmers waren sie wieder und wieder jeden seiner Schritte durchgegangen, und auf den kleinen Bühnen von Pariser Vorstadtkinos hatte sich Yves in den vergangenen Tagen ausprobiert und gut geschlagen, wie sie fand. Nun lag es allein an ihm, auch im Moulin Rouge zu bestehen.

»Du musst sie alle kriegen«, raunte sie ihm zu. Trotz des Lärms, den die plappernden Mädchen vom Ballett, die Bühnentechniker und auch die Musiker machten, die ihre Instrumente im Hintergrund stimmten, sprach sie sehr leise, dennoch war ihre Stimme energisch: »Du musst die Leute auf den teuren Plätzen genauso ansprechen wie die Zuschauer auf den billigen Rängen. Erst wenn du sie alle auf deiner Seite hast, gehört der Beifall dir.«

Yves schenkte ihr ein zerknirschtes Lächeln. »Dafür haben wir gearbeitet, nicht wahr?«

»Wir sind noch lange nicht am Ende unserer Arbeit angelangt ...«

»Gott sei Dank«, warf er ein, und sein Lächeln wurde zärtlicher.

Sie zwang sich, die Magie zu ignorieren, die von seinem Ton ausging. »Toi, toi, toi«, raunte sie und stellte sich auf die Zehenspitzen, tat so, als würde sie über seine linke Schulter spucken. Für einen Atemzug presste sie sich gegen seine Brust. Die Empfindung seiner festen Muskeln, seiner Wärme, seines Dufts wirkte wie ein kurzer, intensiver Rausch. Dann löste sie sich von ihm, trat einen Schritt zurück und sah ihn aus großen Augen an, als könne sie durch ihren Blick all ihren Willen, ihre Kraft und ihr Können in seinem Körper versenken.

»Es ist ausverkauft!«, verkündete Henri in ihrem Rücken. »Ich habe eben durch das Guckloch gespäht und gesehen, wer alles gekommen ist. Ihr glaubt es nicht, sogar ...« Er brach ab. Offenbar verwirrt, vielleicht auch verlegen angesichts des Bildes, das sich ihm bot.

Mit einiger Verzögerung wurde sich Édith der Intimität des verstrichenen Moments bewusst. So sehen sich nur Liebende an, fuhr es ihr durch den Kopf.

Es war ihr unangenehm.

Sie hätte nie für möglich gehalten, wie schwierig es war, ihre Gefühle für Yves vor Henri zu verbergen. Mit einer strahlenden Miene drehte sie sich zu ihrem alten Freund und Liebhaber um. Ihre Hände, die sie von Yves' Unterarmen gelöst hatte, waren plötzlich kalt.

»Hast du etwas anderes als ein ausverkauftes Haus erwartet?« Sie lachte auf, viel zu laut. »Ich bitte dich, Henri, es ist die Wiedereröffnung des Moulin Rouge – und ich bin der Star.« Albern hakte sie sich bei ihm unter.

Aus den Augenwinkeln beobachtete sie, wie Yves' Gesichtsausdruck versteinerte. Er war eifersüchtig. Das war eine Gefühlsregung, die er nicht unbedingt vor einem Auftritt erleben sollte. Doch Édith betrachtete seine Eifersucht als Zeichen seiner Liebe und fühlte sich wohl damit. Außerdem würde Yves so oder so lernen müssen, dass sie nicht sein Besitz war. Auch wenn – oder gerade obwohl – sie in ihn verliebt war.

Durch das Potpourri aus allerlei Gerüchen, Füßescharren, Stimmengewirr und gequälten Streichinstrumenten wehten die vertrauten Töne einer Harmonika. Der Musiker übte anscheinend bereits für den Auftritt des Stars im zweiten Teil des Abends. Aus dem Foyer drang der Klingelton, der den nahen Beginn des Programms ankündigte. Unwillkürlich beschleunigte sich Édiths Herzschlag.

Der Spielleiter hastete an ihnen vorüber. »Noch fünf Minuten!«, rief er Yves zu.

In einer jovialen Geste klopfte Henri dem jungen Sänger auf die Schulter. »Toi, toi, toi, mein Freund!«

»Danke«, sagte Yves. Seine Blicke ruhten auf Édith. »Wirst du zusehen?«

»Nein. Das ist deine Show. Ich gehe in meine Garderobe und bereite mich auf meinen Auftritt vor.« Natürlich würde sie seine Darbietung von einem verschwiegenen Platz aus irgendwo hinter der Bühne verfolgen. Oder zumindest einen Teil davon. Seine Leistung, von der sie hoffte, dass er sie zeigen würde, wäre schließlich auch ihr Verdienst. Das sagte sie ihm jedoch nicht, weil sie befürchtete, er würde noch nervöser, wenn er unter den Augen seiner Lehrerin bestehen musste. Sie berührte wie zufällig seinen Arm. »Bis später, chéri.«

Er muss sich sammeln, dachte sie. Er braucht ein paar Minuten, um zu seiner Konzentration zu finden. Deshalb wandte sie sich an Henri und behauptete: »Wir müssen unbedingt diesen Armagnac probieren, den mir ein Bewunderer in die Garderobe hat schicken lassen.« In ihrem Rücken spürte sie, wie Yves ihr nachsah. Sie erwartete nicht, dass dieser Blick besonders freundlich war.

»Du nennst ihn *chéri*«, bemerkte Henri mit leisem Tadel in der Stimme, als sie außerhalb seiner Hörweite waren.

Sie zuckte mit den Schultern. »Na und? Das hat nichts zu bedeuten ... *chéri*«, fügte sie süffisant hinzu und warf Henri eine Kusshand zu.

»Wenn das so ist, kann ich dich ja beruhigt allein lassen.« Er nahm sie in seinen Arm und zog sie in einer besitzergreifenden Geste an sich. »Geh schon vor, Môme, ich komme gleich nach. Ich will mir nur den Anfang von Yves Montands Programm ansehen.« Ein schneller Kuss, dann ließ er sie los.

»Erzähl mir, wie er sich macht.«

Der Beifall, der im Zuschauerraum aufbrandete, war bis in den Flur zu hören, der zu den Künstlergarderoben führte. Vor ihrem geistigen Auge sah Édith, wie die Musiker den Saal betraten und im Orchestergraben Platz nahmen, gefolgt von ihrem Dirigenten. Yves würde jetzt nervös von einem Bein aufs andere treten, die Augen schließen und in sich hineinhorchen. So hatte sie es ihm beigebracht. Unwillkürlich fasste ihre Hand nach dem kleinen goldenen Kreuz, das sie an einer dünnen Halskette trug. Still hielt sie mit der heiligen Thérèse Zwiesprache. Darüber vergaß sie Henri und bemerkte nicht, wie er zurück zur Bühne ging und sich so zwischen den Aufbauten verbarg, dass Yves ihn nicht sehen konnte.

Édith blieb auf ihrem Posten und lauschte. In diesem Teil des Musiktheaters war es zu Beginn der Vorstellung so still wie morgens um vier auf der Place Blanche, wenn die Nacht vorbei, der Tag jedoch noch nicht angebrochen war. Niemand lief hier jetzt noch herum, alle Beteiligten warteten auf ihren Einsatz, die Beleuchter ebenso wie die Musiker, Ballettmädchen und Bühnenarbeiter. Selbst der typische Geruch, der die Räumlichkeiten diesseits des Vorhangs für gewöhnlich erfüllte, schien sich verflüchtigt zu haben. Umso deutlicher drangen die Geräusche aus dem Saal zu ihr. Ihre Gedanken und ihr Herz flogen zu Yves, der in diesem Moment mit beschwingtem Schritt, aber in gemessenem Tempo, ganz so, wie sie es ihm beigebracht hatte, vor sein Publikum trat.

Louis Barrier wartete in Édiths Garderobe. Als sie den kleinen, hellerleuchteten Raum betrat, saß er in dem einzigen Sessel und sortierte auf seinen Knien irgendwelche Blätter von offensichtlich schlechter Papierqualität, die wie Telegramme oder Mitteilungen aus einem Fernschreiber aussahen. Er ging so konzentriert zu Werke, dass er Édiths Eintreten nicht zu bemerken schien und aufschreckte, als er sie plötzlich vor sich stehen sah. Die Stapel gerieten ins Wanken, und die Blätter flatterten wie nebelgraue Vögel zu Boden. Bevor er sie daran hindern konnte, bückte sie sich danach. Es waren, wie sie auf den ersten Blick erkannte, tatsächlich telegrafische Mitteilungen der Post.

»Was ist das denn?«

»Jetzt haben Sie mir die Pointe verdorben«, erwiderte er. Sein schmales, freundliches Gesicht mit den tiefen Grübchen an seinen Mundwinkeln wirkte vor Enttäuschung regelrecht eingefallen.

Sie wedelte mit den Telegrammen in ihrer Hand wie mit einem Fächer. »Und?«

»Ich wollte Sie überraschen.« Loulou stand auf, sammelte die restlichen Blätter ein und nahm ihren Fund wieder an sich. »Das sind alles Nachrichten von Konzertveranstaltern. Édith, Sie können sich freuen: Ihre Tournee durch das befreite Frankreich ist bestätigt.« Endlich strahlte er.

Vage erinnerte sie sich, dass sie vor einer Weile mit Henri über mögliche Auftritte im Süden gesprochen hatte. Sie hatte gar nicht mehr daran gedacht. Das war gewesen, bevor Yves ihrem Leben diesen neuen Zauber verliehen hatte. Gedankenverloren sank sie auf den Stuhl vor dem mit braunen Altersflecken übersäten Spiegel, legte ihre Arme auf den Toilettentisch und stützte ihren Kopf ab. Mit einem Mal schien er durch die Befürchtungen zu schwer geworden, die sich hinter ihrer Stirn zusammenbrauten und die nichts mit dem drohenden Auftrittsverbot zu tun hatten, vor dem sie eigentlich hatte davonlaufen wollen.

»Sie werden sechs Wochen unterwegs sein«, fuhr ihr Impresario fort. »Orléans, Lyon, Marseille …«, er hielt die jeweils aus diesen Städten stammenden Telegramme hoch wie Trophäen, »Toulouse …«

»Moment mal!«, unterbrach sie ihn. »Ich soll über einen Monat lang unterwegs sein? Ist das Ihr Ernst?«

Er sah sie verblüfft an. »Ja, warum denn nicht? Es wird eine großartige Reise werden. Ein bisschen beschwerlich vielleicht, das Schienennetz ist in weiten Teilen zerstört, und die meisten Brücken sind baufällig, aber mit Sicherheit werden Ihre Auftritte ein großer Erfolg.«

»Ja. Schon. Sicher. Aber wer ist mein Anheizer? Haben Sie Yves Montand in meinem Vorprogramm untergebracht?«

Seine Hand mit den Nachrichten sank herab. Sein Arm wirkte seltsam schlaff. »Nein. Hab ich nicht.«

Bevor sie sich ihrer Worte bewusst war, stieß sie hervor: »Ohne Yves fahre ich nicht.« Einen Atemzug später war ihr klar, dass diese Drohung ernst gemeint war – genau so empfand sie, und sie würde sich keinen Kilometer von Paris entfernen, wenn ihr Geliebter zurückbleiben musste. Die Vorstellung, über einen längeren Zeitraum als ein paar Stunden von ihm getrennt zu sein, schnürte ihr die Kehle zu. Eindringlich forderte sie: »Ich verlange, dass Sie ihn als meinen Anheizer engagieren lassen. Oder wir vergessen die Tournee.«

Louis erbleichte.

Er tat ihr leid. Wahrscheinlich war er in dem guten Glauben, alles zu ihrer Zufriedenheit zu erledigen, bereits unabänderliche Verpflichtungen eingegangen. Wenn sie Yves nicht kennengelernt hätte, wäre sie Loulous Plänen ohne jedes Widerwort gefolgt. Hatte Henri womöglich seine Hände im Spiel? Wollte er sie von Yves trennen? Du siehst weiße Mäuse, schalt sie sich im Stillen und atmete tief durch.

»Wann sollen wir auf Reisen gehen?«, fragte sie etwas ruhiger.

»Vom neunundzwanzigsten Oktober bis zum neunten Dezember«, antwortete Louis tonlos vor Verunsicherung.

»Heute haben wir den siebten Oktober.« Im Geiste zählte sie die Tage bis zum Ende des Monats. Dann verkündete sie: »Wir haben also noch drei Wochen, damit Yves sein neues Programm einstudieren kann. Das ist zu schaffen. Es ist eine wunderbare Gelegenheit, den neuen Yves Montand vorzustellen. Er wird ganz groß rauskommen.«

»Aber, Édith, meinen Sie nicht, das ist zu viel für ihn? Es wäre besser, er würde zuerst allein durch Südfrankreich touren, wenn er ganz sicher in seinem Repertoire ist. Das wäre doch der richtige Weg, oder?«

»Nein. Und nein.«

»Man kennt im Süden seinen Namen, ich könnte ihm Auftritte auf kleineren Bühnen verschaffen«, fügte Louis, bereits deutlich lahmer, hinzu.

»Und nochmals nein.«

Wie konnte Loulou auch nur annehmen, sie würde Yves eigene Wege gehen lassen? Sie war sein weiblicher Pygmalion, er gehörte ihr – und *zu* ihr. Die Vorstellung, dass er ohne sie

Erfolge feierte und von den Frauen aus dem Publikum be-
drängt würde, die hungrig nach Frieden und Liebe waren und
die Lieder, die er sang, allzu ernst nahmen, verletzte sie geradezu. So sehr, dass es sie selbst erstaunte. Überrascht begriff
sie, dass sie von Eifersucht ergriffen wurde. Als Yves diese
Anzeichen bitterer Angst, verlassen zu werden, gezeigt hatte,
hatte sie sich mehr oder weniger deutlich über ihn lustig gemacht. Doch nun empfand sie selbst so – und dieses Gefühl
war genauso stark wie der Pfeil der Liebe.

»Er wird es schwer haben in der Provinz«, entgegnete Louis
mit Bedauern in der Stimme. »Wissen Sie eigentlich, was es
bedeutet, vor Ihnen auftreten zu müssen?«

Ungeduldig schlug sie mit der Hand auf den Toilettentisch.
Die Flasche und die Gläser, die dort bislang von ihr unbeach-
tet standen, klirrten. »Schluss jetzt!« Ihre Stimme klang in
ihrer Aufregung so rau wie fernes Donnergrollen. »Was tut
Yves denn gerade da draußen? Wir gehören zusammen, er ist
auf dem Weg, ein großer Sänger zu werden, und er ist mir
ebenbürtig. Ohne ihn gehe ich nicht auf Tournee. Das ist mein
letztes Wort.« Demonstrativ wandte sie sich ab, griff nach dem
Armagnac und drehte wild an dem Korken.

»Ich kümmere mich darum.« Louis kapitulierte. Er bückte
sich, um die noch auf dem Boden liegenden Telegramme auf-
zuheben, und schob sie mit denen in seiner Hand erneut zu
einem kleinen Stapel.

Édith dachte, dass er vermutlich den Rest des Abends damit
verbringen würde, die jeweiligen Veranstalter ans Telefon zu

bekommen. Sie füllte zwei Gläser mit dem Weinbrand und hielt Loulou eines kommentarlos hin. Es war ihre Art, sich nach der lautstarken Auseinandersetzung mit ihrem Impresario zu versöhnen. Dafür verzichtete sie darauf, noch einmal rasch hinter die Bühne zu gehen, um Yves zu lauschen.

KAPITEL 14

Mit den Verbesserungen in seinem alten Programm kam Yves gut an. Am zweiten Abend – und dann immer wieder – schlich sich Édith heimlich in den Zuschauersaal, um seine Darbietung mitten im Publikum mitzuerleben. Sie hatte Yves mit denselben Liedern auf der Bühne des ABC erlebt und war sehr zufrieden mit der Weiterentwicklung, deren Zeugin sie nun im Moulin Rouge wurde. Yves sah in einem schwarzen Hemd zu seiner schwarzen Hose unglaublich attraktiv aus, er bewegte sich besser und war ein großartiger Sänger, dessen komische Ader überhaupt nicht mehr aufgesetzt wirkte. Vielleicht fehlte ihm noch ein wenig Eleganz, aber die würde er mit den Jahren schon noch gewinnen. Letztlich wirkte er wie ihr männliches Pendant – und das gefiel ihr. Mit einem Mal rollte er das R wie sie, seine Gesten ähnelten den ihren, und der Bühnentechniker leuchtete den Anheizer mit ebensolcher Präzision aus wie den

Star. Vor Édiths geistigem Auge verschmolz sie mit Yves zu einer Einheit. Dieser Blickwinkel ergriff nicht nur ihr Herz, sondern drang tief in ihre Seele ein. Das innere Bild reifte zu einer Erkenntnis: Er ist mein Leben, fuhr es ihr durch den Kopf, und ich bin das seine. Und dieses Leben ist wie eine Rose: kostbar, verletzlich, aber erstaunlich widerstandsfähig.

Über dieses so unerwartete Glück verdrängte sie immer erfolgreicher die noch ausstehende Anhörung des Säuberungskomitees. Entschlossen verfolgte sie den Plan, mit Yves auf Tournee zu gehen. Obwohl es dauerte, bis Louis Barrier alle Veranstalter im Süden erreicht und überzeugt hatte, begann Édith sofort mit einem harten Probenplan. Am Abend nahmen sie ihre Verpflichtung im Moulin Rouge wahr, tagsüber übten sie die neuen Chansons ein, die Édith für Yves ausgewählt hatte, nachts schlief er erschöpft in ihren Armen. Zunächst gingen die Lektionen in ihrem Hotel weiter, dann probierten sie die Lieder auf der Bühne aus, auf der er inzwischen abends umjubelt wurde, danach begleitete sie ihn immer häufiger in das winzige Zimmer, das er unter dem Dach eines Gebäudes an der Place Dauphine bewohnte. Es war ein hübsches, in den vergangenen dreihundertfünfzig Jahren mehrmals aufgestocktes, nunmehr sechsstöckiges Wohnhaus aus rotem Back- und hellem Kalkstein mit einem grauen Schieferdach, das eingezwängt mit dem Rücken zur Seine erbaut worden war. Ein durchaus anständiges Quartier, und Édith ignorierte beflissen die unmittelbare Nachbarschaft zum Palais de Justice und zur *Préfecture*.

Yves lenkte sie von allen bösen Gedanken ab. Das Arbeitspensum, das sie ihm aufzwang, war so straff, dass sie sich selbst kaum mit etwas anderem als seinem Programm für die Tournee beschäftigen konnte. Wenn sie in seinen Armen erwachte, war sie sofort bei seinen neuen Chansons und kritisierte eine Betonung, eine Geste oder seine Tanzschritte von den Proben am Tag oder seinem Auftritt am Abend zuvor. Zum Frühstück servierte ihr Yves Ersatzkaffee und Brioches ans Bett, die er irgendwo ohne Lebensmittelkarte ergattert hatte. Meist waren sie mit zu wenig Milch, Margarine und Zucker gebacken und schmeckten daher ein wenig ledern, dennoch waren sie für Édith in diesen Momenten köstlich wie ein exklusives Mahl. Da sie keine Zeit verlieren wollte, dozierte sie halbnackt zwischen seinen zerdrückten Kissen, wobei sie Krümel auf dem Laken verstreute und auch mit vollem Mund weiterredete.

Als sie eine kurze Pause einlegte, um ihren faden *Mocca faux* zu trinken, warf er ein: »Ich habe ein Lied in Vorbereitung, von dem du noch nichts weißt.« Er zögerte, wartete anscheinend ihr Donnerwetter ab. Doch das blieb aus.

»Wer hat den Text geschrieben?«, fragte sie nur.

»Henri. Henri Contet.«

»Oh!« Ihre Augenbrauen hoben sich erstaunt. »Ihr seid wieder Freunde?«

Yves lächelte, zwischen seinen Fingern drehte er einen Briocheklumpen. »Wenn es nicht um dich geht, Môme, sind wir immer gute Freunde«, bestätigte er im Ton eines kleinen

Jungen, der sich gerade mit seinem besten Kumpel gehauen hat.

Sie verkniff sich ein Grinsen und wartete ab.

Da sie nichts sagte, fuhr er nach einer Weile fort: »Das Chanson ist fast fertig und heißt ›Luna Park‹.« Erwartungsvoll sah er sie von seinem Platz am Fußende an.

»Luna Park?«, wiederholte sie, als würde sie nicht die trockenen Hefeteilchen, sondern den Namen auf ihrer Zunge zergehen lassen. »Meint ihr den alten Vergnügungspark hinter dem Bois de Boulogne, auf dem vor vierzig Jahren, oder was weiß ich, die Weltausstellung stattfand? Mein Vater schleppte mich als Kind mal dorthin, aber ich erinnere mich nur noch daran, wie sehr es ihn ärgerte, dass die Attraktionen spektakulärer waren als seine Kunststücke.« Und mehr Beachtung fanden als ich, fügte sie für sich hinzu. Ihr kam es vor, als würde sie seine Schläge von damals spüren. Manche Dinge ließen sich eben nicht vergessen. Unwillig schüttelte sie den Kopf.

»Es ist ein eher lustiges Lied«, warf er ein. Offensichtlich fürchtete er ihr negatives Urteil. Wahrscheinlich gefiel ihm der neue Titel, und er hatte Angst, dass sie ihm das Chanson ausreden wollte. In seinem Ausdruck wechselten sich Vorsicht und Hoffnung ab. Dabei wirkte er ziemlich rührend – und sehr liebenswert.

»Hm«, machte sie und genoss es, ihn zu beobachten. Erst als ihr auffiel, dass ihr Schweigen ihn zu verstören begann, reagierte sie endlich. Sie schenkte ihm ein Lächeln und meinte augenzwinkernd: »Der Luna Park genießt ja mittlerweile einen ziemlich zweifelhaften Ruf.«

Yves' Gesicht überzog ein Strahlen, und Édith fühlte sich wieder einmal an die Sonne erinnert, die in seiner Gegenwart besonders hell schien.

»Genau darum geht es«, rief er aus. »Dass man dort die Dessous der Mädchen sehen kann, kommt in dem Text vor. Das Lied dreht sich um einen kleinen Arbeiter aus Puteaux, der Schrauben herstellt und in seiner Freizeit in den Luna Park geht, um sich zu vergnügen und endlich auf seine Kosten zu kommen. Es ist genau das, was du immer wolltest – ein Chanson für die Arbeiterklasse.«

Bevor sie zu einer Antwort ansetzen konnte, sprang er auf. Er imitierte die ausholende Gestik eines Zirkusdirektors, der seine Gäste einlud, schnalzte mit der Zunge und begann zu singen, als stünde er auf einer großen Bühne vor Hunderten Zuschauern und nicht in einem kleinen Zimmer vor einer einzigen Frau: »*Dans mon usine de Puteaux* …« Dabei verwandelte er sich in den Dreher, der sein Glück in einem alten Vergnügungspark fand, wo ihn die kleinen Leute als einen der Ihren ansahen, mit denen er »*Hidlele, hidlele, hideledele*« trällerte und mit den Mädchen flirtete, deren Unterwäsche er sehen konnte. Sein Vortrag war nicht nur eine schauspielerische Leistung, sondern ein Beleg für seinen Humor und sein Können als Komiker und Tänzer, da auch noch eine Steppeinlage folgte. Nichts erinnerte an seinen unglücklichen Versuch, Fred Astaire zu kopieren, oder wirkte in sonst einer Weise lächerlich. Wie Yves in seinem alten, verwaschenen Pyjama von den Freuden des Fabrikarbeiters sang, war so authentisch, dass Édith begeistert in die Hände klatschte.

»Du wärst verrückt, wenn du das nicht sofort in dein Programm aufnehmen würdest«, jubelte sie. »Das ist ein richtig guter Ersatz für deine albernen Cowboy-Songs.«

Nach dieser Feststellung schickte sie Yves' Lehrerin im Geiste in eine Pause. Sie streckte die Arme nach ihm aus und schnurrte: »Komm her, und zeig mir aus der Nähe, wie du diese Klicklaute mit deiner Zunge machst ...«

Das ließ er sich nicht zweimal sagen.

KAPITEL 15

Édiths Hochstimmung endete drei Stunden später bei ihrer Rückkehr in ihr Hotel. Sie war nicht sonderlich überrascht, Louis im Gespräch mit Andrée und Simone vorzufinden, doch als sie das Zimmer betrat und die drei zu ihr aufsahen, war sie alarmiert. Ihr Impresario wirkte aufgebracht, der Gesichtsausdruck ihrer Sekretärin war wie versteinert, und ihre Freundin rang verzweifelt die Hände. Die schlechte Stimmung war greifbar, und obwohl Édith aus dem dämmrigen Flur in einen hellerleuchteten Raum kam, wurde sie das Gefühl nicht los, in den stinkenden Dunst eines Industrieschornsteins einzutreten, so sehr raubte ihr die Spannung zwischen den dreien den Atem. Unwillkürlich dachte sie an die Fabrikgebäude in Puteaux und an das neue Chanson von Yves. Sie versuchte, sich an der inneren Wärme festzuhalten, die ihr der Vormittag geschenkt hatte, aber es gelang ihr nicht. Stattdessen stieg Ärger in ihr auf, weil ihr die Menschen, die ihr am nächsten standen, den wundervoll begonnenen Tag zu verderben drohten.

»Habe ich etwas verpasst?«, fragte sie gereizt.

»Nein. Wohl nicht. Sie nicht«, knurrte Loulou.

Ihre Augenbrauen hoben sich. Sie sah ihn fest an, versuchte, in seinem wütenden Blick zu lesen, überlegte, womit sie sich seinen Zorn zugezogen haben könnte. In ihrem Gehirn breitete sich Leere aus. Sie hatte nicht die geringste Ahnung, was los war. Und wenn sie etwas aufregte, dann das Ungewisse.

Sie fürchtete sich vor nichts so sehr wie davor, dass die Menschen, die ihr gegenüber loyal auftraten, hinter ihrem Rücken gegen sie agieren könnten.

Sie öffnete den Mund zu einer scharfen Erwiderung, da mischte sich Simone ein.

»Loulou hat die Schwarze Liste gesehen, auf der dein Name steht«, stieß die Freundin hervor.

»Was?«

»Ich wunderte mich schon eine Weile, warum man Sie nicht mehr im Rundfunk hört. Heute habe ich bei *Radio Paris* nachgefragt und erfahren, dass die Säuberungskommission wegen Kollaboration gegen Sie ermittelt und Sie auf der aktuellen Liste mit den verbotenen Künstlern stehen. Warum haben Sie mir das nicht gesagt, Édith?« Louis fuhr zu Andrée herum.

»Und Sie auch. Warum hat mir niemand etwas gesagt?«

Édith fiel in sich zusammen wie ein Luftballon mit einem Loch. Sie sah erschrocken zu Loulou auf. »Es gibt eine Liste? Davon wusste ich nichts.«

»Die Namen sind mehr oder weniger öffentlich bekannt gemacht worden«, gestand Andrée betreten. »Ich konnte das nicht verhindern. Es tut mir leid.«

»Was heißt ›mehr oder weniger öffentlich‹?«, presste Édith hervor. Die Vorstellung, dass *tout Paris* von der Anschuldigung gegen sie erfuhr, setzte ihr zu. Sie hatte so lange und hart dafür gearbeitet, dass niemand mehr mit dem Finger auf sie zeigte. »Nun ja, die Schwarzen Listen sind einsehbar. Monsieur Barrier hat sie ja auch gesehen. Jede Berufsgruppe hat inzwischen ihre eigene Liste, deshalb gibt es davon so viele, dass man sehr leicht den Überblick und auch das Interesse daran verliert. Die Leute auf der Straße treibt wohl eher die Sorge um, wie sie ihre Wohnungen heizen sollen und wo sie etwas Anständiges zu essen bekommen. Die Versorgungslage ist im Moment schlechter als unter der Besatzung.«

Andrées Pragmatismus beruhigte Édith etwas. Dennoch fühlte sie sich in die Enge getrieben. »Ich sollte mich darüber aufregen«, herrschte sie ihren Impresario an. »Warum tun Sie so beleidigt? Was hat das alles mit Ihnen zu tun?« Für einen kurzen Moment fürchtete sie, Louis Barrier würde vielleicht für eine Frau, die der Kollaboration angeklagt war, nicht mehr arbeiten wollen. Das Herz wurde ihr schwer.

»Warum haben Sie mir nichts von den Vorwürfen erzählt?« Loulous Stimme klang nun nicht mehr zornig, sondern fast traurig. »Vertrauen Sie mir nicht?«

»Das ist eine gute Frage«, warf Simone ein. »Und sie verdient eine ehrliche Antwort.«

Édith runzelte die Stirn, unterbrach ihre Freundin jedoch nicht.

»Die Wahrheit ist«, fuhr Simone fort, »dass unsere Môme todunglücklich über diese Sache ist und sie lieber vergessen als darüber reden wollte. Das ist ihr ja auch bis heute gelungen.«

»Ich dachte, es wird alles noch schlimmer, wenn man darüber spricht«, bestätigte Édith. Sie trat auf Louis zu und streckte ihm ihre Hände entgegen. »Wenn ich gewusst hätte, dass Sie es als illoyal ansehen, hätte ich es Ihnen gesagt. Aber ich wollte mich so wenig wie möglich an dieses schreckliche Verhör in der *Préfecture* erinnern. Da hat Momone recht.«

Seine Finger umschlossen ihre Hände. Jetzt wirkte er nur noch besorgt. »Hat man Sie verletzt? Sie gedemütigt?«

»Nein. Nichts dergleichen. Nein. Ich habe ja nichts getan. Ich habe nicht einmal mit einem Deutschen geschlafen.« Sie hatte zwar durchaus das Gefühl, von dem Mann mit der roten Armbinde angegriffen worden zu sein, aber das sagte sie Loulou nicht. Es war eine Sache, vor Simone Schwäche zu zeigen, gegebenenfalls auch vor Andrée und Marguerite, aber in den Augen ihres Impresarios wollte sie unbedingt stark erscheinen. Um Loulou vorzugaukeln, wie leicht sie die Anschuldigung nahm, fügte sie hinzu: »Ich bin nicht wie die Arletty. Ihr kennt sicher alle das Zitat, das ihr zugeschrieben wird und überall die Runde macht: *Mon cœur est français, mais mon cul est international.* Mein Herz gehört Frankreich, aber mein Arsch ist international.«

»Es wird sich alles klären lassen. Ich kann beweisen …«, begann Andrée, doch Louis schien ihr nicht zuzuhören.

Er hielt Édiths Hände fest und redete weiter, als gebe es nur sie beide in diesem Raum:»Ich werde dafür sorgen, dass Sie Paris gleich nach dem Ende des Engagements im Moulin Rouge verlassen können. Die Luftveränderung wird Ihnen guttun, und während Ihrer Abwesenheit …«

»Das ist …«, hob Andrée an, unterbrach sich aber selbst, weil ihr anscheinend niemand zuhörte.

»… kümmere ich mich um alles, was hier zu erledigen ist«, sagte Louis.»Dann komme ich nach. Erst einmal aber werde ich weitere Konzerte vor dem siebenundzwanzigsten ausmachen.«

Andrée räusperte sich vernehmlich. Mit erhobener Stimme verkündete sie:»Die Anhörung vor dem Komitee findet am Mittwoch, dem fünfundzwanzigsten Oktober, statt. Die Vorladung war heute in der Post.«

»Na bravo«, entfuhr es Simone.

Louis ließ Édiths Hände los und starrte Andrée an.»Warum haben Sie das nicht gleich gesagt?«

Sie hob die Arme und ließ sie resigniert wieder fallen.»Sie wollten mir ja nicht zuhören.«

»Das ist in zehn Tagen«, stellte Édith mit einer Sachlichkeit fest, die allerdings nur gespielt war.

Sie fühlte sich wie in einem Automobil, das über die Rennstrecke von Le Mans raste. Der gefürchtete Termin kam mit einer Geschwindigkeit auf sie zu, dass ihr schwindelig wurde. Die Angst vor dem Ergebnis der Befragung, die sie abzulegen ge-

hofft hatte, kroch mit derselben Intensität durch ihre Glieder
wie unmittelbar nach dem Verlassen der *Préfecture* vor fünf
Wochen. Der Unterschied zu heute – ihr Wissen um die Zeu-
genaussage ihrer Sekretärin – spielte dabei kaum eine Rolle.
Rationalität passte nicht zu den Rachegelüsten vieler Wider-
standskämpfer, und Pragmatismus vertrug sich nicht mit
Édiths Panikattacken. Sie hatte gehört, dass nicht nur Maurice
Chevalier unter Hausarrest stand, Charles Trenet verhört und
Tino Rossi verhaftet worden war. Auch ihr Freund Sacha Guitry,
ein Filmemacher und Drehbuchautor, den sie durch Cocteau
kennengelernt hatte, war verschwunden. Jedermann kannte
inzwischen eine Geschichte über angebliche Kollaborateure, die
in dem alten Kerker oder in dem berüchtigten Lager in Drancy
einsaßen. Dabei spielte es keine Rolle, ob es sich um Bühnen-
klatsch oder Geschwätz in einer Kneipe handelte. Bislang hatte
sie diese Geschichten ignoriert, doch mit einem Mal waren sie
so präsent wie die Erinnerung an ihr zauberhaftes Frühstück
mit Yves. Alles, was sie auch dank ihm verdrängt hatte, war
wieder da. Angst. Verzweiflung. Panik. Hinter ihren Schläfen
begann eine schmerzhafte Migräne zu hämmern. Sie hob ihre
Hand an die Stirn und schloss die Augen, als könne sie auf diese
Weise die Welt mit all ihren Schrecken ausschließen.

»Geht es dir nicht gut?« Simone trat zu ihr, legte den Arm
beschützend um ihre Schultern.

Édith öffnete die Augen. »Es ist alles in Ordnung«, log sie
und versuchte, die schwarzen Sterne, die vor ihr tanzten, weg-
zublinzeln. Es gelang ihr nicht.

Ungehalten schüttelte sie Simone ab. Trotz ihrer Kopfschmerzen wies sie ihren Impresario in energischem Ton an: »Organisieren Sie so viele Konzerte, wie Sie können. Verschwenden Sie keine Zeit, Loulou. Ich will auftreten und singen, solange es möglich ist.«

»Machen Sie sich bitte keine Sorgen«, sagte Andrée. »Ich werde Sie begleiten und das Missverständnis aufklären.«

»Ja. Das ist gut.« Édith rieb mit den Fingern über ihre Stirn. »Aber jetzt will ich erst einmal nichts mehr davon hören. Ich muss unbedingt schlafen. Momone, kommst du zu mir, bitte.« Die Vorstellung, nach diesen Nachrichten allein mit ihren Dämonen im Bett zu liegen, war noch schlimmer als die sich ausweitende Migräne. In Richtung der anderen beiden wedelte sie mit der Hand, als wolle sie ein lästiges Insekt verscheuchen. »Bitte lasst uns jetzt allein. Ich brauche Ruhe.«

»Selbstverständlich brauchst du das. Wir sehen uns später.« Ohne Nachfrage oder Protest schnappte sich Andrée ihre Handtasche und ihren Mantel.

»Ich kümmere mich um die Tournee«, versprach Louis, bereits auf dem Weg zur Tür, die er für Andrée aufhielt.

Édith sah den beiden nach und wusste, worüber Dedée und Loulou gleich reden würden. Über sie. Und über die Strategie, mit der sie einem Auftrittsverbot begegnen könnten. Ihr drehte sich der Magen um. »Ich brauche einen Cognac«, sagte sie zu Simone.

Das *Comité d'épuration des professions d'artistes* tagte in einem der eleganten Gebäude im politischen Zentrum von Paris im 7. Arrondissement, nicht weit entfernt von der Nationalversammlung und der Seine. Es war eine stille Gegend mit nur wenigen Geschäften und Lokalen, in der es kaum Passanten und nur vereinzelt Automobile gab. Dafür umso mehr Einschusslöcher in den Hausmauern, Zeugen der letzten Kämpfe zwischen Mitgliedern der Résistance und deutschen Besatzungssoldaten, deren Stützpunkt sich an der nahe gelegenen *École Militaire* befunden hatte. Édith schauderte bei dem Anblick, der sie an die leeren Augen eines Blinden erinnerte. Was für eine Assoziation, dachte sie beklommen. Hoffentlich sind die Mitglieder des Komitees so klarsichtig, meine Situation zu verstehen.

»Hier ist es«, sagte Andrée und blieb vor einem zweiflügeligen Portal stehen. Sie deutete auf ein in die Wand eingelassenes Messingschild. »Die Kommission befindet sich im zweiten Stock.«

»Danke. Ich kann lesen«, gab Édith zurück. Sie wollte nicht pampig wirken, aber sie war zu aufgeregt, um freundlich zu sein.

»Mach dir keine Sorgen«, raunte ihr Yves zu. Er drückte ihre Hand. »Einer Édith Piaf kann niemand etwas anhaben!«

Seine Anwesenheit trug nicht dazu bei, ihre Stimmung zu heben. Sie hatte es zwar geschafft, Loulou und Henri fernzuhalten, aber bei Simone und Yves versagten ihre Überredungskünste. Irgendwann hatte sie aufgegeben, den Argumentationen ihrer Freundin und ihres Liebhabers zu widersprechen, entnervt von deren Beharrlichkeit. Auf Simones Begleitung hätte sie sich noch einlassen können, aber Yves' Eifer überstieg ihre Kraft. Als er durch eine Unachtsamkeit in ihrer Terminplanung zufällig von Andrée erfuhr, welcher Termin Édith an diesem Vormittag bevorstand, wollte er sofort dabei sein. Er versuchte, sich als starker Mann an ihrer Seite zu profilieren, das war ihr bewusst, aber es war der eindeutig falsche Zeitpunkt dafür.

Ungeduldig schüttelte sie ihn ab. »Andrée und ich werden allein nach oben gehen. Du wartest hier mit Simone auf unsere Rückkehr.«

»Selbstverständlich begleite ich dich!« Ihr Freund mit den südländischen Wurzeln gab sich unbeeindruckt von ihrem Widerstand. »Die Verhandlung wird viel leichter für dich sein, wenn du einen Beschützer neben dir hast.«

»Ich dachte, diese Zeiten wären vorbei«, murmelte Simone.

»Die Regierung hat gerade das Wahlrecht für Frauen beschlossen«, sagte Andrée freundlich. »Wir haben nun einen anderen Stellenwert in diesem Land. Deshalb werden die Verantwortlichen aller Institutionen sicher der Aussage einer Frau vertrauen und ihrer männlichen Begleitung keine Bedeutung beimessen.«

Édith bewunderte ihre Sekretärin für deren Pragmatismus. Sie hatte längst die Geduld mit Yves verloren und fauchte ihn an: »Das ist meine Angelegenheit. Dafür brauche ich dich nicht. Es ist sowieso unmöglich, dass du bis hierher mitgekommen bist. Geh bloß keinen Schritt weiter.«

»Warum nicht?« Er gab sich bockig. »Ich bin schließlich nicht irgendwer, sondern der Mann, der dich heiraten wird.«

»Bitte?«, fragte Andrée verblüfft.

»Was?«, stieß Simone hervor.

»Bist du verrückt?«, entfuhr es Édith. Voller Empörung sah sie zu ihm auf. Sie wusste nicht, was sie mehr aufbrachte: seine Anspruchshaltung oder die Instinktlosigkeit, mit der er seine Ambitionen verkündete. Selbst wenn sie nicht so große Angst vor einem bürgerlichen Leben gehabt hätte, machte er alles falsch. *Mon dieu*, es war weder der richtige Ort noch der rechte Zeitpunkt für einen Heiratsantrag. Es ärgerte sie, dass er so unromantisch war. Oder meinte er, ein Anrecht auf sie zu haben, weil sie ihn in ihr Bett gelassen hatte?

»Du redest Unsinn!«, herrschte sie ihn an.

»Außerdem bin ich ein Vertreter der Arbeiterklasse und kann daher auf Augenhöhe ...«

»Lass sie gehen«, unterbrach Simone seinen Redeschwall. Sie zupfte energisch am zu kurzen Ärmel seines Mantels, als könne sie ihn mit dieser Geste daran hindern, Édith zu folgen. »Môme wird tun, was sie für richtig hält. Allein.«

Ohne ein weiteres Wort wandte sich Édith ab. Sie spürte Yves' Blick in ihrem Rücken, aber er ging ihr nicht nach.

Andrée stieß die unverschlossene Haustür auf, Édith schritt hindurch, und dann fiel die Tür hinter ihr und ihrer Sekretärin ins Schloss. Verwundert registrierte sie, dass sie Erleichterung empfand. Bedrückender als eine Auseinandersetzung mit ihrer neuen Liebe konnte die Verhandlung wohl nicht werden.

Die strenge Empfangsdame forderte Andrée mit knappen Worten auf, auf einem harten Stuhl neben der Eingangstür zu warten, während sie Édith in einen angrenzenden Raum führte. Andrées Anmerkung, sie würde gern etwas zu den Vorwürfen gegen Madame Piaf sagen, wurde ignoriert. So blieb Édith nichts anderes übrig, als der Frau allein in eine Art Konferenzzimmer zu folgen. Es war ein Salon von mindestens fünfunddreißig Quadratmetern mit einer bestimmt vier Meter hohen Decke, die mit Stuckverzierungen geschmückt war, einem Marmorkamin, in dem kein Feuer brannte, und einem langen Tisch aus der Barockzeit mit vergoldeten Füßen, dazu einfache helle Holzstühle, die aus einer Küche stammen mochten und nicht zu dem prächtigen Ensemble passten. Die Temperatur erinnerte Édith an einen gut funktionierenden Kühlschrank. Fröstelnd schlang sie die Arme um sich. Die Empfangsdame verließ kommentarlos den Raum.

Édith blieb allein zurück, rührte sich nicht von dem Platz, auf dem sie stand. Vielleicht hätte sie sich umsehen sollen, das Wandgemälde über dem Kamin war sicher einen Blick wert. Andere Menschen kompensierten ihre Nervosität mit dem Drang nach Bewegung, sie hingegen war es gewohnt, auf den Brettern, die ihr die Welt bedeuteten, stundenlang auf einem

Fleck zu stehen. Daran änderte nicht einmal Lampenfieber etwas. Und was war das hier anderes als eine Bühne? Der Unterschied zu einem Theater war nur, dass ihr die Figur, die man ihr zugedacht hatte, ganz und gar nicht gefiel.

Mit stoischer Ruhe wartete sie ab. Die Zeit spielte bald keine Rolle mehr, entscheidender war die Kälte, die von dem abgetretenen Parkettboden ihre Beine hinaufkroch. Immer noch besser, als in der Conciergerie eingekerkert zu werden, dachte sie bitter. Und besser, auf ein Tribunal in kleinem Kreis zu warten, als ein öffentliches Gerichtsverfahren erleben zu müssen. Sie fragte sich, was ihre Getreuen wohl jetzt machten. Andrée saß sicher – die Fassung wahrend – noch exakt so auf dem Stuhl im Eingangsbereich des Büros, wie Édith sie verlassen hatte. Währenddessen würde Yves wahrscheinlich wie ein junger Tiger im Käfig auf und ab laufen und Simone damit ganz verrückt machen. Yves, dieser geliebte Kindskopf, der sie heiraten wollte ...

»Madame Piaf.«

Sie hatte nicht bemerkt, dass die Tür geöffnet worden war. Gemessenen Schrittes traten nun hintereinander drei Männer mittleren Alters ein, der erste schien der älteste von ihnen zu sein. Sie wirkten auf Édith wie die drei Richter an einem *Tribunal de Grande Instance*, nur dass diese hier Zivilkleidung und keine Roben trugen. Sie nickten ihr mit unbeweglichen Mienen zu, murmelten unverbindlich »*bonjour*«, setzten sich an die Längsseite des Tisches und forderten sie mit einer Geste auf, gegenüber Platz zu nehmen.

Erst jetzt fiel ihr auf, dass dort tatsächlich nur ein Stuhl stand. Stumm setzte sie sich.

»Sie wissen, warum Sie hier sind?«, erkundigte sich der älteste der Männer, der wie der vorsitzende Richter eines Verfahrens in der Mitte zwischen seinen Kollegen Platz genommen hatte. Seine Stimme klang warm und freundlich, nicht so harsch wie die des Polizeibeamten bei ihrem ersten Verhör.

Édith reckte ihr Kinn. »Eigentlich weiß ich es nicht. Die Konzerte, die ich im Deutschen Reich gegeben habe, galten meinen Landsleuten. Es ging nie darum, Deutsche zu unterhalten. Vielmehr habe ich mich bemüht, Franzosen zu helfen.«

»Ihnen wird Kollaboration mit dem Feind vorgeworfen, Madame«, erklärte der Beisitzer zur Linken. »Der Polizist, der das Verhör in der *Préfecture* mit Ihnen führte, bestätigt diese Anschuldigung.«

»Er war …«, hob sie erbost an, biss sich aber auf die Zunge. Sie machte sich hier gewiss keine Freunde, wenn sie sich über einen Vertreter der neuen Republik beschwerte. Tief durchatmend zwang sie sich, wieder zu ihrer inneren Ruhe zu finden. Sie nagte an ihrer Unterlippe, holte Luft und rechtfertigte sich schließlich: »Ich habe sehr viel für die französischen Kriegsgefangenen getan. Durch meine Konzerte konnte viel Geld für die Männer in den deutschen Lagern und für ihre Familien hier in Frankreich gesammelt werden.«

»Das ist uns bekannt, Madame Piaf«, sagte der Monsieur in

der Mitte. »Deshalb wurde Ihr Fall nicht an ein Gericht überstellt, und Sie befinden sich noch auf freiem Fuß.«

... noch auf freiem Fuß ...

Die Worte hallten in Édiths Kopf so unangenehm nach wie der falsche Ton eines schlechtgestimmten Instruments. Was wollten diese Männer von ihr? Genügte ihnen nicht die Drohung eines Auftrittsverbots, wollten sie sie auch noch einsperren? Sie wusste nicht, was schlimmer war. Ihr Mund wurde trocken.

»Ich kann mir nicht vorstellen, dass es ein Verbrechen ist, sich für französische Kriegsgefangene einzusetzen. Meine Sekretärin, Mademoiselle Bigard, wird Ihnen erklären, Messieurs, dass wir versucht haben, Leben zu retten ...«

»Das sagen alle«, warf der Linke ein. »Außerdem dürfte Ihre Sekretärin unter Ihrem Einfluss stehen.«

»Mademoiselle Bigard ist über alle Zweifel erhaben«, protestierte Édith. Ihre Augen flogen zwischen dem dritten, bislang stummen Mann und dem Vorsitzenden hin und her. »Sie steht Ihnen als Zeugin zur Verfügung.«

Der Linke schnaubte. Die anderen ignorierten ihn und musterten Édith aufmerksam, aber nicht unfreundlich.

Andrée hatte Édith gebeten, es ihr zu überlassen, von den Fotografien und gefälschten Ausweisen zu berichten. »Es ist nicht sinnvoll, wenn das Komitee durch Dritte von meiner Tätigkeit für die Résistance erfährt«, hatte sie gesagt. »Das hat etwas von Hörensagen. Vielleicht glauben sie dir nicht. Es hat mehr Gewicht, wenn ich mich selbst erkläre.« Édith hatte zugestimmt. In der Sicherheit ihres Hotelzimmers klang Dedées Vorschlag vernünftig. In diesem großen, kalten Konferenzraum fiel es ihr jedoch schwer, ihr Versprechen zu halten.

Unter dem Tisch ballte sie ihre Hände zu Fäusten, ihre Nägel gruben sich in das Fleisch, aber der Schmerz verlieh ihr seltsamerweise Kraft. »Mademoiselle Bigard wird Ihnen außerdem die Namen der Personen geben«, fuhr Édith fort, »die durch unsere tatkräftige Unterstützung versteckt werden und die Besatzung überleben konnten. Ich bin sicher, dass auch diese Menschen über meine Rechtschaffenheit Auskunft geben können.«

Der Mittlere nickte. »Für eine weitere Aussage fehlt uns heute die Zeit. Bei der Fülle der zu behandelnden Fälle ist jede Vernehmung auf eine bestimmte Zeit begrenzt, Madame, anders ist die Bearbeitung kaum zu schaffen.« Er legte eine Pause ein, sah sie scharf an.

Sie hatte das Gefühl, seine Augen würden sie durchbohren. Was suchte er? Spuren einer Lüge, die ihm Andrée in ihrem Auftrag womöglich aufzutischen versuchte? Oder wollte er sie einfach nur einschüchtern? Sie erwiderte seinen Blick – und brachte die Kraft auf, kein weiteres Wort zu verlieren.

»Nun gut.« Ein flüchtiges Lächeln zog seine Mundwinkel hoch. »Dann werden wir Ihre Mademoiselle Bigard zu einem anderen Termin einladen. Doch ich warne Sie, Madame Piaf: Sollten Sie uns hier etwas vorspielen und sollte Ihre Sekretärin nicht zu einer Entkräftung der Vorwürfe gegen Sie beitragen können, werde ich mich persönlich dafür einsetzen, dass Sie die Strenge der französischen Justiz erfahren.«

Der Linke nickte beflissen.

»Ich danke Ihnen«, antwortete Édith matt.

Es war vielleicht nur ein Etappensieg, aber immerhin brauchte sie zunächst keine Repressalien zu fürchten. Sie konnte mit Yves auf Tournee gehen und vorerst vergessen, was ihr angedroht wurde. Ihre Gedanken flogen zu der heiligen Thérèse. Möge sie diesen Monsieur beschützen, von dem Édith annahm, dass er auf ihrer Seite stand – vor allem aber: Möge sie ihm den Blick für die Wahrheit öffnen.

KAPITEL 16

Orléans

Nie zuvor hatte Édith Paris so leichten Herzens den Rücken gekehrt. Sie fühlte sich, als ließe sie an diesem grauen, von ständigem Nieselregen durchfeuchteten Oktobertag nicht nur ihre Heimatstadt, sondern auch all ihre Sorgen und Probleme hinter sich. Selbst der Anblick der furchtbaren Zerstörungen durch den Krieg, die auf dem Land viel sichtbarer waren als in der Stadt, vermochte ihr diese Erleichterung nicht zu nehmen. Wenn Straßen, Brücken und Eisenbahngleise nicht zerstört waren, so befanden sie sich in einem erbärmlichen Zustand. Schlaglöcher waren noch das harmloseste Überbleibsel der Kämpfe. Immerhin waren fast überall Aufräumarbeiten im Gange – und die wertete sie als positives Zeichen auch für ihre Zukunft. Loulou hatte ein Automobil aufgetrieben, in dessen Fond Édith neben Simone saß, während Yves auf dem Beifahrersitz Platz genommen hatte. Édith alberte munter mit ihren Freunden herum, schmiedete Pläne, probierte laut neue Textbausteine für Chansons aus und legte beizeiten ein Duett mit Yves ein. Dazwischen nahm sie immer wieder einen großen Schluck aus der Flasche Bordeaux, die sie mit ihren Freunden gegen die Kälte teilte. So ließen sich die annähernd sechs Stunden, die sie für die knapp hundertdreißig Kilometer lange Strecke bis Orléans benötigten, gut ertragen.

Der Zustand ihres ersten Ziels bremste Édiths Hochstimmung dann allerdings doch. Weite Teile der Altstadt waren bereits vor viereinhalb Jahren durch deutsche Bomben zerstört worden, das Haus etwa, in dem Jeanne d'Arc gelebt hatte, lag in Schutt und Asche. Für weitere Verwüstungen hatten im Spätsommer die alliierten Angriffe gesorgt. Auch die Kathedrale war beschädigt, aber nicht abgebrannt. Édiths Hand flog zu ihrem Hals und umschloss das Kreuz, das sie wie immer an der Kette trug. Die leeren Höhlen der zerbombten Häuser wirkten auf sie wie eine Drohung. Nein, dachte Édith beklommen, in dieser Stadt kann man den Krieg nicht vergessen, das wird uns nur auf der Bühne gelingen.

Offenbar sahen es die Menschen in Orléans ebenso – das Konzert war ausverkauft. Es war Yves' erster Auftritt mit seinem neuen Programm, mit jenen Liedern, die Henri und sie selbst für ihn geschrieben hatten. Da sie so wenig Zeit zum Einstudieren gehabt hatten, müssten ihnen die ersten Konzerte zugleich als Proben dienen. Jeder Abend würde eine Verbesserung bringen, davon war Édith überzeugt. Sie schlich sich zu Beginn der Vorstellung hinter die Bühne, verbarg sich zwischen den Vorhängen und hoffte, einen ziemlich perfekten Chansonnier zu erleben.

Der Begrüßungsapplaus für Édith Piafs Anheizer war erwartungsgemäß wohlwollend. Das Publikum sehnte sich danach, von allem Schrecklichen abgelenkt zu werden.

Yves schritt langsam auf die Bühne, er hielt sich sehr gerade. Ein großer, starker Mann, ein Held, der jeder Frau, die er liebte, die Sterne vom Himmel holen würde, und die Kraft, die von ihm ausging, war atemberaubend. Édiths Herz flog ihm zu, sie faltete ihre Hände wie zum Gebet und hoffte, ihn durch die Kraft ihrer Gedanken zu unterstützen.

Fehlerfrei sang er »Ma Gosse«, »Elle a« und »Sophie«, eine Jazznummer, zu der Édith den Text über eine Frau geschrieben hatte, die ihren Lebenswillen verliert, als sie von ihrem Liebhaber verlassen wird. Mit »Luna Park« und dem Chanson über einen ausgebeuteten Boxer durfte er sein komisches Talent zeigen, und dabei wechselte er so charmant von den ernsten, sehnsuchtsvollen Liedern zu seinen Gags, wilden Tanzeinlagen und fröhlichen Gesten, dass seine Lehrmeisterin erleichtert aufatmete. Er war amüsant. Er war gut. Er unterhielt die Leute. Doch erschrocken stellte sie fest, dass etwas fehlte. Es war nur ein Prickeln. Aber es war von größter Bedeutung. Sein Vortrag verursachte keine Gänsehaut, es fehlte ihm Esprit.

Und das Publikum spürte es ebenso wie Édith. Der Beifall, unter dem Yves abging, war überaus freundlich. Zweifellos, er hatte gefallen. Stürmische Ovationen sahen jedoch anders aus.

Édith versteckte sich zwischen den Falten des Vorhangs, damit er sie nicht bemerkte. Es war besser, er machte das erst einmal mit sich selbst aus. Sie würde abwarten, dass er sie auf seine Schwierigkeiten ansprach, und wollte ihm keine Vorhaltungen machen. Erst wenn sie selbst verstand, was schiefgelaufen war, konnte sie dafür sorgen, dass er etwas änderte. In ihrem Hinterkopf meldete sich gleich einem Alarmsignal die Frage, ob sie sich womöglich bei der Auswahl seines Programms geirrt hatte. Aber darüber konnte sie jetzt nicht nachdenken, erst nach ihrem eigenen Auftritt durfte sie sich diese Zeit nehmen. Da ihr Anheizer versagt hatte, würde sie die Leute im Saal eben selbst von den Sitzen reißen müssen. Dafür war die Piaf schließlich berühmt.

Auf dem Bettrand ihres Hotelzimmers sitzend, wirkte Yves trotz seines offensichtlichen Zorns wie ein Häufchen Elend. Er war wütend auf sich selbst und auf den Rest der Welt, davon zeugte sein grimmiger Gesichtsausdruck ebenso wie die geballten Fäuste, mit denen er auf die fadenscheinige Decke einschlug. Es war die Reaktion eines Jungen, der beim Fußball einen Elfmeter verschossen und damit den Sieg verspielt hatte.

Die Hochstimmung, die Édith durch die vom Publikum

geforderten Zugaben getragen hatte, war verflogen. Sie war geneigt, das Elend ihres Geliebten zu teilen, auch wenn es bei ihr an der Müdigkeit lag, die sie ungewöhnlich früh in dieser Nacht einholte. Die beschwerliche Fahrt und zu wenig Schlaf am vergangenen Tag zerrten an ihrer Laune. Außerdem war die Weinflasche leer, die sie von der Bar auf ihr Zimmer mitgenommen hatte. Gähnend legte sie die beiden Gläser in das Waschbecken neben dem Kleiderschrank, weil sie in dem kleinen Raum keinen anderen geeigneten Platz dafür fand.

Ungeachtet des Klirrens klagte Yves:»Ich habe gespürt, dass es misslingt. Aber ich weiß nicht, was schiefgelaufen ist. Ich weiß es einfach nicht. Das bringt mich um.«

»Eine Stadt ist nicht ganz Frankreich«, versuchte sie, ihn zu trösten. Und sich selbst zu beruhigen. Morgen würde sie über Yves' Chansonauswahl nachdenken. Morgen, bestätigte sie sich in ihrem stillen Selbstgespräch. Laut sagte sie:»Es war dein erster Auftritt, da kann noch nicht alles perfekt laufen. Du fängst doch erst an.«

»Pah!«, machte er abfällig. »Weißt du, wie viele Städte ich im Süden abgeklappert habe? Ich fange nicht erst an. Ich hatte Erfolg, Édith!« Sein letzter Satz klang wie der Schmerzensschrei eines waidwunden Tieres – panisch und aggressiv.

»Du hattest keinen Erfolg«, gab sie trocken zurück. »Jedenfalls keinen, der außerhalb einiger Kaffs eine Rolle spielen würde.«

Er schien ihr noch immer nicht zugehört zu haben, denn er lamentierte weiter:»Ich war an der Côte d'Azur auf Tournee und bin bis nach Lyon gekommen. Die Leute mochten mich. Sie ...«

»Sie werden sich an den neuen Yves Montand gewöhnen«, versprach sie.

»Vielleicht haben wir einen Fehler gemacht.«

Das war ein Gedanke, der ihre Geduld ins Wanken brachte. All die Mühe, die sie sich mit ihm gegeben hatte, und die Arbeit von Wochen als ›Fehler‹ zu bezeichnen, war mehr, als sie heute Nacht ertragen konnte.

»Wenn's dir nicht passt, dann lass es sein«, schrie sie ihn an. »Vergiss Lyon und die anderen Städte, und geh dahin, wo der Pfeffer wächst. Dort kommst du mit deinen amerikanischen Songs sicher an, bleibst aber für immer nur Mittelmaß. Wenn du das willst, nur zu.« Sie wedelte mit der Hand in Richtung Tür, es war eine unmissverständliche Aufforderung. »Geh schon.«

Er sprang auf, breitete die Arme aus und zog sie an sich. Zärtlich legte er seine Stirn auf ihren Schopf.

Ihre Wut auf ihn war so groß, dass sie sich im ersten Moment noch versteifte. Doch als ihr sein Duft in die Nase stieg, sie sein heftig pochendes Herz fühlte und seinen Körper spürte, der ihr mehr Wärme schenkte als jeder Heizofen, gab sie nach. Sie schmiegte sich an ihn, schlang die Arme um ihn.

»Ich will es nicht anders, als es ist«, versicherte er ihr. »Du wirst sehen, in Lyon werde ich ankommen. In Lyon hatte ich immer Erfolg. Da wird es auch diesmal klappen.«

Sie war es leid, ihn darauf hinzuweisen, dass sein Erfolg als

Hillbilly-Sänger auf Provinzbühnen nichts mit dem Erfolg eines ernstzunehmenden Chansonniers in großen Musiktheatern zu tun hatte. Doch statt ihn vorzuwarnen, dass sie von ihm verlangte, künftig noch härter zu arbeiten und zu proben, überließ sie sich seinen zärtlichen Händen.

»Ganz bestimmt wird in Lyon alles gut«, murmelte sie.

KAPITEL 17

Lyon

In den Schaukästen neben den mehrflügeligen, gläsernen Eingangstüren der Salle Rameau kündigten Plakate das bevorstehende Konzert an. Édith hatte Louis gebeten, den Veranstalter darauf hinzuweisen, dass Yves' Name so groß wie der ihre gedruckt werden müsse. Dies geschah nicht nur, weil Yves so auf seine Popularität in Lyon gepocht hatte. Sie wollte ihrem Freund und Schüler eine Freude bereiten, ihm das Gefühl von Ebenbürtigkeit vermitteln. Auf diese Weise hoffte sie, ihm das Selbstbewusstsein zu schenken, das seiner ramponierten Künstlerseele guttat und gleichzeitig seinen Vortrag verbesserte. Doch als sie neben ihm unter dem schönen, gläsernen Jugendstilvordach des Musiktheaters stand und die Werbung betrachtete, spürte sie, wie die Zuversicht ihn verließ.

»*Montant*«, keuchte er. »Da steht *Montant* mit t.« Er zog die Schultern hoch, als würde er frösteln, was er angesichts des

Fehlers vielleicht auch tat. »Und ich dachte, ich wäre kein Unbekannter in dieser Stadt.«

»Vielleicht kannte dich einfach nur der Setzer in der Dru-
ckerei nicht.«

Deprimiert schüttelte er den Kopf. »Weißt du, nicht nur der
Traum, auf der Bühne zu stehen, hat mich immer begleitet.
Ich wollte meinen Namen groß auf den Plakaten sehen, den
Beifall des Publikums hören, immer mehr sein als nur ein
kleiner Sänger.«

»Diesen Wunsch haben wir beide.« Sie drehte sich so, dass
sie vor ihm stand, legte die Hände auf seine Unterarme. So
tat sie es vor seinen Auftritten häufig, heute musste sie fest
zugreifen, um ihn durch den dicken Wollstoff des Mantels zu
fühlen. Einerseits kam sie sich hilflos vor, andererseits war
sie ihm so nah, denn der Traum vom Erfolg einte sie mehr
als alles andere. »Du und ich. Ich und du. Das ist unser Leben.«

»Einen großen Chansonnier schreibt man nicht mit t, wo
ein d hingehört.«

Sie hakte sich bei ihm unter und zog ihn sanft von den
Schaukästen fort. »Komm, Yves Montand, lass uns ins Hotel
gehen und uns noch etwas ausruhen vor der Vorstellung.
Heute Abend kannst du jedem zeigen, dass du dich mit d
schreibst und der Star wirst, der du immer sein wolltest.«

Die Hutkrempe warf einen Schatten auf seine Augen, doch
Édith erkannte, wie sie aufblitzten. »Du glaubst an mich, nicht
wahr?«

»Ja. Immer noch. Und immer wieder. Daran ändert ein d nichts.«

»Ich liebe dich, Édith.«

Ihr Herz machte einen Hüpfer. Doch einen Atemzug später dämpfte sie ihre Freude über seine Worte. Er war in diesem Moment ein nach Ruhm lechzender Chansonnier, der sich allein von seiner Lehrmeisterin verstanden fühlte und dankbar dafür war, dass sie ihn aufrichtete. Woher sollte sie wissen, ob seine Liebe auch dem armseligen Mädchen von der Straße galt, das in ihr steckte? Jener kleinen Person, die als Kind keine Liebe erfahren hatte und die sich bis heute vor nichts so sehr fürchtete wie davor, sich in das Glück mit einem anderen Menschen fallen zu lassen. Sie konnte nicht abschätzen, wann Zuneigung ihr allein galt. Jedenfalls nicht, wenn sie nicht vor ihrem Publikum auf der Bühne stand, wenn es um sie als Frau, nicht als Sängerin ging. Und deshalb schmiegte sie sich nur an ihn, erwiderte jedoch nicht, dass auch sie ihn liebte.

Dicht nebeneinander gingen sie über die Rue de la Martinière zurück zu ihrem Hotel. Anfangs schritten sie langsam an den schönen Jugendstilfassaden dieses Viertels entlang, zwischen Gruppen Jugendlicher, die aus einem an der Straße gelegenen *lycée* strömten, warteten an der Straßenecke geduldig, dass ein Fuhrwerk vorbeiratterte, bevor sie weitergingen. Irgendwann fiel beiden auf, dass sie im Einklang miteinander liefen. Schritt für Schritt. Erst rechts, dann links. Plötzlich machte Yves einen Ausfallschritt, tippte mit der Spitze und dann mit dem Absatz seines Schuhs auf das Straßenpflaster wie bei einem Stepptanz. Darauf ließ sie ihn lachend los und drehte eine Pirouette, bis er sie mit seinen langen Armen umfing und fest an sich drückte.

Regen setzte ein. Nicht der feine Nieselregen, den sie aus Paris kannten, es rannen schwere Tropfen in ihre Kragen. Yves nahm Édith bei der Hand, und so rannten sie durch das stärker werdende Unwetter zurück in ihr Hotel, sprangen über Pfützen und stießen andere Passanten unachtsam zur Seite. Als sie vor ihrer Bleibe ankamen, prasselten Schauer vom Himmel und verwandelten die Straße in einen rauschenden Bach. Yves ließ ihr den Vortritt in das Foyer und schüttelte seinen Hut erst einmal vor dem Eingang aus.

In dem kurzen Moment bis zu seinem Eintreten bemerkte Édith den Mann, der in einem Sessel unweit der Rezeption saß und in eine aufgeschlagene Zeitung blickte. Er wirkte wie immer wie aus dem Ei gepellt, die Bügelfalten seiner grauen Flanellhosen fielen exakt wie mit einem Lineal gezogen, und er schien nicht im mindesten von der – sicher mühsamen – Fahrt hierher angestrengt zu sein. Er hatte sein Erscheinen nicht angekündigt und erwartete gewiss, dass die Überraschung eine große Freude für sie war.

Noch ganz gefangen in der intimen Nähe zu ihrem jungen Geliebten, atemlos und vollkommen durchnässt von ihrem Lauf durch den Regen, versuchte sie, sich zu sammeln. Sie öffnete den Mund, um Henri zu begrüßen, als dieser den Kopf hob.

»Édith!« Er sprang auf, warf die Zeitung in den Sessel und eilte auf sie zu. »Meine Môme.« Seine Arme umschlossen sie wie zuvor die Arme des anderen.

»Du wirst ganz nass«, warnte sie und schob ihn sanft von sich. »Was tust du hier, Henri? Ich hatte nicht mit dir gerechnet.«

»Ich konnte mich zu Hause für ein paar Tage freimachen. Jetzt bin ich hier und gehöre ganz dir, meine Môme.« Henri strahlte sie mit der Zufriedenheit eines Katers an, der gerade einen Topf mit Sahne geleert hatte.

»Hallo Henri«, erklang Yves' Stimme in Édiths Rücken, sein Ton war eine Mischung aus Verwunderung und unterdrückter Wut. »Was treibst du in Lyon?«

Henri lachte. »Zum Beispiel die Zeitung lesen, mein Freund.« Er bückte sich, hob das Blatt aus dem Sessel hoch, schlug die Seiten auf der Suche nach einem bestimmten Artikel um. »Darin steht etwas über euer Konzert heute Abend. Wartet mal, gleich habe ich es.«

Geduldig standen Édith und Yves vor Henri, er einen Schritt hinter ihr. Sie drehte sich nicht zu Yves um, denn sie war sich auch ohne einen Blick in sein Gesicht über die Fragen klar, die er im Stillen an sie richtete. Aber hier und jetzt wollte sie Henri keine Szene machen. Sie würde ihn nicht nach Paris zu seiner Frau schicken, weil es einen anderen Mann in ihrem Leben gab. Eine derartige Auseinandersetzung überstieg ihre Kraft und würde ihr die Laune verderben. Darauf hatte sie keine Lust. Yves musste warten. Was bedeutete schon ein Abend?

Sie hatten auf Tournee noch viele gemeinsame Wochen vor sich.

»Hier steht es.« Henri deutete auf einen Artikel. »*Édith Piaf singt Texte von Henri Contet* ...« Ein Grinsen breitete sich auf seinem Gesicht aus. »*... und Yves Montant, bekannt durch Plaines du Far West, stellt sein neues Programm vor.* Yves, warum schreibt man dich in Lyon mit einem t?« Offenbar aufrichtig erstaunt blickte er von Édith zu Yves.

»Ach, lass mich doch in Ruhe«, knurrte dieser. Ohne eine weitere Erklärung wandte er sich zur Treppe, nahm die ersten zwei Stufen, kehrte dann jedoch noch einmal um, ging zum Empfangstresen. Anscheinend hatte er seinen Zimmerschlüssel vergessen. Als er diesen in der Hand hielt, lief er – diesmal ohne Unterbrechung – in Richtung der oberen Etage. Einen Blick zurück auf Édith und Henri warf er nicht.

Henri sah ihm kopfschüttelnd nach. »Was hat er denn?«

»Ein d am Ende seines Namens«, erwiderte sie lakonisch.

Yves hatte recht: Das Publikum in Lyon kannte ihn tatsächlich. Die rund tausendfünfhundert Zuschauer des Konzerthauses erwarteten einen fröhlichen Sänger amerikanischer Schnulzen und Hillbilly-Songs. Als er seine neuen Chansons anstimmte, ging ein Raunen durch die Menge. Die Melodien waren nicht weniger mitreißend als die von ihm gewohnten Schlager, doch es waren nicht die Lieder, die die Leute von ihm hören wollten. Die Stimmung im Saal kippte. Und natürlich spürte er auf der Bühne die verhaltene Reaktion. Und statt weiter elegant und geschmeidig zu agieren, wurden seine Bewegungen hölzern und linkisch.

Édith stand mit Louis, Simone und Henri an einem Notausgang im dunklen Hintergrund des Parketts und wusste nicht, wohin mit ihren Händen. Mal ballte sie sie zu Fäusten, um Yves die Daumen zu drücken, dann rang sie sie vor Verzweiflung.

Als er »Ella a« anstimmte, das Chanson, das sie für ihn, für sie beide als Liebespaar geschrieben hatte, ging ein mürrisches Raunen durch den Saal.

Der Zwischenapplaus entsprach einer Geste des Respekts. Mehr nicht.

»Sie klatschen mit den Fingerspitzen«, flüsterte Henri ihr zu.

Édith war außer sich vor Zorn und Mitgefühl. »Es ist nicht zu fassen: Sie wollen den alten Montand zurück, sie wollen das Mittelmaß.«

»Der neue Montand ist noch zu neu«, meinte Loulou.

Stumm schüttelte sie den Kopf.

Genau genommen war es einer der schlechteren Auftritte Yves', das sah und hörte Édith selbst. Aber die Reaktion des Publikums auf sein Programm war übertrieben. Dieser Mangel an Wohlwollen für den Künstler ärgerte sie. Er hatte sich weit mehr Anerkennung verdient. Seine Lieder waren hervorragend, sein Auftritt verbesserungswürdig, aber trotzdem gut.

Ihr war bewusst, dass sie nicht ganz unschuldig an seiner reduzierten Leistung war. Sie bereitete ihrem eifersüchtigen jungen Liebhaber viel Kummer, indem sie ihr Bett heute Nacht mit Henri teilen würde. Doch sie hatte das Gefühl, dass sie Yves eine Lektion erteilen musste: Er sollte lernen, sein Privatleben in der Garderobe zurückzulassen wie seinen Mantel. Auf der Bühne hatte das ebenso wenig zu suchen wie ein Alltagskleidungsstück. Dort musste er ein anderer sein und vergessen, was ihn hinter den Kulissen umtrieb. Nur so könnte er zu einem wirklich großen Sänger werden.

Dennoch brachen sein Vortrag und die Resonanz darauf ihr Herz.

»Ich kann mir das nicht länger antun«, raunte sie und verließ, so schnell sie konnte, den Saal.

Simone eilte ihr nach. »Wo willst du hin?«, rief sie, als sie Édith auf einem einsamen Flur eingeholt hatte.

»In meine Garderobe.« Édith blieb nicht stehen, sondern marschierte entschlossen weiter. »Wohin sonst?«

»Du solltest ihm zur Seite stehen, wenn er ausgepfiffen wird.«

Édith hielt inne, wandte sich zu Simone um. Ihr Ärger auf die Verständnislosigkeit des Publikums, auf Henris Überraschungsbesuch und darauf, dass Yves seine Seele bloßlegte, griff mit eiserner Hand nach ihr. Gewissensbisse bohrten sich in ihre Gedanken, die Vernunft wich ihren Gefühlen, ihre Nerven flatterten.

»Was willst du?«, schrie sie die Freundin an. »Soll ich etwa zu ihm auf die Bühne rennen und ihn vor aller Augen trösten?

Das würde er mir nie verzeihen.« Simone stieß einen tiefen Seufzer aus. Sie öffnete den Mund, doch bevor sie etwas sagen konnte, brach es aus Édith heraus: »Er ist kein Waschlappen, Momone. Wenn es ihm nicht passt, dass er eine Niederlage erleben muss, und er den Kram hinschmeißen will, wird er das tun. Daran kann ich nichts ändern.« Kaum hatte sie diese Möglichkeit ausgesprochen, wurde ihr klar, dass sich ihre Äußerung nicht nur auf seinen Auftritt, sondern auch auf seine Reaktion auf Henris Anwesenheit bezog. Wie würde sie damit zurechtkommen, von Yves verlassen zu werden? In ihrem Hinterkopf meldete sich ein Alarm: Vielleicht spielte sie schon viel zu lange mit ihm. Das musste aufhören. Ihr wurde schwindlig. Sie streckte den Arm aus und stützte sich mit der Hand an der Wand ab.

»Ich meine ja nur, dass du hinter der Bühne auf ihn warten solltest«, erwiderte die Freundin ruhig. »Wenn er abgeht, wird er niemanden so sehr brauchen wie dich.«

»Er wird mich gleich sehen. Ich trete unmittelbar nach ihm auf.« Édiths halbherziger Ausrede folgte noch ein entnervtes »Ach!«, dann wandte sie sich ab und ging ihres Weges.

Sie bewegte die Schultern, als wolle sie eine Last abschütteln, doch je näher sie dem Eingang zur Bühne kam, desto deutlicher wurde ihr, dass Simone recht hatte. Sie musste Yves zur Seite stehen. Das war sie ihm nicht nur als Geliebte schuldig, sondern auch als Mentorin.

Als das Publikum Yves Montand mit einem höflichen, aber zurückhaltenden Klatschen entließ, erwartete Édith ihn auf der hinter Vorhängen verborgenen Seitenbühne. Der verhaltene Beifall machte den Flop mehr als deutlich. Sie brauchte die Zuschauer nicht zu sehen, um zu wissen, wie sie mit unzufriedenen Mienen einen Akt der Gnade walten ließen, während sie den Preis für die Eintrittskarte mit dem Programm aufrechneten, das ihnen nicht gefallen hatte. Immerhin stand die Attraktion des Abends noch bevor. Sie würde sie schon kriegen, davon war Édith überzeugt. Wie immer seit damals, als Raymond Asso ein junges Mädchen auf die Bühne des ABC geschubst hatte, das, von plötzlicher Schüchternheit geplagt, das Einzige tat, was es wirklich konnte – singen. Édith kannte keine Misserfolge, wie Yves sie gerade erlebte. Ihre Niederlagen waren menschlicher Natur. Unwillkürlich dachte sie an Andrée, die in Paris darauf wartete, als Zeugin vor die Säuberungskommission geladen zu werden.

Mit hängendem Kopf kam Yves auf sie zu. Es schien, als sei er so in Gedanken versunken, dass er sie nicht bemerke. Erst als sie direkt vor ihm stand, sah er auf.

»Du hast das Publikum erlebt, nicht wahr?«, fragte er. Seine Stimme klang fest und weit weniger zerknirscht, als sie befürchtet hatte. »Wenn ich mir vorstelle, dass ich hier einmal Triumphe gefeiert habe …«

»Lyon ist nicht Frankreich …«, hob sie an, unterbrach sich aber, als ihr auffiel, dass sie es bereits in Orléans mit demselben Trost versucht hatte.

Zu ihrer Überraschung glitt ein Lächeln über sein Gesicht. Zuerst war es nur ein feines Zucken, doch dann wurde es breiter, verwandelte sich in das für ihn typische Strahlen und entlud sich schließlich in einem Lachen ohne jegliche Bitterkeit. »Das sind Banausen.« Er tat den Geschmack des Publikums ab wie den Fehlkauf eines Paars Unterhosen in der falschen Größe in Friedenszeiten. »Ich werde sie schon irgendwann kriegen. Vielleicht nicht morgen. Aber wenn wir wiederkommen, werden sie begeistert Beifall klatschen.«

Er zeigt Größe, dachte sie. Er ist auf dem Weg zum Star.

»Madame Piaf«, rief irgendjemand, »Sie haben noch zwei Minuten.«

Yves schloss sie in seine Arme. »Toi, toi, toi, *chérie*«, flüsterte er und vergrub sein Gesicht in ihrem Haar.

Sie lehnte sich an ihn, überließ sich der inneren Kraft und der physischen Stärke, die von ihm ausgingen. Ihre Körper, so unterschiedlich sie waren, verschmolzen zu einer Einheit. *Ich wollte immer mehr sein als ein kleiner Sänger.* Nicht nur ihre Körper harmonierten, auch ihre Hoffnungen und Wünsche waren eins. Es war wundervoll, dies zu spüren.

Nach einem kurzen Moment, in dem sie sich dem vollendeten Glück ganz nah fühlte, löste sie sich wieder von ihm. Sie sah zu ihm auf, tauchte ihren Blick in seine blauen Augen. Stumm sagte sie: *Ich liebe dich.*

»Môme!« Henri hatte sich in den Vorhangschals verfangen und tauchte ein wenig zappelig neben Édith und Yves auf. Er stutzte, starrte sie verblüfft an, als habe er gerade etwas begriffen.

»Du wirst schon angesagt«, verkündete er und fügte mehr zu sich selbst hinzu: »Aber das hast du wohl nicht gehört.«

Es war dieser Satz, der mehr als jedes andere Wort deutlich machte, dass er ihren Blick gesehen und verstanden hatte. Sein Ton war unendlich traurig.

Der tosende Applaus, der auf die Ankündigung des Stargasts des Abends folgte, wehte vom Zuschauersaal zu ihren Plätzen.

Édith trat von den beiden Männern zurück. Sie schloss einen Moment die Augen, griff nach dem Kreuz an ihrem Hals und sprach ein kurzes Gebet. So konzentriert wie entschlossen schritt sie nun vor den Vorhang, ihre intimen Gefühle ließ sie bei Yves und Henri zurück.

»Immerhin findet die Presse den Beginn des Abends deutlich besser als das Publikum«, stellte Henri nach der Lektüre der Morgenzeitungen fest. »*Yves Montand hat zu einer neuen Persönlichkeit gefunden*«, las er vor. Er blickte auf, sah sich beifallheischend um. »Das trifft es doch auf ganz hervorragende Weise.«

Édith schüttelte den Kopf. »Ich finde, wir müssen umdenken. Yves, du solltest den Zuschauern auch das geben, was sie gern mögen. Wahrscheinlich bietest du denen, die dich kennen, zu viele neue Lieder auf einen Schlag an. Deshalb sind sie verwirrt und verstehen dich nicht mehr.«

Natürlich war ihr bewusst, wie sehr ihre Worte das Gegenteil dessen waren, das sie in den vergangenen Wochen gepredigt hatte. Aber nach einer schlaflosen Nacht und einem kurzen Dämmerschlaf am Morgen hatte sie die Entscheidung getroffen, das Programm ihres Protegés zu verändern. Auch wenn es ein Rückschritt war, war es doch nur ein kleiner und immer noch besser, als einen Misserfolg nach dem anderen zu kassieren. Wie immer war an ihrer Meinung nichts zu rütteln, dennoch wartete sie angespannt auf Yves' Reaktion. Nervös zerkrümelte sie das Brot auf ihrem Teller.

Sie saß mit ihren beiden Liebhabern, Louis und Simone an einem Tisch im Hotelrestaurant bei einem späten Frühstück. Die anderen Gäste waren längst gegangen, sie waren allein in dem kleinen Speisezimmer, das mit groß gewachsenen Palmen in wuchtigen Pflanzkübeln dekoriert war, wodurch der wenige Platz noch verringert wurde. Bei jeder zufälligen Bewegung streifte ein Palmwedel über Yves' Kopf, so dass er immer wieder gedankenverloren über sein Haar strich. Eine Geste, die Édith berührte. Sie hätte gern die Hand gehoben und viel lieber mit ihren Fingern seine Frisur zerzaust, als aus grauem Teig kleine Bällchen zu formen.

Da keiner am Tisch auf ihren Vorschlag antwortete, fügte sie hinzu: »Wenn du ein oder zwei Nummern von früher einschiebst, werden sie zufrieden sein.«

Yves hatte sich seit Édiths und Henris Eintreffen an der kleinen Tafel sehr zurückgehalten, sich mehr um seinen Kaffee als um seine Begleitung gekümmert. Sein Gesichtsausdruck zeugte von der Qual, die ihn angesichts des Paares befiel, und der nur mühsam unterdrückten Eifersucht. Durch seine zusammengebissenen Zähne zischte er: »Das kommt nicht in Frage.« Er hob seine Tasse an die Lippen.

»Die ist leer«, kommentierte Simone.

Seine Hand sank herab, ebenso erstaunt wie hilflos blickte er auf den Kaffeesatz.

Ich möchte ihn küssen, dachte Édith.

»Also, wenn ihr mich fragt«, hob Louis an, »finde ich es gar nicht so schlecht, wenn Yves ein bisschen vorsichtiger an die neuen Titel herangehen würde.«

Mit einem Klirren stellte der die Tasse auf den Unterteller. »Ich habe hart dafür gearbeitet, mir ein Repertoire aus französischen Chansons aufzubauen. Daran werde ich jetzt nichts ändern.« Offenbar war Yves sehr erregt, denn er zog die Vokale wieder in seiner typisch südfranzösischen Manier in die Länge, als hätte es die vielen Stunden der Übung mit einem Bleistift im Mund nie gegeben.

»Vorsicht!« Édith lächelte ihn an. »Knoblauch liegt in der Luft.«

Der Kellner, ein betagter Mann, der wahrscheinlich als Ersatz für einen gefallenen oder in Gefangenschaft geratenen jüngeren Kollegen diente, trat an den Tisch. »Monsieur Contet, Sie werden am Telefon verlangt. Ein Anruf aus Paris.«

»Wenn das mal nicht Doris ist«, meinte Simone. Sie raunte eigentlich nur, aber in dem stillen Restaurant klang ihre Stimme wie durch ein Megaphon.

Nach außen ruhig, aber mit gehetztem Blick schob Henri seinen Stuhl zurück, faltete die Zeitung zusammen und legte sie neben sein Gedeck, bevor er sich erhob. »Ich komme gleich wieder«, versprach er der Runde, obgleich sich seine Körpersprache ausschließlich an Édith richtete.

Sie sah ihm kommentarlos nach. Was sollte sie auch sagen? Natürlich rief ihn seine Frau an und zitierte ihn zu sich zurück. Wer sonst? Es war immer dasselbe. Aber zum ersten Mal empfand sie eine gewisse Erleichterung über Doris Contets Hartnäckigkeit. Es machte ihr nichts aus, wenn er seinen Pflichten als Ehemann nachkam. Sie wandte ihren Kopf und begegnete Yves' fragenden Augen. Wieder lächelte sie.

»Wir sollten uns dein Programm noch einmal genau auf mögliche Fehler und notwendige Veränderungen hin anschauen«, sagte sie sachlich.

»Nein, Édith. Nein.«

»Ich erwarte dich nachher in meinem Zimmer. Wir müssen arbeiten, Yves. Aber jetzt möchte ich einen kleinen Spaziergang machen ...« Als sich ihr Geliebter und ihr Impresario eilfertig erhoben, wedelte sie abschlagend mit der Hand. »Bleibt bitte hier. Ich möchte allein sein.«

Ich muss nachdenken, fügte sie in Gedanken hinzu, aber das sagte sie keinem.

Sie brauchte die Straße. Weder der Erfolg noch die Liebe eines Mannes und auch kein Geld der Welt konnten ihr die Freiheit ersetzen, die sie dort empfand, wo sie eigentlich herkam. Manchmal kam es ihr vor, als brauche sie nicht nur den Him-

mel über benzingeschwängerten und nach Abfällen stinkenden Gassen, sondern auch die Häuser mit ihren endlosen
Geschichten hinter den Fassaden. Es war, als würden die
Mauern zu ihr sprechen und von Sehnsucht, Leidenschaft und
Schmerz erzählen, von all dem also, aus dem sie selbst Chansontexte destillierte oder wovon sie aus der Feder eines anderen sang. An diesem Oktobertag in Lyon wollte sie jedoch vor
allem ihre Gedanken an der frischen Luft klären.

Es hatte über Nacht aufgehört zu regnen, die Sonne brach
durch die Wolken. Hübsche Regenbogen schimmerten in den
noch nicht getrockneten, kleinen Wasserlachen zwischen dem
Kopfsteinpflaster der Altstadt. Während sie darübersprang,
dachte sie an ihren Spaziergang mit Yves zurück und wurde
fast ein wenig melancholisch. An sein Lachen. *Un rire qui se
perd sur sa bouche* … Ein Lachen, das sich auf seinen Lippen
verlor. Die sie so gern küsste, immer nur küssen wollte. Gestern.
Heute. Morgen. Vielleicht für immer. Vielleicht auch nicht.
Sie wusste ja nicht einmal, was die Ewigkeit in der Liebe bedeutete und ob ihr Wunsch nach seiner Zärtlichkeit so lange
anhielte. Aber jetzt gehörte sie zu ihm. In diesem Moment, als
sie mit schnellen Schritten zum Ufer der Saône marschierte.
Sie würde aufhören, mit ihm zu spielen, Ja, das sollte sie endlich tun. Sie war sich ganz sicher. Wenn sie ins Hotel zurückkehrte, würde sie reinen Tisch mit Henri machen. Ihr Herzschlag beschleunigte sich, aber das lag nicht an dem Tempo,
mit dem sie sich bewegte.

Blieb die Frage nach seinem Repertoire. Natürlich wollte er

nichts ändern. Er war halsstarrig. So hatte sie ihn vom ersten Moment an erlebt. Aber sie hatte sich immer gegen ihn durchgesetzt, auch wenn sie jetzt einräumen musste, dass vielleicht nicht jeder Rat der richtige gewesen war. Aber Veränderungen waren ein Teil ihrer künstlerischen Arbeit. Es kam häufig vor, dass sie selbst einen Titel erst einmal ausprobieren musste, bevor sie die passende Form dafür gefunden hatte und er richtig zog. Es gab Chansons, die im ersten Moment nicht beim Publikum ankamen, aber eines Tages ihre Wirkung und Ausdruckskraft entfalten würden, und es gab andere Chansons, die niemals dieses Potenzial hätten. Diese zu erkennen und von jenen zu unterscheiden war ein Teil ihrer Kunst. Sie hatte gedacht, die alten Schlager von Yves gehörten zu den Letzteren. Aber tatsächlich hatten sie ja bei den Leuten einen Nerv getroffen, also mussten sie jetzt daran arbeiten, die zu finden, die zu seinem neuen Programm passten und weder die musikalische Einheit noch seine neue Art der Interpretation störten. Sie würden gemeinsam daran arbeiten und eine Lösung finden. Sie – und der Mann, zu dem sie gehörte – *l'homme auquel j'appartiens*. In Hochstimmung lief Édith zu ihrem Hotel zurück. Es störte sie nicht, dass der Himmel sich wieder zuzog. Für sie war die Welt für diesen Augenblick in ein tiefes Rosarot getaucht.

In der Tür zu dem kleinen Hotelrestaurant hielt sie erstaunt inne. Ihre Gefährten waren nicht mehr da. Der Tisch, an dem sie gesessen hatten, war für das Mittagessen neu aufgedeckt. Es erinnerte nichts mehr an ihr Frühstück.

Mit viel Schwung lief sie die Treppen hinauf zu ihrem Zimmer. Wahrscheinlich wartete Yves dort bereits auf sie. Zuerst kam natürlich die Arbeit, aber dann würde sie ihm endlich sagen, dass sie ihn liebte. Nur ihn. Was aus ihrer Freundschaft zu Henri würde, wollte sie gerade nicht überdenken. Nicht in diesem Moment, in dem sie sich auf Yves freute und sich vorstellte, wie sie in seine Arme flog.

Die Tür zu ihrem Zimmer stand einen Spaltbreit offen. Eine innere Stimme hielt sie zurück. Statt die Tür aufzustoßen und einzutreten, spähte sie in den Raum.

Zuerst nahm sie nur den Schatten eines Mannes wahr, dann sah sie, wie Henri auf und ab lief. Er hielt ein zusammengelegtes Hemd in den Händen. Anscheinend packte er seine Sachen. Wollte er sie etwa verlassen? Das war natürlich unerhört und absolut inakzeptabel!

Stumm und bewegungslos wartete sie auf ihrem Lauschposten ab, überlegte, was sie tun sollte. Natürlich könnte sie in ihr Zimmer stürmen und Henri versichern, dass er der einzige Mann in ihrem Leben wäre, obwohl er mit eigenen Augen diesen Blickwechsel zwischen ihr und Yves bemerkt hatte. Sie konnte ihm alles Mögliche erzählen, als junge Frau war sie eine Meisterin der Lüge gewesen. Das war notwendig, um an der Pigalle zu überleben. Aber wollte sie das überhaupt noch? Dieses Leben hatte sie doch längst abgelegt, mit allen Konsequenzen. Und sie liebte Yves.

»Pass gut auf sie auf, Momone«, hörte sie Henri sagen.

»Natürlich. Mach dir keine Sorgen«, wehte Simones Stimme

auf den Hotelflur. »Loulou ist auch noch da. Und Yves. Wir passen alle auf unsere Môme auf.«

»Yves«, wiederholte Henri langsam. »Was ist mit ihr und ihm? Schlafen sie miteinander?«

»Na und?«

Édith presste die Lippen aufeinander, um nicht laut aufzulachen. Diese Reaktion war so typisch für Simone.

»Das gefällt mir nicht«, gestand Henri. »Ich mag mir nicht vorstellen, wie sie von ihm gevögelt wird.« Diesmal lief er mit leeren Händen durch ihr Blickfeld, offensichtlich aufgewühlt von dem Gespräch.

»Es ist ganz einfach, Henri: Wenn du dich endlich von deiner Frau trennst, wird Édith zu dir zurückkommen.«

Édith horchte in sich hinein. Würde sie Yves verlassen, wenn Henri sich zur Scheidung bereit erklärte? Vehement schüttelte sie den Kopf.

»Ja.« Henri schnaubte. »Ja. Das werde ich tun. Ja. Ich fahre jetzt nach Paris und kümmere mich darum.«

»Deine alte Leier zieht nicht mehr. Du fährst nach Paris, weil Doris dich dort haben will. Man kann blind und taub sein und begreift das trotzdem. Tut mir leid, Henri.«

Die Geräusche aus dem Zimmer waren eindeutig: Henri schloss seinen Koffer, dann schritt er zur Tür. Auf halbem Weg drehte er sich noch einmal zu Simone um: »Versprich mir, dass du auf die Kleine aufpasst. Damit sie keine Dummheiten macht.«

»Ich verspreche es«, versicherte Simone. Aber Édith kannte

sie gut genug, um zu wissen, dass die Freundin ihre Finger hinter dem Rücken kreuzte. Unwillkürlich grinste sie.

Zu schnell für Édith, um sich noch zu verstecken, stieß Henri die Tür auf.

»Ah! Da bist du ja.«

»In der Sekunde zurück«, behauptete sie. Ihr Lächeln erlosch, als sie auf seinen Koffer deutete. »Und du fährst im selben Moment weg, wie ich sehe.«

»Es ist nicht so, wie es aussieht. Ich ...«

»Gute Reise, Henri.« Sie stellte sich auf die Zehenspitzen, wartete, dass er sich zu ihr herunterbeugte, und hauchte einen Kuss auf seine Wange. »Wir sprechen uns, wenn ich wieder in Paris bin.«

Er zögerte. »Toi, toi, toi für die Tournee«, wünschte er ihr schließlich, als wäre er ein entfernter Bekannter. Dann straffte er die Schultern und ging an ihr vorbei. Ohne sich noch einmal umzudrehen, schritt er die Treppe hinab. Er hatte nicht versucht, sie zum Abschied zu umarmen.

Henri hatte verstanden.

KAPITEL 18

Nizza

Wenn Édith später an die ersten Wochen ihrer Südfrankreich-Tournee dachte, erinnerte sie sich vor allem an endlose Stunden im Auto und auf Reisen, an die Hotelzimmer, in denen sie mit Yves probte, und an die Bühnen, wo sie auftraten. Mehr gab es nicht. Yves indes nannte all das nur noch seinen »größten Kummer«. Denn es lief weiterhin nicht gut. Obwohl sie sein Programm umkrempelten, erneuerten, wieder veränderten, stellte sich kein Erfolg ein. Es brachte nichts, dass Édith ihm viel abverlangte und selbst nach endlos scheinenden Stunden des Übens forderte: »Noch einmal, bitte!« Genauso wenig führte sein Ehrgeiz, der ihn am Ende einer Probe den Kopf schütteln und es noch einmal versuchen ließ, zum erhofften Applaus. So durchquerten Édith und Yves die vom Krieg zerstörte Landschaft des französischen Südens, der zudem im November bei weitem nicht so farbenprächtig und zauberhaft wirkte wie in anderen Jahreszeiten, und reisten von Misserfolg zu Misserfolg. Hier und da hatten sie Glück, und der *neue Montand* wurde etwas wohlwollender aufgenommen, aber meistens lag es an ihr, die Veranstaltung zu retten.

»Wir sollten unsere Rollen tauschen«, sagte Édith nach einem weiteren traurigen Abend zu Louis Barrier. Sie seufzte tief. »Ach Loulou, ich bin vermutlich die bessere Anheizerin für ihn als umgekehrt.«

Louis öffnete die Flasche Champagner, die er in Édiths Garderobe gebracht hatte. Geschickt löste er den Draht und drehte den Korken in der Flasche, bis dieser mit einem Plopp heraussprang. »Er wird es schon irgendwann schaffen«, versicherte er und füllte zwei Gläser.

»Das denke ich auch. Aber wann begreift das Publikum endlich, dass es einen Ausnahmekünstler vor sich hat? Übermorgen kommen wir nach Marseille. Es würde ihn umbringen, wenn er in seiner Heimatstadt keine Triumphe feiert.« Sie stützte ihre Ellenbogen auf den Toilettentisch, an dem sie nach der Vorstellung Platz genommen hatte, und vergrub ihr Gesicht in ihren Händen.

»Das wird es nicht. Er ist stark.«

In sich hineinlächelnd sah sie auf. Ja, Yves war stark. Das war es, was sie an ihm liebte – seine ungestüme Kraft, die ihr bisweilen den Atem raubte. Nicht nur in Bezug auf seinen Willen, Karriere zu machen. Er war durch und durch ein Mann, was ihr gefiel. Dafür tolerierte sie seine Eifersucht, die er auch nach Henris Abreise nicht ablegte. Manchmal mochte sie es sogar, dass er sie besitzen wollte; sie nahm es als Teil seiner männlichen Intensität, die untrennbar zu ihm gehörte.

»Hier …«

Édith hatte Loulous Anwesenheit völlig vergessen. Sie blickte ihn überrascht an, lachte verlegen auf und nahm ihm schließlich das dargebotene Glas aus der Hand. »Worauf trinken wir? Auf Yves' Männlichkeit?« Sie kicherte albern wie ein frisch verliebtes Mädchen.

»Wir trinken auf eine Nachricht von Mademoiselle Bigard. Ich habe während des Konzerts mit ihr telefoniert.«

Beinah ließ sie ihr Glas fallen. Der Sekt schwappte über den Rand und perlte auf ihre Hand. Ohne darüber nachzudenken, beugte sie sich vor und leckte die Tropfen auf, was kein sonderlich gutes Benehmen war, ihr jedoch half, die Contenance zu wahren.

Obwohl sie von Furcht ergriffen wurde, schaffte sie es, mit erstaunlich ruhiger Stimme zu fragen: »Warum haben Sie mir das nicht gleich gesagt?«

Einen Atemzug später wurde ihr klar, dass Loulou ihr keinen Champagner mitgebracht hätte, wenn es keine guten Nachrichten gab.

»Wann sollte ich es Ihnen erzählen, Édith? Sie standen auf der Bühne. Und jetzt bin ich ja da.«

Sie nickte. »Also?«

»Es wurde ein Termin für die Zeugenanhörung festgelegt. Nächste Woche ist es endlich so…«

Enttäuscht unterbrach sie ihn: »Ist das alles? Dann möchte

ich den Champagner lieber erst nächste Woche trinken. Oder – halt! Es wäre schade darum. Ich trinke ihn gleich, aber ich stoße auf niemanden und nichts an.« Wild entschlossen setzte sie ihr Glas an und kippte den prickelnden Alkohol ihre Kehle hinunter, ohne Louis zuzuprosten oder ihn auch nur eines Blickes zu würdigen.

»*Santé!*«, erwiderte er trocken. »Mademoiselle Bigard erzählte, dass Maurice Chevalier nach Paris zurückgekehrt sei. Mit einer weißen Weste. Die Kommission hat ihn von allen Vorwürfen freigesprochen.«

»Was? Einfach so?« Édith unterdrückte den aufsteigenden Husten, der durch die Kohlensäurebläschen in ihrem Hals ausgelöst wurde.

»Na ja, nicht ganz. Der Schriftsteller Louis Aragon soll Chevalier überzeugt haben, ›Die Internationale‹ vor dem Denkmal der ermordeten Kommunisten von achtzehnhunderteinundsiebzig auf dem Friedhof Père Lachaise zu singen, ein deutliches Zeichen.«

Sie dachte an den eleganten, stets gelassenen und souveränen Maurice Chevalier, der seinen Charme perfekt zu inszenieren wusste. Er war fast doppelt so alt wie sie und ein Star, seit sie denken konnte, der König des Pariser Chansons, dem sie stets tiefe Bewunderung gezollt hatte. Trotz seiner einfachen Herkunft trat er als weltmännischer Herr mit vornehmer Attitüde auf, und Édith konnte sich kaum vorstellen, dass er den Kommunisten besonders zugetan war. Was bedeutete sein merkwürdiger Auftritt auf dem Friedhof? War dies der Preis, den er für eine weiße Weste bezahlen musste? Édith schauderte bei dem Gedanken, was man ihr abverlangen könnte.

»Man weiß nun auch, wer ihn denunziert hat«, fuhr Louis fort. »Außerdem hat sich Chevalier zu einer öffentlichen Stellungnahme bereit erklärt. Vor laufender Kamera bestätigte er, dass er niemals auf Gastspielreise im Deutschen Reich war, sondern lediglich vor französischen Kriegsgefangenen in dem Lager gesungen hat, in dem er als junger Soldat im Großen Krieg selbst einsaß. Bei dieser Gelegenheit habe er zehn Gefangenen zur Freiheit verholfen, heißt es. Andrée meint jedoch, dass das viel weniger ist als das, was Sie geleistet haben, Édith, und sie deshalb sicher ist, die Kommission werde Ihren Beitrag ebenso würdigen und den Fall positiv abschließen.«

»Den Fall«, wiederholte Édith tonlos. Die Erinnerung an den Ermittlungsbeamten in der *Préfecture* schmerzte wie ein Stachel in ihrer Haut. Sie fuhr sich in einer hilflosen Geste durchs Haar. Es war schlimm für sie, nichts tun, nicht in den Entscheidungsprozess eingreifen zu können.

»Haben Sie bitte noch etwas Geduld«, bat Louis und schenkte ihr nach. »Es wird alles gut. Ich bin mir ganz sicher. Auch Mademoiselle Bigard ist es.« Das Glas klirrte, als er mit seinem Champagnerkelch gegen den Édiths stieß. »Darauf sollten wir trinken. *Santé*, Édith.«

Ihre freie Hand glitt zu ihrem Kreuz. Während sie ein stilles Gebet sprach, nickte sie Loulou zu. Dann trank sie in bedächtigeren Schlucken als zuvor.

KAPITEL 19

Marseille

Sie hatte gelogen. In der *Préfecture* ebenso wie vor der Kommission. Sie hatte auch ihre Freunde und Mitarbeiter angelogen. Es stimmte nicht, dass Édith niemals mit einem Deutschen geschlafen hatte.

Wie lange noch würde das Gerüst ihrer Lüge die Wahrheit verbergen? Vielleicht war es nur eine Frage von Tagen, dass der Polizeibeamte mit der Armbinde der PCF kam und sie verhaftete. Dann würde die Säuberungskommission nicht mehr in ihrem Sinne entscheiden. Wenn sie erfuhren, dass sie geschwindelt hatte, würde der freundliche Vorsitzende keine Gnade walten lassen. Daran konnte auch Dédées Aussage nichts ändern. Einhundertzwanzig gefälschte Pässe gegen eine Lüge, die seit der Befreiung schwerer wog als jede andere. Sie würde ins Gefängnis geworfen werden, vielleicht auch in das berüchtigte Lager Drancy nördlich von Paris. Sie würde eingesperrt sein und den Himmel nicht sehen dürfen, sich nicht frei bewegen und auf die Straße gehen können, wo ihre eigentliche Heimat war. Und all das nur, weil sie einen Deutschen in ihr Bett gelassen hatte ...

»Édith!« Eine Männerstimme.

Die Hand lag schwer auf ihrer Schulter, schüttelte sie.

Der Polizist war schon da, um sie abzuholen. Sie zog die Beine an, versuchte, sich zusammenzurollen, sich ganz klein zu machen, vielleicht würden ihre Häscher sie dann übersehen. Aber sie hatten sie noch nie übersehen.

»Édith!«

Warum klang die Stimme so vertraut? Der Griff der Hand war fast brutal, kam ihr aber seltsamerweise ebenfalls bekannt vor.

Sie war zu müde, um ihre Wahrnehmungen richtig einzuordnen. Immerhin begriff sie, dass sie sich irgendwo zwischen Tiefschlaf und Erwachen befand. Doch was war noch Traum, wo begann die Realität? Ihre Gliedmaßen fühlten sich schwer an. War sie gefesselt worden, um ohne Widerstand abgeführt zu werden? Nach einer Weile ließ sich ihr Arm überraschenderweise doch bewegen. Es gelang ihr, die Schlafmaske auf die Stirn zu schieben. Aus müden Augen blinzelte sie in die Dämmerung.

Yves hatte sich über sie gebeugt, seine Hand ruhte schwer wie Blei auf ihrer Schulter. In dem grauen Licht um sie her verschwammen seine Gesichtszüge, dennoch konnte sie seinen Zorn nur allzu deutlich herauslesen. Nun gewann auch der Hintergrund an Konturen. Sie war mit ihm in einem Bett des Regina Hotels in Marseille. Anscheinend waren sie allein, eine Polizeistreife befand sich offenbar nicht im Zimmer.

»Édith!« Yves' Ton war schroff.

Sie gähnte. »Was ist los?«

»Von wem hast du geträumt?«, herrschte er sie an. »Du hast im Schlaf gesprochen, aber ich habe nichts verstanden. Hast du von einem deiner Liebhaber geträumt?«

Ja, dachte sie, das habe ich tatsächlich. Und von einer Lüge. Sie erschrak, als die Wahrheit nun an ihr Bewusstsein drang. Hin und her gerissen zwischen aufwallender Panik, Übermüdung und Ärger auf Yves, der sie geweckt hatte und nun dämliche Fragen stellte, fauchte sie: »Scher dich zum Teufel!«, doch eigentlich meinte sie nicht ihn, sondern ihre dunklen Gedanken.

»Ich will nicht, dass du von anderen Männern träumst«, konterte er prompt. »Ich werde dich heiraten, und deshalb darf es keinen anderen mehr in deinem Leben geben.«

Wie konnte er seinen Antrag in einem so unmöglichen Zusammenhang bringen? Und war das überhaupt ein Antrag oder eine Ankündigung, bei der sie gar nicht gefragt wurde? Zu ihrer Beunruhigung kam nun auch noch Enttäuschung hinzu. Wenn er nur ein wenig mehr Sinn für Romantik besäße. Zumindest wenn es um ihre gemeinsame Zukunft ging, fehlte ihm jedes Gefühl für den richtigen Augenblick. Es war ja nicht das erste Mal, dass er sich bei diesem Thema im Ton vertat.

»Lass mich in Ruhe!«, fuhr sie ihn erneut an. Dann zog sie

die Schlafmaske herunter, drehte sich auf die andere Seite und stellte sich schlafend.

Er stöhnte auf, rührte sich aber nicht. Trotz ihres Streits schlief er rasch wieder ein. Sie hingegen lag noch lange wach und lauschte seinen ruhigen Atemzügen.

Die Südfrankreich-Tournee im Herbst 1941 lief gut, vor allem seit Édith von einem neuen Pianisten begleitet wurde. Sie war dem hochgewachsenen Dreißigjährigen in Marseille begegnet und hatte ihn engagiert. Eigentlich war er Komponist, aber das interessierte sie zunächst ebenso wenig wie der Umstand, dass er als Jude, der aus Deutschland stammte, auf der Flucht war. Seine traurigen Augen zogen sie an – und schließlich auch seine Musikalität. Als Künstler rang er ebenso um Perfektion wie sie selbst. Sie nannte ihn Nono, *eigentlich hieß er aber Norbert Glanzberg. Ein typisch deutscher Name für einen Mann, der in der typisch deutschen Stadt Würzburg aufgewachsen war. Wenngleich er im Gefolge der Piaf mehr oder weniger unbeobachtet durch die* zone libre, *die sogenannte Freie Zone Frankreichs, reisen konnte, durfte er sich mit diesem Hintergrund auf keinen Fall dem besetzten Paris nähern. Glanzberg musste ständig auf der Hut sein, fürchtete die Auslieferung durch französische Vichy-Polizisten, während Andrée Bigard ihn mit falschen Adressen und Ausweisen versorgte.*

Einer der schauspielerischen Glanzleistungen seiner Auftritte im Schatten von Édith war eine Szene, in der sie zwischen zwei Chansons mit einem Revolver spielte und so tat, als wollte sie schießen. Natürlich war die Waffe nicht geladen. Was wie ein Schuss klang, war allein der Klavierdeckel, den Norbert Glanzberg im rechten Moment auf die Tastatur knallen ließ. Es war eine aufregende Täuschung – und Édith freute sich nach jedem Konzert über das Gelingen.

Auf der Bühne in Aix-en-Provence klappte es jedoch nicht. Statt eines lauten Knalls drang nur ein sanftes Plopp vom Klavier her.

Im Saal herrschte erwartungsvolle Stille.

Erstaunt drehte sich Édith zu ihrem Pianisten um. Ihre Augenbrauen hoben sich fragend. Im gleißenden Scheinwerferlicht konnte sie nicht gleich erkennen, dass Nono sie nicht beachtete, sondern verzweifelt am Deckel des Flügels rüttelte, wobei er so komisch wirkte, dass sie in schallendes Gelächter ausbrach.

Als hätte das Publikum nur auf diesen Moment gewartet, begann es ebenfalls zu lachen. Erst ein wenig verhalten, dann wogte die ausgelassene Fröhlichkeit wie ein Echo durch das Parkett und griff auf die Reihen in den Rängen über. Es war wie ein Beben, gespeist aus Erleichterung und Begeisterung für eine Einlage, die zunächst für atemlose Spannung, dann für reichlich Amüsement gesorgt hatte.

»Was ist passiert?«, erkundigte sich Édith bei Norbert, als sie nach der Vorstellung mit anderen Getreuen und Verehrern in ihrem Hotelzimmer zum Feiern zusammengekommen waren. Ihr Pianist saß am Klavier, hatte ein wenig improvisiert und nippte gerade an seinem Wein.

»Der Deckel war mit Filz bespannt. Deshalb hat es nicht geknallt. Und dann klemmte er, und ich konnte ihn nicht gleich öffnen.« Er sprach Französisch mit einem harten deutschen Akzent. Ob er deshalb oder wegen des Malheurs hilflos mit den Schultern zuckte, konnte Édith nur ahnen.

Sie griff nach dem Glas in seiner Hand, stellte es neben dem Notenständer ab. Dann strich sie zärtlich über Norberts Finger, die bewegungslos auf der Tastatur lagen. »Gut, dass du dich nicht verletzt hast. Ich möchte keinen anderen Klavierspieler haben als dich.« Sie sah zu ihm auf und lächelte. »Du willst sicher nicht mit den anderen gehen, oder?« Ihre Aufforderung war zu deutlich, um ignoriert oder gar abgelehnt zu werden. Sie wusste das – und dennoch war sie zu dieser Zeit so berauscht von ihrem Erfolg, dass sie einfach nach dem verlangte, was – oder wen – sie begehrte.

Édith sollte nie erfahren, ob Norbert mehr an ihr als Frau oder an der Zusammenarbeit mit ihr als Künstlerin interessiert war. Denn nun schenkte er ihr ein verschwörerisches Lächeln, senkte seinen Kopf und begann eine Melodie zu spielen, die seltsam dramatisch klang, dann schwermütig und sich schließlich in eine Art Hoffnungsschimmer auflöste, ein Walzer mit einem sich wiederholenden kurzen Refrain. Das Lied gefiel ihr, aber sie unternahm nichts, um daraus ein Chanson zu machen. Sie fragte den Komponisten nicht einmal nach den Noten. Etwas anderes war ihr wichtiger.

In dieser Nacht schlief sie zum ersten Mal mit einem Deutschen.

Als Édith erwachte und die Augenmaske abnahm, fühlte sie sich erstaunlich ausgeruht. Helles Sonnenlicht strahlte in ihr Hotelzimmer, sie hatte offenbar lange geschlafen. Das war gut. Mit dieser Erkenntnis fiel die Angst ebenso von ihr ab wie der Zorn auf Yves' rücksichtsloses Benehmen.

Sie wälzte sich herum und entdeckte durch die halboffene Tür den Geliebten, der am Waschbecken stand und sich rasierte. Er war in die Knie gegangen, um sich in dem Spiegel zu sehen, der zu niedrig für einen Mann seiner Körpergröße aufgehängt war. Um seine Hüften schlackerte die Schlafanzughose, von der Taille aufwärts war er nackt, und sie überließ sich der Betrachtung seines Rückens, dem Spiel der Muskeln in seinen Schultern und Armen. Ihr Blick wanderte genüsslich seine Wirbelsäule hinab, und sie wünschte, sie könnte diesen Weg mit ihren Fingerspitzen entlangfahren.

Immerhin kann man an seiner Eifersucht erkennen, wie sehr er mich liebt, dachte sie.

»Guten Morgen«, rief sie ihm zu.

Er drehte sich um. Sein Grinsen verschwand halb hinter dem Seifenschaum, der eine seiner Wangen bedeckte. »Für den Besuch bei meiner Familie muss ich ordentlich rasiert sein«, erklärte er gutgelaunt. »Mein Vater würde mir nie verzeihen, dass ich mich gehen lasse. Vor allem, wenn ich Mamma meine Verlobte vorstelle.« Nach dieser Feststellung wandte er sich wieder seinem Spiegelbild zu.

Da war er – dieser Hinweis auf seine Hochzeitspläne. Es war schon wieder nicht unbedingt der richtige Moment für einen

Antrag, so zwischen Tür und Angel. Aber diesmal ignorierte Édith jeden Ärger, allerdings sagte sie wiederum nichts dazu. Die Furcht vor einem bürgerlichen Leben, vor dem sie so lange davongelaufen war, wurde langsam schwächer. Deshalb schenkte sie Yves immerhin ein Lächeln, das er jedoch nicht sah, weil es nur seinen Rücken streifte. Er hätte es jedoch zum ersten Mal als leise Zustimmung auffassen können.

KAPITEL 20

Der Weg zu dem Viertel, in dem die Familie Livi lebte, führte am Alten Hafen vorbei. Mit wachsender Beklemmung sah Édith rauchgeschwärzte Ruinen wie Mahnmale in den erstaunlich blauen Novemberhimmel ragen, vor denen zerrissene Stromleitungen im Mistral schaukelten. Sie beobachtete kleine Kinder in zerlumpten Kleidern, die abenteuerlustig auf lose aufgetürmten Schuttbergen spielten, als wüssten sie nichts davon, dass die deutschen Besatzer die Wohnviertel hinter den Kaianlagen vor eineinhalb Jahren in voller Absicht gesprengt hatten. Unwillkürlich zog sie die Nase kraus, doch sie roch kein Feuer und keine Asche, sondern nahm die normalen Gerüche eines Hafens wahr: Salz, Teer, Algen.

La Cabucelle war eines der Quartiere im Nordwesten Marseilles, die von der Zerstörung nicht betroffen gewesen waren – und trotzdem nicht besonders schön, selbst wenn es nicht weit vom Meer entfernt lag. Einstöckige Häuser aus den Zeiten des Ancien Régime, von denen der Putz abblätterte, lehnten sich an Lagerhäuser, hinter deren zerbrochenen Fensterscheiben sich dunkle Leere auftat. Der nahe gelegene Schlachthof erfüllte die Luft mit dem nach Eisen schmeckenden Gestank von Blut. Unter anderen Bedingungen hätte Édith wahrscheinlich das Fenster des Autos nach oben gekurbelt, aber nun versuchte sie, jedes Detail aufzunehmen. In der kleinen Impasse des Mûriers lag Yves' Zuhause. Hier hatte er als Kind gespielt, war die Gasse entlang zur Arbeit in der Fabrik gelaufen und zu seinen ersten Auftritten. An diesem Ort lag seine Vergangenheit, die ihr helfen würde, seine Zukunft zu formen. Die besten Zeiten hatte das Viertel hinter sich, sofern es diese überhaupt je gegeben hatte, aber die Wintersonne tauchte es in goldenes Licht.

Eine Gruppe von Straßenkindern stand vor den hohen Mauern, die den Schlachthof umgaben, offenbar hatte sie auf die Besucher gewartet. Ein kleiner Junge von gerade einmal drei Jahren stolperte an der Hand eines älteren auf ihre Limousine zu. Louis trat auf die Bremse, um die Kinder nicht zu überfahren, die lärmend dem Wagen folgten und auf die Trittbretter zu springen versuchten.

»*Zio* Ivo!« Trotz seines zarten Alters war die Stimme des Kleinen so laut und durchdringend wie die Töne einer Trompete, so dass er seine Spielkameraden problemlos überstimmte.

»Das ist mein Neffe Jean Louis«, rief Yves freudig aus. »Der

Sohn meines Bruders Giuliano. Meine Güte, ist der groß geworden.«

Die Kinder trugen abgetragene Kleidung, aber das war in diesen Zeiten nicht ungewöhnlich. Dennoch besaßen sie warme Mäntel, Strümpfe und Schuhe – und das war mehr, als Édith in manchen Wintern ihrer Kindheit ihr Eigen hatte nennen können. Vor allem wirkten diese Kinder zufrieden. Mehr noch, sie waren vielleicht nicht wohlgenährt, was ebenfalls fast niemand in Frankreich war, doch sie schienen glücklich. Eine Horde Jungen und ein paar Mädchen, die nicht nur durch ihre Freundschaften eng verbunden waren, sondern ein Zuhause und eine Familie besaßen. Etwas, das Édith nie gekannt hatte.

Ihre staunenden Augen registrierten die Nachbarn, die gekommen waren, um den Heimkehrer zu begrüßen, und sich mit ihrem Nachwuchs um den Wagen scharten. Es war etwas anderes als die Bewunderer, die sich nach einem Konzert am Bühneneingang eines Musiktheaters drängten und um ein Autogramm baten. Die Menge hier wirkte fast ein wenig einschüchternd auf sie.

»Sie sind gekommen, um dich willkommen zu heißen.« Yves drehte sich auf dem Vordersitz um und lächelte Édith mit einem gewissen Stolz an. »Sie wollen die Königin des Chansons sehen. Jemand so Berühmtes wie Madame Piaf ist noch nie hier gewesen.«

»Mir kommt es eher so vor, als erwarteten sie ein Zirkuspferd, das gleich die tolldreistesten Kunststücke vollführt«, meinte Simone, die neben Édith im Fond saß.

Als Édith an der Seite von Yves durch ein Spalier von An-
wohnern zum Eingang des Hauses schritt, in dem die Livis
wohnten, kam sie sich vor wie die Braut des Prinzen von La
Cabucelle. Es fehlte noch, dass die Leute »Hoch!« riefen, dann
wäre das Bild perfekt.

Das Gebäude, in das sie traten, war zwar alles andere als ein
Schloss, aber mindestens ebenso übervölkert wie Versailles
zu Zeiten von Ludwig XIV. Zwischen all den Menschen, die
sie in der kleinen, nach Tomatensud und Gewürzen duftenden
Küche der Livis antrafen, konnte sie auf den ersten Blick kaum
unterscheiden, wer zur Familie gehörte und wer zum großen
Kreis der Freunde und Bekannten. Erst als Yves einen stäm-
migen, nicht mehr ganz jungen Mann umarmte und anschließend die freundliche Frau in der Kittelschürze, wusste Édith,
dass sie seine Eltern vor sich hatte.

Die italienischen Begrüßungen klangen angenehm in ihren
Ohren, wenn auch ziemlich laut. Yves stellte sie nicht als seine
Verlobte vor, was durchaus ihrem Wunsch entsprach. Jedenfalls horchte sie darauf, ob das italienische Wort *fidanzata* fiel,
das sie von Momone hatte in Erfahrung bringen lassen. Noch
hatte sie nicht ja gesagt – nein aber auch nicht. Vielmehr hatte
sie seine Anträge ignoriert. Dennoch wurde sie das Gefühl
nicht los, dass die vielen Menschen, denen sie die Hand schüttelte, sie in erster Linie als neue Madame Livi begutachteten
und nicht allein den Bühnenstar bestaunten.

Nach dem Willkommensaufgebot zogen sich die meisten
Nachbarn zurück, während Giuseppina Livi das Festmahl

vorbereitete. Édith bat, die Toilette aufsuchen zu dürfen, und war überrascht, nicht zu einem Plumpsklo in den Hof geführt zu werden, sondern in ein winziges Bad, das früher wahrscheinlich einmal eine Kammer gewesen war, jedoch blitzsauber glänzte und funktionstüchtig war. In einer Spiegelscherbe betrachtete sie ihr blasses, wie fast immer ungeschminktes Gesicht und dachte, dass sie wenigstens etwas Rouge vertragen könnte. Doch dann beließ sie alles, wie es war.

Die Türklinke in der Hand, hörte sie Stimmen. Eine davon gehörte Yves. Vorsichtig zog sie die Tür einen Spaltbreit auf – und lauschte.

»Sie ist wirklich sehr hübsch«, sagte eine Frau leise, die außerhalb Édiths Blickwinkel stand. »Obwohl sie dunkelhaarig ist, besitzt sie den Teint einer Blondine. Sie sieht aus wie ein Engel.«

Unwillkürlich flog Édiths Blick zu der Spiegelscherbe.

Yves lachte. »Sie ist ja auch mein Engel. Weißt du, Lydia, früher konnte ich mich nie für ein Mädchen entscheiden. Mal liebte ich eine, dann nicht mehr. Ich wunderte mich immer, wie die Liebe funktionieren soll, wenn sie so rasch wieder vergeht. Erst durch Édith habe ich die wahre Liebe kennengelernt.«

Ihr Herz flog ihm zu. Édith lächelte hinter der Badezimmertür. Er liebte sie. Und die wiederholten Bestätigungen saugte sie auf wie ein trockener Schwamm das Wasser.

Lydia senkte ihre Stimme zu einem Flüstern: »Das ist wunderschön, lieber Bruder, aber ich habe in einer Zeitung gelesen, dass sie mit ihrem Textdichter Henri Contet zusammen ist …«

»Was geht dich das an?«, unterbrach er sie schroff.

»Ich wollte nur sagen, dass du auf dich aufpassen sollst.« Yves' Schwester klang so aufrichtig besorgt, dass Édith ihr die Warnung nicht übelnahm. Sie fragte sich, wie es wohl war, wenn man von einem Blutsverwandten mit Achtsamkeit und Sorge beschützt wurde. In Simone besaß sie zwar auch eine Art Schwester, aber ihre Beziehung war niemals auf den Säulen des Zusammenhalts einer Familie erbaut worden. Was für ein Glück Yves hatte! Und wie gering die Gemeinsamkeiten waren, von denen sie anfangs dachte, sie würden sie verbinden.

Sie stand noch eine Weile hinter der Tür, bevor sie das Badezimmer verließ. Im Flur herrschte Stille, aus der Küche indes drang ein Durcheinander von Stimmen, die sich lärmend und lachend unterhielten, Geschirr klapperte, und Gläser klirrten. Obwohl die Räume nicht geheizt waren, glitt eine wohlige Wärme durch Édiths Glieder. Langsam ging sie zu den anderen zurück. Lydia und Yves standen einträchtig nebeneinander, als habe es kein Gespräch gegeben, das wie eine kleine Auseinandersetzung um Édiths Rechtschaffenheit geklungen hatte. Lydia hielt einen Stapel Teller in der Hand, und Yves entkorkte eine Flasche Wein.

»Wir essen heute zur Feier des Tages im Speisezimmer«, erklärte die Mutter. »Wenn so hoher Besuch kommt, können wir nicht in der Küche bleiben.«

»Normalerweise öffnet Mama das Esszimmer nur zu Weihnachten, für Hochzeiten und einen Leichenschmaus«, fügte Lydia hinzu. »Und wahrscheinlich wird sie es tun, wenn Giuliano heimkehrt.«

Édith lächelte sie an. »Dann stellen wir uns einfach vor, es ist Weihnachten.«

Allgemeines Lachen antwortete ihr.

»Kommen Sie, Madame«, forderte sie Giovanni Livi auf. »Kommen Sie nach nebenan, und setzen Sie sich neben mich.«

Louis und Simone, die sich still im Hintergrund hielten, folgten dem Hausherrn und seinem berühmten Gast ins Nebenzimmer, wo es schwach nach Mottenpulver, Lavendel und Bohnerwachs roch. Édith war überzeugt davon, dass die altmodischen Möbel früher einmal, von Tüchern bedeckt, auf ihren Einsatz gewartet hatten und die Fenster nur alle paar Monate geöffnet wurden. Die Tücher waren während der Besatzungszeit sicher zu Blusen oder Hemden verarbeitet worden, die Fenster blieben weiterhin geschlossen. Dennoch fühlte sie sich hier so wohl wie an wenigen Orten zuvor.

Das Gefühl tiefer Zusammengehörigkeit, das Édith bereits das belauschte Gespräch zwischen Yves und Lydia vermittelt hatte, verstärkte sich während des Abendessens noch. Es war laut, lustig und gesellig. Sie beteiligte sich nur wenig an der allgemeinen Unterhaltung, weil sie wie benommen von der Ausgelassenheit der Livis, ihrer Kinder und des Enkels war. Manchmal redeten alle durcheinander, dann wieder erhob der Vater die Stimme, und alle lauschten seinem Kommentar, er machte einen Witz, und alles lachte dröhnend. Das ging so schnell, dass Édith kaum mitkam. Es klang ein bisschen wie ein fröhlicher, nicht endender Trommelwirbel. Die Herzlichkeit, die dabei von jedem Wort und jeder Geste ausging, spürte sie so intensiv wie eine zärtliche Berührung. Obwohl sie nur die Hälfte verstand, fühlte sie sich als Teil der Tischgesellschaft angenommen. Sie konzentrierte sich auf das Menü, lobte überschwänglich – und ehrlich – die Kochkünste der Mamma und langte beim Wein zu, der süffig schmeckte, obwohl es nur ein leichter Landwein aus der Provence war. Es war einfach alles perfekt.

Sie versprachen, zum Frühstück wiederzukommen.

Ein wenig schüchtern sagte Lydia zum Abschied: »Ich würde Ihnen gern die Haare machen, wenn Sie erlauben.«

Überrascht sah Édith die junge Frau an, die, wie sie von Yves wusste, in ihrem Alter war. Glücklicherweise fiel Édith in diesem Moment wieder ein, dass Lydia Friseurin war. »Gern«, erwiderte sie. »Und ich würde mich freuen, wenn wir Freundinnen würden. Nenn mich Édith, bitte.«

Lydia breitete die Arme aus und beugte sich hinunter, um sie auf beide Wangen zu küssen. Es kam Édith vor, als werde sie nun endgültig in der Familie Livi willkommen geheißen.

Bei der Abfahrt streckte Édith ihren Kopf aus dem heruntergelassenen Seitenfenster der Limousine und lachte den Zurückbleibenden zu. Yves' Familie hatte sich vor dem Haus versammelt, rief »*Bon nuit!*« und »*À demain!*« und winkte eifrig. Der Gedanke an das bevorstehende Frühstück war für

Édith wie ein Heimkommen, die Nacht im Hotel eine kaum wahrnehmbare Zwischenstation.

»Solche Eltern und Geschwister zu haben ist ein Traum«, murmelte sie.

Der eisige Mistral und der Fahrtwind schlugen ihr ins Gesicht. Sie schloss das Fenster und lehnte sich auf ihrem Sitz zurück.

»Du weinst ja«, stellte Simone leise fest.

Édith wischte sich über die feuchten Lider. »Das kommt vom Wind. Und weil ich so glücklich bin.«

KAPITEL 21

Ihr Glück hielt genau vierundzwanzig Stunden. Die Reihe ihrer Konzerte in Marseille begann eigentlich vielversprechend. Louis hatte Édith – mit Yves im Vorprogramm – im Varieté Casino untergebracht, einem einst beliebten Operettentheater in einer Seitengasse der Prachtstraße Canebière, das auch während der Besatzung bespielt worden war und nicht auf seine Neueröffnung wartete wie das berühmte Alcazar. Dort hatte Édith vor dem Krieg sehr phänomenale Konzerte gegeben, nun wollte sie diesen Erfolg im einstigen Lieblingshaus Jacques Offenbachs wiederholen. Um Yves in seiner Heimatstadt ein Gefühl von Ebenbürtigkeit zu geben, bestand sie darauf, dass ihrer beider Namen in derselben Größe auf der Schautafel über dem Eingang prangten: *Édith Piaf* in schwarzen Lettern oben, links davon ihr Portrait, darunter in weißen Buchstaben *Yves Montand* und rechts sein

Bild. Sie wollte, dass sie und ihr Geliebter als Duo wahrgenommen wurden, alle Welt sollte sehen, dass sie ein Paar waren, das Publikum ebenso wie seine Familie und deren Nachbarn. Und das gelang ihr. Ihre Hochstimmung endete jedoch in dem Moment, als Yves das Chanson »Mademoiselle Sophie« anstimmte.

Er war mit seiner neuen eleganten Lässigkeit langsam auf die Bühne gekommen – und der heimgekehrte Sohn der Stadt wurde umjubelt. Yves genoss diese Begrüßung sichtlich, und Édith ganz hinten im Saal drückte ihm die Daumen, dass es für ihn so blieb. Nach dem Beifall herrschte gespannte Stille im Saal. Yves stand vor seinem Publikum und wartete, wie Édith es ihm beigebracht hatte. Der Scheinwerferkegel erfasste seine hochgewachsene, dunkle Gestalt. Dann erklangen aus dem Orchestergraben die gestopften Trompeten statt der Hillbilly-Sounds, die die Leute erwarteten, ertönte nun ein verhaltener, sehr jazziger Titel, und Yves begann die Geschichte von »Mademoiselle Sophie« zu intonieren, die Édith für ihn geschrieben hatte.

Im ersten Moment kam es ihr vor, als würden die Zuschauer auf ihren Plätzen erstarren. Dann klackerte es irgendwo. Noch einmal. Ein seltsames Klingeln mischte sich unter die Töne. Es dauerte eine Weile, bis Édith begriff, was da geschah. Eigentlich verstand sie es erst, als sie die Schatten von Menschen ausmachte, die sich in ihren Sitzen aufrichteten und die Arme hoben, um etwas nach vorn zu schleudern. Mit reichlich Verspätung nahm sie wahr, dass Münzen

auf die Bühne geworfen wurden. Das Sinnbild eines Rein-
falls!

»Wenn man in Marseille ins Theater geht, nimmt man Autohupen, Tomaten und faule Eier mit. Die Hupe macht ziemlich
viel Lärm, und das andere Zeug wirft man auf die Bühne, wenn
einem ein Auftritt nicht gefällt. Ich hatte ziemliche Angst davor.
Aber weißt du, bei mir ging es damals gut, die Zuschauer mochten mich.«

Yves' Beschreibung des Publikums traf genauer zu, als Édith
es sich damals vorzustellen vermochte, als er von dem Verhalten der Leute bei Missfallen erzählt hatte. Dummerweise hatten sie den alten Montand gemocht, der neue lag ihnen offensichtlich nicht.

Sie schlug die Hände vor ihren Mund, um nicht laut aufzu-
schreien. Entsetzt beobachtete sie das Geschehen – und bewunderte aus ganzem Herzen Yves' Tapferkeit. Er tat so, als
bemerke er den Affront nicht, zog sein Programm durch, als
könne er am Ende Begeisterungsstürme erwarten. Sie war so
empört über das Verhalten der Marseillais, dass sie kurz erwog,
ihren Auftritt abzusagen. Aber natürlich war das unmöglich.
Es wäre unprofessionell und würde Yves auch nicht helfen.

Glücklicherweise ist niemand von seiner Familie im Saal,
dachte Édith mit wachsender Verzweiflung. Es waren noch

weitere Auftritte im Varieté Casino vorgesehen, sie würden insgesamt zwei Wochen in der Stadt bleiben, irgendwann in dieser Zeit würde Louis an der Impasse de Mûriers Freikarten abgeben müssen – und bis dahin mussten sie sich etwas einfallen lassen, um der Familie Livi einen Star zu präsentieren.

Louis erschien mit einem Stapel Zeitungen unter dem Arm in dem Café, in dem sich Édith, Yves und Simone zu einem späten Frühstück, das eigentlich ein Mittagessen war, niedergelassen hatten. Édith kannte es von früheren Konzertreisen. Als Marseille noch zur *zone libre* gehörte, war es eine Zwischenstation für Emigranten gewesen, hier wurde mit Visa gehandelt, und es trafen sich brillante Musiker aus dem Deutschen Reich und den besetzten Ländern, Geflohene, meist Juden. Hier hatte sie Norbert Glanzberg zum ersten Mal gesehen.

Doch diese Erinnerung ließ sie in Yves' Gegenwart nicht zu. Sie gestattete sich lediglich die Feststellung, dass heute wesentlich weniger Gäste an den hübschen kleinen Bistrotischen saßen als damals. Neben ein paar älteren Damen hatten sich nur die inzwischen wohl fast überall in Frankreich anzutreffenden amerikanischen Soldaten eingefunden, für Letztere wohl ein enttäuschendes Erlebnis, weil keine jungen Französinnen zur Klientel gehörten. Deshalb sendeten sie begehrliche Blicke zu Édith und Simone. Doch nach einem harmlosen Flirt stand weder der einen noch der anderen der Sinn. Sie saßen an einem Tisch neben den bodentiefen Fenstern und interessierten sich mehr für das Kommen und Gehen auf der Straße, beobachteten die vorbeiratternde Straßenbahn.

Als Louis eintrat, rief Édith mit vor Aufregung vibrierender Stimme:»Was meint die Presse?«

»Es könnte schlimmer sein, denke ich«, antwortete Louis und reichte die Blätter herum, bevor er sich auf den freien Stuhl zwischen Édith und Simone setzte, dann schränkte er ein:»Aber ich konnte die Artikel am Kiosk natürlich nur überfliegen.«

Die Zeitungsseiten raschelten, als sich jeder am Tisch auf die Suche nach den Seiten des Feuilletons machte. Während Louis dem Kellner winkte und mit einer Geste eine Getränkebestellung aufgab, wurde Yves als Erster fündig.

»Die *Midi-soir* schreibt: *Yves Montand, der anfängt, Cowboys und Pampa zu vergessen, hat zu einer neuen Persönlichkeit gefunden.*« Er sah sich in der Runde um.»Das klingt gut, findet ihr nicht?«

»In *Le Provençal* steht irgendetwas darüber, dass du ein *Phantast* bist.« Édith schleuderte das Blatt zu Boden.»Was für ein Unsinn!«

Yves bückte sich, hob die Zeitung auf und warf einen Blick hinein.»Immerhin behaupten sie, ich hätte Beifall bekommen. Das entspricht ebenso wenig der Wahrheit wie der *Phantast.*«

»*Le Méridional* zeigt sich begeistert von Édiths Auftritt«, warf Simone ein.

»Natürlich tun sie das«, knurrte Yves.

»Geh es ein bisschen langsamer an, *chéri*«, schlug Édith vor und nahm Yves' Hand zwischen ihre zierlichen Finger. »Du verwirrst dein Publikum, also erlöse es. Nicht ganz, aber ein bisschen. Und wenn wir am Ende der Tournee dieses Konzert vor den amerikanischen Soldaten geben, solltest du vielleicht dein früheres Repertoire wiederaufnehmen. Mit dem Programm werden sie dich lieben.« Sie wagte einen Blick in Richtung der GIs, lächelte den jungen Männern zu und sah schnell wieder weg.

Yves hob ihre Hand und presste seine Lippen darauf. »Ich tue alles, was du möchtest, Môme, aber diesmal nicht. Vielleicht hast du bezüglich der Amerikaner recht, aber mit meinen Landsleuten gehe ich um, wie ich es will. Versteh das bitte!«

Es war eine Trotzreaktion, dennoch verstand sie ihn nur zu gut. Obwohl sie es sich nicht anmerken ließ, bedauerte sie seinen Misserfolg hier in Marseille noch mehr als in Orléans oder in Lyon. Und das nicht nur, weil es seine Heimat war, sondern weil er sich mit jedem seiner Auftritte verbesserte. Das würde er weiterhin tun, wenn sie hart arbeiteten, daran bestand für Édith kein Zweifel. Yves entwickelte sich zu einem Perfektionisten, wie sie es war. Er war eben ein guter Schüler ...

Und was ist mit der Liebe?, rief ihr eine innere Stimme zu.

Ihr fiel ein, dass sie Yves über die schlechte Stimmung im Varieté Casino genauso hinwegtrösten könnte, wie es reiche Männer taten, deren Freundinnen Trübsal bliesen. Warum sollte sie ihrem Geliebten kein Geschenk machen? Sie nahm auf gewisse Weise die Rolle des Beschützers ein, war Yves an Erfahrung weit überlegen. Außerdem erhielt sie deutlich höhere Gagen, konnte sich mehr leisten. Oder nicht? Sie hatte keine Ahnung, wusste nur, dass sie wie der eine oder andere Mann, der Kostbarkeiten für seine *petite amie* aussuchte, einkaufen gehen wollte. Nur waren die Zeiten nicht dazu geschaffen, zu Cartier zu spazieren, um Manschettenknöpfe für den Liebsten zu kaufen. Yves besaß noch nicht einmal ein Hemd, das sich dazu eignete. Grübelnd stützte sie den Arm auf dem Tisch auf und legte ihr Kinn in ihre Hand. Ihre Gefährten diskutierten noch die Kritiken, aber sie beteiligte sich nicht mehr an dem Gespräch. Das war ohnehin unerfreulich, und wichtiger war nun die Überlegung, wie sie den Mann, den sie liebte, aufheitern könnte.

Die Runde löste sich auf, weil Louis vom Hotel aus noch ein paar Telefonate mit Paris führen musste und Yves auf eine neue Probe drängte. Etwas unschlüssig stand Simone daneben, ganz offensichtlich mit der Frage beschäftigt, wem sie folgen sollte.

Mit der für ihn typischen Impulsivität hatte Yves das Café bereits verlassen, durch das Fenster sah Édith, dass er wie ein Tiger im Käfig vor der Tür auf und ab lief. Er wartete auf sie, rauchte hektisch eine Zigarette. Doch Édith blieb zurück, neben ihrer Freundin.

Sie blickte sich kurz um, bevor sie Simone zur Seite nahm. »Finde bitte heraus, wo sich in Marseille der beste Schwarzmarkt befindet«, raunte sie, während sie in ihrer Handtasche wühlte, um Geldscheine und Notizzettel auseinanderzuhalten. »Dann gehst du dorthin und kaufst eine schöne goldene Herrenuhr …«

Simone starrte sie erstaunt an. »Wozu das denn?«

»Ich möchte Yves ein Geschenk machen.«

»Versteh ich nicht«, meinte Simone. »Er hatte doch gerade erst Geburtstag, und Weihnachten ist erst in sechs Wochen. Bis dahin kann ich meine Quellen in Paris …«

»So lange kann ich nicht warten. Ich möchte ihm heute eine Freude machen, verstehst du? Heute ist der Tag, an dem er auf andere Gedanken kommen muss.« Édith kämpfte sichtlich mit sich und ihrer Geduld. »Sei so lieb, und tu, was ich dir sage, Momone. Du brauchst dir keine Gedanken darüber zu machen, es ist ganz allein meine Angelegenheit.«

»Doch«, protestierte Simone, »ich mache mir Gedanken über das Geld.«

»Was für Geld? Ich verdiene genug.«

»Ja. Natürlich. Aber wir haben auch Kosten.«

Diese Warnung war nichts, das Édith von ihrem Vorhaben abbringen konnte. Sie machte eine wegwerfende Geste. »Na und? Wen interessiert das?« Endlich hatte sie das Bündel Scheine in den Tiefen ihrer Handtasche gefunden, nach dem sie gesucht hatte. »Kauf ihm die schönste und teuerste Uhr, die du finden kannst, Momone. Ich würde ja selbst gehen, aber ich möchte Yves überraschen, und deshalb muss ich jetzt mit ihm zur Probe.«

Simone hob die Schultern und ließ sie zum Zeichen ihrer Ergebenheit wieder fallen. »Ich habe ja sonst nichts zu tun.«

»Danke, du bist ein Schatz!« Édith umarmte die Freundin.

»Ja. Das bin ich wohl. Aber ich mag ihn. Er ist ein Mann, der deine Liebe wert ist, Môme.«

»Das finde ich auch.« Beschwingt verließ Édith das Lokal. Als sie auf der Straße neben Yves stand, zog sie an seinem Mantel, damit er sich zu ihr hinunterbeugte, dann stellte sie sich auf die Zehenspitzen und küsste seine nach Nikotin schmeckenden Lippen.

Ihr Herz klopfte wild, als sie Yves' Kopfkissen mit ihrem kostbaren Geschenk dekorierte. Simone hatte auf dem Schwarzmarkt eine überaus elegante goldene Armbanduhr mit einem zwar etwas ramponierten, aber noch recht ansehnlichen schwarzen Lederarmband erstanden.

»Das ist eine Cartier«, erklärte die Freundin mit mürrischem Gesichtsausdruck. »Sie hat ein Vermögen gekostet, und ich wäre mit dem Ding in meiner Tasche um ein Haar nicht mehr lebend vom Schwarzmarkt weggekommen. Ein Gauner hat gesehen, wie ich sie gekauft habe, und prompt versucht, mich zu überfallen. Gut, dass ich nicht vergessen habe, wie wir uns damals auf der Straße gewehrt haben.«

Édith küsste die Freundin auf beide Wangen und versicherte ihr, dass sie ein gutes Werk getan habe und sicher von der heiligen Thérèse beschützt worden sei. Als Simone zu einer Antwort anhob, die bestimmt etwas mit dem hohen Preis zu tun hatte, wechselte sie rasch das Thema. Glücklicherweise kam die Freundin nicht wieder darauf zu sprechen. Was bedeutete schon Geld, wenn es darum ging, einem anderen Menschen eine Freude zu bereiten? Vor allem, wenn es sich bei diesem Menschen um den Mann handelte, den sie liebte.

Ihr Hochgefühl hielt an und übertrug sich an diesem Abend auf wundersame Weise sogar auf das Publikum, das den Auftritt von Yves wohlwollender beklatschte als zuvor. Sie selbst hatte riesigen Erfolg, was wahrscheinlich an der Leichtigkeit lag, mit der sie auf die Bühne getreten war. Trotz des stets wiederkehrenden Lampenfiebers hatte sie sich wunderbar in ihrer Rolle als Schenkende gefühlt. Die Kehrseite war die Anspannung, die sie später in ihrem Hotelzimmer ergriff. Während ihrer Darbietung hatte ihr Herz nicht ein einziges Mal so aufgeregt gepocht, waren ihre Hände nicht so feucht geworden wie in dem Moment, in dem sie auf Yves' Reaktion auf das Präsent wartete.

Ein Handtuch um den Hals geschlungen, stapfte er mit nacktem Oberkörper und in seinen Pyjamahosen, die auf seine Hüften gerutscht waren, aus dem Bad. Er summte eine Melodie, in der sie den spanischen Titel »Amor« erkannte. Sie hatte es im Radio von Bing Crosby gesungen gehört und wusste, dass der Song bei den amerikanischen Truppen ein Hit war. Übte Yves bereits für ihren Auftritt vor den Soldaten in drei Wochen? Sie beobachtete, wie er in sich gekehrt zum

Bett schritt. Aus seinem dunklen Haar lösten sich Wasser-
tropfen und perlten über seinen Rücken. In ihr wuchs das
Verlangen nach diesem schönen jungen Mann.

»Was ist das?«

Sie lächelte. »Deine neue Uhr, *chéri*!«

Mit offenem Mund starrte er auf die Cartier. Dann nahm er
sie vorsichtig in seine Hand, drehte und wendete sie. »Was soll
ich damit?« Seine Stimme war nur ein Hauchen, sein Blick lag
unverändert auf ihrem Geschenk. Dennoch erkannte sie in
seinem Gesichtsausdruck ein Begehren, das nichts mit jener
Lust zu tun hatte, die sie nun immer stärker empfand. »Ich bin
nur ein Arbeitersohn ...« In beredtem Schweigen brach er ab.

»Du willst ein großer Sänger werden. Jemand, dem die Menschen zujubeln«, erwiderte sie ruhig, obwohl ihr das Herz bis
zum Hals schlug. »Für mich bist du ein Star, und dann kannst
du auch in diesen Dingen herausragen. Schau dir nur Maurice
Chevalier an. Er stammt aus kleinen Verhältnissen und lebt
inzwischen wie ein Adliger vor der Revolution.«

Yves hob den Kopf und sah sie an. »Du bist ein Star, Môme,
und besitzt kaum Schmuck.«

Die Vorstellung, Simone noch einmal zum Schwarzmarkt
zu schicken, um die Kostbarkeit gegen etwas anderes einzu-
tauschen, setzte ihr mehr zu als die Überlegung, dass sie möglicherweise das falsche Geschenk für ihren Geliebten gewählt
hatte.

Ihre Hand fuhr zu ihrem Hals und umschloss die Kette mit
dem goldenen Kreuz. »Das ist nicht wichtig. Mir bedeuten

Juwelen nichts. Ich möchte, dass du nicht nur wie eine Berühmtheit auftrittst, sondern auch so aussiehst. Außerdem wollte ich dir eine Freude bereiten.«

»Puh!« Ein verlegenes Grinsen huschte über sein Gesicht, das sich zu Édiths größter Erleichterung zu einem freudigen Lachen ausbreitete. »Du sollst nicht so viel Geld ausgeben«, murmelte er, während er vergeblich versuchte, die Uhr anzulegen.

»Lass mich das machen.«

»Keine großen Ausgaben mehr«, entschied Yves, während Édith das Lederarmband um sein linkes Handgelenk schloss. »Danke, meine Môme. Ich werde dich nicht enttäuschen und die Uhr mit Stolz tragen. Eines Tages werde ich ein großer Chansonnier sein, ich schaffe das. Das verspreche ich dir.«

Sie nahm seine Hand und legte ihre Wange hinein. »Ich weiß«, flüsterte sie.

KAPITEL 22

Der Kalender besaß für Édith etwas Magisches. In Leder gebunden, lag er aufgeschlagen vor ihr auf dem Sekretär in ihrem Hotelzimmer. Sie starrte auf das Datum, unter dem ihr letztes Konzert in Marseille eingetragen war. Es war der Tag, an dem Andrée vor dem *Comité d'épuration des professions d'artistes* aussagen sollte. Doch dieser Termin stand nur in ihrem Gehirn geschrieben, nicht auf dem Papier. Trotzdem starrte sie auf den Kalender, als könne sie dadurch den erlösenden Anruf aus Paris heraufbeschwören. Seit Stunden wartete sie auf Dédées Nachricht, aber das Telefon blieb stumm.

Édith hatte mehrmals versucht, Dédée anzurufen, doch die Mademoiselle vom Amt wiederholte freundlich, dass eine Verbindung nicht herzustellen sei, es war ständig besetzt. Wenn ihre Sekretärin sich jedoch nicht bald meldete, würde Édith mit der Last der Ungewissheit singen müssen. Ihre Angst vor einem Auftrittsverbot würde sie natürlich nicht daran hindern, auf die Bühne zu gehen, aber es wäre viel schöner, endlich leichten Herzens vor ihr Publikum zu treten und den *Fall Piaf* vergessen zu dürfen. Dieser schwelte unter der Oberfläche wie glimmende Asche in einem Kamin. Und ganz besonders heute, an dem Tag, von dem sie wusste, dass die Kommission über ihre Zukunft entschied.

Ein kurzes Klopfen, dann flog die Zimmertür auf, Yves steckte seinen Kopf herein. »Édith, wir müssen los.«

Sie hob nur kurz ihren Blick zu ihm, dann sah sie wieder sehnsüchtig auf das Telefon. »Eine Minute noch«, bat sie.

»Loulou wartet schon im Wagen.«

In diesem Moment klingelte es. Der Ton war schrill und durchdringend. Bitte, lieber Gott, lass es Dédée mit guten Nachrichten sein, flehte sie im Stillen. Sie streckte die Hand nach dem Hörer aus.

»Wir haben keine Zeit mehr«, drängte Yves. »Lass das Telefon und komm …«

»Eine Minute«, wiederholte sie, machte ihm mit den Fingern ein Zeichen und hob ab. »*Âllo*?!«

»Édith!«, mahnte ihr Geliebter von der Tür.

»Édith?«, fragte Andrée am anderen Ende der Leitung.

»Wie schön, endlich von dir zu hören!«, antwortete Édith. Sie rutschte auf dem Stuhl, auf dem sie saß, zur Seite, so dass sie Yves den Rücken zukehrte. »Ich habe mir schon Sorgen gemacht.«

»Es tut mir leid, ich habe keine Verbindung nach Marseille bekommen. Ich weiß nicht, ob es an der Befreiung von Strasbourg gestern liegt, aber das Netz ist überall in Frankreich überlastet. Ich habe es versucht, aber es hat bis eben nicht geklappt.«

Édith zögerte einen Moment, dann schluckte sie. »Was gibt es Neues in Paris?« Ihre Stimme klang noch eine Oktave tiefer als sonst.

»Kannst du den Klatsch nicht nach der Vorstellung austauschen?«, meldete sich Yves von der Tür. »Zum letzten Mal: Wir müssen los!«

Wenn sie sein Drängen weiter ignorierte, würde er wahrscheinlich ins Zimmer marschieren und ihr den Telefonhörer aus der Hand reißen. Eine Geste, die sie unter anderen Umständen amüsant gefunden hätte, aber die Information, auf die sie wartete, war zu wichtig, um einen solchen Anflug überzogener Männlichkeit zu tolerieren.

Édith bat Andrée, einen Moment zu warten. Sie wandte sich um und schrie Yves an: »Lass mich bitte allein. Ich werde dir später alles erklären, aber jetzt verschwinde, und mach die Tür zu.«

Zu ihrer größten Überraschung folgte Yves ihr so widerstandslos wie ein Schoßhündchen. Dass man als Frau immer erst laut werden musste, um gehört zu werden, dachte sie bei sich. Und wahrscheinlich hielt er seinen Wutanfall nur zurück, bis sie gemeinsam im Auto saßen. Doch das war jetzt nicht wichtig.

Sie stand auf, ging zur Tür und drehte den Schlüssel herum. Erleichtert, jede weitere Störung durch Yves oder jemand anderen buchstäblich ausgeschlossen zu haben, nahm sie den Hörer wieder auf. »Dedée, bist du noch da? Wir sind allein. Ich muss gleich weg, aber erzähl mir bitte, wie deine Vernehmung abgelaufen ist.«

»Wie gesagt, es tut mir leid, dass ich nicht früher anrufen konnte.« Andrée legte eine kleine Pause ein. »In aller Kürze: Ich glaube, es ist sehr gut gelaufen ...«

»Du *glaubst* es? Wieso weißt du es nicht?«

»Nun ja, die Herren waren beeindruckt von meiner Aussage, aber sie wollen meine Angaben überprüfen, und ...«

Édith wurde das Herz schwer. Ein leichter Schüttelfrost zog durch ihre Glieder. »Es ist noch nicht vorbei, nicht wahr?«, sagte sie tonlos.

»Du musst ihnen die Möglichkeit geben, alle Angaben zu kontrollieren. Doch das Komitee ist dir gewogen, Édith, das habe ich deutlich gespürt. Du wirst sicher bald freigesprochen. Bis dahin ...« Andrée zögerte.

»Was?«

»Es kann sicher nicht schaden, wenn du noch einen weiteren Zeugen benennst. Nicht, dass sie mir nicht glauben würden oder deine Hilfe für die französischen Kriegsgefangenen nicht überwältigend war, aber ich habe gehört, dass sie sehr entgegenkommend sind, wenn ein Jude für einen aussagt. Du hast vielen geholfen. Es wäre gut, wenn sich einer bei der Säuberungskommission meldet.«

Eine Mischung aus Enttäuschung und Verunsicherung ergriff Édith. Was war endlich genug, um vom Vorwurf der Kollaboration reingewaschen zu werden? Wo sollte sie auf die Schnelle einen Menschen hernehmen, der sich jahrelang versteckt gehalten hatte und in Paris für sie auszusagen bereit war? Natürlich, es gab den einen oder anderen, dessen Flucht sie unterstützt hatte, aber sie wusste ja nicht einmal, wohin es diese Freunde inzwischen verschlagen hatte.

»… Norbert Glanzberg …« Der Name drang durch das Telefon und klang noch entfernter als Andrées Stimme in Paris. Édith hatte ihr nicht zugehört. Plötzlich dachte sie an ihren Traum, an den Deutschen, mit dem sie eine Affäre gehabt hatte. Waren ihre Befürchtungen Realität geworden? Aufgeschreckt fragte sie: »Was soll mit ihm sein?«

»Wenn du Norbert Glanzberg ausfindig machen könntest, würde er bestimmt für dich aussagen. Meine Güte, du hast in all den Jahren Zigtausende bezahlt, um seine Sicherheit zu gewährleisten. Das ist genau die Geschichte, die die Messieurs der Kommission hören wollen.«

Es klopfte an die Zimmertür. »Édith?«, rief Louis.

Édith schüttelte den Kopf. Die Geste galt sowohl ihrer Sekretärin wie auch ihrem Impresario.

»Ich weiß nicht, wo Nono ist«, sagte sie zu Andrée. »Die Briefe, die ich ihm an seine Deckadresse in Antibes geschrieben habe, sind alle unbeantwortet geblieben.«

Die Türklinke ging hoch und runter, als Louis daran rüttelte. »Édith?«

»*Mon dieu!*« Sie stöhnte auf. »Dédée, ich muss zum Konzert. Lass dir etwas einfallen. Bitte.«

»Ich werde versuchen herauszufinden, wo er sich aufhält«, versprach Andrée. »Irgendjemand von der Résistance hat mir erzählt, dass er bei der Befreiung von Toulouse René Laporte begegnet ist. Und Laporte war der Nachbar von Georges Auric in Antibes, wo Norbert Glanzberg Unterschlupf gefunden hatte, bis die Miliz auftauchte. Vielleicht sind sie zusammen geflohen.«

Édith hob ihre Stimme und rief: »Loulou, du brauchst die Tür nicht einzutreten. Ich komme gleich.«

Ins Telefon fügte sie hinzu: »Toulouse wäre gut. Wir sind in ein paar Tagen dort.«

»Das weiß ich doch. Bis dahin werde ich etwas über Norbert Glanzberg herausbekommen haben. Du hast dich wirklich zu einem Zeitpunkt für ihn eingesetzt, als es äußerst gefährlich war. Nicht nur für ihn, sondern auch für dich. Du erinnerst dich sicher noch an die Sache mit Charles Trenet.«

»O ja.« Ein bitteres Lachen entrang sich Édiths Kehle. »Was für eine Albernheit. Und dann dieses Chaos.«

Die Melodie, die der Komponist damals auf der Party in ihrem Hotelzimmer improvisiert hatte, war zu einer Art Leitmotiv ihrer Affäre geworden. Édith mochte den Walzer, seine sich ins Dramatische verwandelnde Dynamik war Ausdruck ihres damaligen Lebensgefühls. Deshalb bat sie Nono immer wieder, das Lied zu spielen. Ihre Tournee ging auch damals für lange Zeit durch Südfrankreich, und sie trafen häufig auf

Künstlerfreunde, darunter auch den jungen Sänger Charles Trenet, der die Freundschaft der Männer mehr schätzte als die der Frauen. Jedenfalls nahm er ein Blatt Papier und schrieb etwas auf, während er neben Édith und dem spielenden Norbert am Klavier stand. Durch eine zufällige Begegnung in Nizza erfuhren sie kurz darauf, dass Trenet einen Titel namens »Tournons, tournons, tournons« bei einem Musikverlag in Nizza als Eigenschöpfung – Text und Musik – angemeldet hatte. Es war Glanzbergs Lied. Édith setzte daraufhin alle Hebel in Bewegung, um die Sache richtigzustellen, die Trenet leichtfertig als Spaß abtat. Es gelang ihr, dass der eigentliche Komponist zu seinem Urheberrecht kam und von dem Musikverlag sogar noch ein Honorar von mehreren tausend Francs erhielt. Kein leichtes Unterfangen im April 1943 – und das für einen Mann, der als Jude praktisch rechtlos war.

»Mach dir keine Sorgen, es wird alles gut«, versprach Andrée. »Ich erledige hier in Paris, was möglich ist, und melde mich, sobald ich Neuigkeiten habe. Toi, toi, toi für heute Abend, Môme.«

»Danke.« Behutsam legte sie den Hörer auf.

Ihr Herz schlug ihr bis zum Halse. Das Gespräch hatte nicht mit dem erhofften Ergebnis geendet, aber es taten sich neue Möglichkeiten auf. Sie fragte sich nur, wie Yves reagieren würde, wenn sie sich auf die Suche nach einem ehemaligen Liebhaber begab. Würde ihr eifersüchtiger Freund ihren Wunsch nach einem Wiedersehen mit dem anderen nicht missverstehen? Na ja, fuhr es ihr durch den Kopf, das gäbe

wohl eine aufregende Abwechslung in unserem festgefahre-
nen Tourneealltag. Außerdem wäre es ihr eine Freude, den
begabten Komponisten und Pianisten wiederzusehen und sich
persönlich davon überzeugen zu können, dass er die Besatzung und Verfolgung gesund überstanden hatte.

»Môme, ich warte auf dich«, schmeichelte Louis hinter der
Tür.

»Ich komme!«

KAPITEL 23

Toulouse

Der Wagen glitt durch einen Märchenwald. Oder zumindest kam die Landschaft, die sie durchquerten, dem sehr nahe. Grüne Hügel stiegen sanft zum Bergmassiv der Pyrenäen an, das sich in der Ferne gleich einem Scherenschnitt gegen den Himmel absetzte. Die kurvige Straße durchschnitt Mischwälder, die wirkten, als habe noch nie ein Mensch seinen Fuß hineingesetzt, Weingärten erstreckten sich an den Kämmen der Hügel, Nebelschwaden stiegen von einem Fluss auf und hüllten die im Winterschlaf befindliche Vegetation ein.

»Kein Wunder, dass hier so viele Kämpfer der Résistance, des Marais und der Guerilla zu Hause sind. Es ist das ideale Rückzugsgebiet für den Widerstand«, stellte Yves fest. Er saß neben ihr im Fond des Autos und blickte aus dem Seitenfenster, als könne er dort noch die vielen, oft spärlich bewaffneten jungen Männer sehen, die nicht nur für ein freies Frankreich gekämpft, sondern auch etliche Flüchtlinge über die nahe Grenze nach Spanien geschmuggelt und ihnen damit das Leben gerettet hatten. »Manchmal«, fügte er leise hinzu, »schäme ich mich, dass ich nichts anderes getan habe, als zu singen.«

»Wer kann schon sagen, welche Taten genug sind?,« erwiderte Édith gedankenverloren. Auftritte mit der Trikolore auf der Bühne, das Singen verbotener Chansons, Hilfe beim Beschaffen gefälschter Papiere und sogar die Rettung eines Juden reichen vielleicht nicht einmal, um dem Vorwurf der Kollaboration zu entgehen. Sie seufzte. »Du hast den Menschen eine Freude bereitet«, erklärte sie. »Das ist ziemlich viel in schlechten Zeiten.«

Er zuckte hilflos mit den Achseln und sah schweigend hinaus.

Die Kurven mündeten in eine Weggabelung, an der ein einsamer Apfelbaum seine kahlen Äste in den Himmel streckte. Louis trat scharf auf die Bremse. »Entschuldigung«, rief er über die Schulter. Der Wagen machte einen Satz und nahm dann den Bogen in eine schmale Nebenstraße.

Édith war buchstäblich in Yves' Arme geschleudert worden. Als sie sich aufzurappeln versuchte, hielt er sie fest umschlungen.

»Die Vorstellung, dass du dich mit deinem alten Liebhaber triffst, gefällt mir nicht.«

»Na und? Er ist ein *alter* und kein *neuer* Liebhaber, und genau deshalb kann er dir vollkommen gleichgültig sein, *chéri*.«

Er knurrte eine unverständliche Antwort und vergrub sein Gesicht in ihrem Haar.

»Ich betrachte Nono als alten Freund«, fuhr Édith fort. »Von Liebe kann keine Rede sein.«

Hoffentlich tauchen niemals die Briefe auf, die ich ihm zuletzt geschrieben habe, fuhr es ihr durch den Kopf. Die sprachen sehr deutlich von Liebe und Begehren, jene Nachrichten, auf die sie damals keine Antwort mehr erhalten hatte und mit denen sie Norbert Glanzberg nichts anderes als eine Freude hatte machen wollen. Ob ihre Gefühle für ihn tatsächlich so leidenschaftlich gewesen waren, konnte sie nicht einmal mehr sagen. Aber wie baute man einen Mann auf, der seit Jahren auf der Flucht war, beständig um sein Leben fürchten musste?

Er war ein aufstrebender junger Filmkomponist gewesen, als er nach der sogenannten Machtergreifung von Berlin nach Paris geflohen war. Es hatte gedauert, bis er in Frankreich hatte Fuß fassen können, doch dann war der Krieg ausgebrochen und sein Leben ein einziges Versteckspiel ohne Hoffnung auf ein Ende geworden. Liebe war in dieser Situation das einzige Mittel zum Überleben, das Édith ihm außer finanzieller Unterstützung hatte geben können. Immerhin hatte er in dieser wunderschönen Landschaft ein Happy End erlebt. Andrée hatte herausgefunden, dass er Antibes Anfang des Jahres verlassen hatte und mit dem Dichter René Laporte zu dessen Familie auf ein Gut bei Varilhes südlich von Toulouse gegangen war. Dort war er zuletzt gesehen worden. Es war ein wunderbar friedlicher Ort, an dem Édith ihn in einem neuen, freien Leben willkommen heißen wollte. Bei diesem Überraschungsbesuch war wahrlich keine Liebe im Spiel, ging es ihr doch eher um puren Selbstschutz und die Hoffnung auf seine Aussage vor der Säuberungskommission.

Rechts und links der Straße erstreckten sich brachliegende Felder, bis Loulou schließlich in eine Einfahrt einbog, die zu einem mehrstöckigen Gutshaus führte. Als er den Motor abstellte, drangen die Geräusche des Bauernhofs bis in den Wagen: das Bellen eines Hundes, das Knacken, mit dem eine Axt Baumstämme durchschlug, die dann mit einem dumpfen Laut zu Boden krachten. Doch da war noch etwas. Es perlten melodiöse Töne an ihr Ohr, und sie kamen aus dem Anwesen.

»Da spielt jemand Klavier«, verkündete Simone, die heute auf dem Beifahrersitz neben Louis saß.

Édith atmete tief durch. »Dann sind wir richtig.« Erleichterung erfasste ihren Körper wie ein warmer Hauch – oder wie ein ganz kleiner Schwindel nach einer Flasche guten Cognac. Sie löste sich aus Yves Umarmung und drückte die Tür auf, noch bevor Louis aussteigen und ihr behilflich sein konnte.

»Das klingt nach Mozart«, stellte sie fest, als sie im staubigen Sand des Vorplatzes stand.

Während er sich aus dem Wagen schälte, fragte Yves beeindruckt: »Woher weißt du das?«

»Jede zweite klassische Melodie, die ein bisschen süßlich klingt, ist von Mozart. Man liegt damit also fast immer richtig«, kommentierte Simone die Klänge aus dem Haus.

»Ach, Momone«, seufzte Édith.

»Ist doch wahr«, rechtfertigte sich ihre Freundin. »Außerdem ist Nono quasi ein Landsmann von Mozart, oder?«

Louis trat vor das Eingangsportal. Bevor er jedoch die Hand zur Klingel hob, schwang die Tür auf. Eine hochgewachsene junge Frau mit blonden Locken trat ihm entgegen. »Sie wünschen?«

»*Bonjour, Madame.*« Édiths Impresario deutete eine kleine Verbeugung an. »Mein Name ist Louis Barrier. Ich bin mit Édith Piaf gekommen, um Monsieur Norbert Glanzberg zu besuchen. Wir haben gehört, er hält sich bei Ihnen auf.«

Bei der Erwähnung von Édiths Namen reckte die Blondine den Hals, um die im Hintergrund Wartende genauer zu betrachten. Sie lächelte ihr zu, ihre Augen flogen kurz zu Yves, dann sah sie wieder den Mann an ihrer Haustür an. »Es tut mir leid, Monsieur Glanzberg ist nicht hier.«

»Das kann nicht sein«, widersprach Édith. In ihrer Stimme klang der Ärger über die Zurückweisung an. Wollte Norbert sich etwa von seiner alten Freundin distanzieren? Hatte er Anweisung gegeben, man möge ihn verleugnen? »Ich höre ihn doch Klavier spielen. Das ist genau sein Stil. Ich höre das, Madame!«

Ein entwaffnendes Lächeln, dann: »Es ist durchaus möglich, dass das sein Stil ist, Madame. Er hat meiner Tochter Maiita Klavierunterricht gegeben. Sie übt gerade. Leider ohne ihren Lehrer. Norbert ist, wie gesagt, abgereist.«

»Abgereist?«

»Ja, Madame Piaf. Heute Morgen. Er wollte nach Paris.«

»Na wunderbar«, kommentierte Yves die Neuigkeit trocken. Édith hatte das Gefühl, die Erde würde schwanken und sich vor ihr auftun. Ihr wurde flau im Magen und gleichzeitig schwindlig. Wahrscheinlich hatte sie die Kritiken über Yves' Auftritt in Toulouse, die endlich hervorragend gewesen waren, mit zu viel Champagner begossen. Der Sekt war schließlich auch sehr gut gewesen, und die genossenen Mengen waren in diesen Zeiten ungewöhnlich. Sie tastete neben sich und griff nach Yves' Arm.

»Wo in Paris können wir Monsieur Glanzberg erreichen?«, erkundigte sich Louis.

»Das weiß ich leider nicht genau. Ich glaube, er wollte zuerst in ein Hotel an der Place de Clichy, wo er vor seiner Flucht einen Koffer deponiert hatte. Vielleicht kennen Sie es ja.«

»An der Place de Clichy gibt es kein Hotel mehr«, meinte Simone.

Die Frau schüttelte bedauernd den Kopf. »Es tut mir leid, dass ich Ihnen nicht weiterhelfen kann.«

»Wenn sich Norbert bei Ihnen meldet, sagen Sie ihm bitte, dass Édith Piaf nach ihm sucht.« Sie stockte, weil es für sie ungewohnt war, in der dritten Person von sich selbst zu sprechen. »Er findet mich ab nächster Woche in Paris im Hotel Alsina.«

»Selbstverständlich werde ich ihm ausrichten, dass Sie hier waren, Madame Piaf.«

Das Klavierspiel brach ab, und eine zarte Mädchenstimme wehte durch die Tür: »*Maman?*«

»Verzeihen Sie, meine Tochter …« Die Hausherrin lächelte entschuldigend und wandte den Kopf ins Innere.

Édith nickte der Frau zu und überlegte, ob sie wohl Norbert Glanzbergs Geliebte gewesen war, entschied sich jedoch dagegen. Sie streckte ihr die Hand entgegen. »Auf Wiedersehen, Madame. Ich denke, Ihre Tochter wird eines Tages eine große Musikerin.« Dann ging sie zu ihrem Wagen zurück.

Yves hielt ihr den Schlag auf. »Und nun?«, fragte er leise.

»Wir bereiten uns auf unser Konzert vor den amerikanischen Soldaten vor«, erwiderte sie. »Was sonst?«

Sie überspielte ihre Ängste und Befürchtungen. Solange sie noch singen durfte, war alles gut.

ZWEITER TEIL
1945

»La vie en rose«

Ohne Liebe ist man nichts.

Édith Piaf

KAPITEL 1

Paris

Édith konnte sich nicht erinnern, wann sie jemals zuvor so viele Stunden am Telefon verbracht hatte wie in den ersten Januartagen. Irgendwann hörte sie auf zu zählen, aber wahrscheinlich rief sie rund hundert Leute an, betrieb hundert Mal alberne Konversation, sprach hundert Einladungen aus und legte nicht auf, bevor sie die Zusage hatte. Ihr Ohr brannte, ihre Schulter und ihr Handgelenk waren steif und schmerzten, weil sie den Telefonhörer fest umklammert hielt und an ihren Schädel presste, als wäre sie schwerhörig.

»Puh!« Tief durchatmend legte sie nach dem letzten Gespräch auf. »Ich weiß nicht, ob ich *tout le monde* erreicht habe, aber fast alle, die wichtig sind, kommen zu meiner kleinen Party ins Le May Fair.« Sie rieb sich zufrieden die Hände und sah lächelnd zu Yves auf, der neben dem Sekretär stand.

Er reichte ihr ein frisch gefülltes Glas Wein. »Du gibst dir so viel Mühe – und es soll noch nicht einmal unsere offizielle Verlobungsfeier sein. Was willst du mit diesem Abend erreichen? Momone hat mir gesagt, dass so ein Empfang viel zu teuer sein wird.«

»Momone hat keine Ahnung, wie das Geschäft läuft.« Édith trank durstig einen Schluck. »Weißt du, in unserem Beruf ist es unendlich wichtig, dass die Menschen über uns reden. Nicht einmal schlechte Kritiken sind so schädlich für einen Künstler wie Schweigen. Deshalb werden wir den Pressevertretern und einigen ausgewählten Freunden drei Wochen vor unserer großen Premiere den nötigen Gesprächsstoff liefern.«

»Dann wirst du ihnen sagen, dass wir heiraten werden?«

Dieser liebenswerte Kerl sucht sich wirklich immer die falschen Momente für das Thema aus, dachte sie. Um ihn nicht zu verletzen, stieß sie so sanft wie möglich hervor: »O *chéri*, nein! Dieses Mal nicht.«

Als er ihren Kommentar stumm und mit unbewegter Miene zur Kenntnis nahm, fuhr sie fort: »Ich werde dich als meinen Bühnenpartner präsentieren. Wir wollen doch die größtmögliche Aufmerksamkeit für unsere Premiere im L'Étoile erreichen.«

»Manchmal fürchte ich, uns beide verbindet nichts anderes als die Bühne«, gab er zu bedenken und klang dabei so traurig, dass seine Stimme ihr ins Herz stach.

»*Ne dis pas des bêtises!*«, widersprach sie energisch. »Rede keinen Unsinn.«

Er lächelte ein wenig hilflos, strich mit dem Daumen zärtlich über ihre Wange. »Es ist ja nicht so, dass ich es anders wollte. Nur ein bisschen ... vielleicht ...« Seine Stimme verlor sich. »Ich werde dich im Le May Fair als meinen Bühnenpartner präsentieren, du bist nun nicht mehr mein Anheizer.« Sie hob die Hand, um seine Finger zu umschließen, die noch immer ihr Gesicht streichelten. »Und ein bisschen«, sie imitierte schmunzelnd seinen Ton, »werde ich dich als denjenigen vorstellen, der der Mann meines Lebens ist.«

Er drehte seine Hand, so dass er nun seinerseits ihre Finger festhielt. Sein Griff war fast grob. »Dann wirst du doch verkünden, dass wir heiraten?«

»Nein, Yves. Was glaubst du, was dann passiert?« Sie machte sich von ihm los und griff nach ihrem halbleeren Glas. »Wenn die Presse von einer Heirat erführe, würde sie sich nicht mehr für unser Programm interessieren. Vor diesem Hintergrund würde unser Auftritt im L'Étoile gänzlich unwichtig. Es sei denn, ich bestreite die Premiere im weißen Brautkleid. Aber das ist nun wirklich nicht meine Absicht. An diesem Abend geht es um uns als Künstler, um unsere Musik, das musst du verstehen.« Sie wandte den Blick von ihm ab und leerte das Glas in einem Zug.

Sein Schweigen dauerte so lange, dass es sie bedrückte.

Glücklicherweise klingelte endlich das Telefon, und sie hob ab. Einen Atemzug später hatte sie ihre kleine Auseinandersetzung vergessen, denn es war Jean Cocteau, der ihr mitteilte, dass er Jacques Prévert zu ihrer Party eingeladen hatte.

»Er schreibt wunderbare Lyrik«, schwärmte Cocteau am anderen Ende der Leitung, »die sich auch für Chansontexte eignet. Die solltest du dir nicht entgehen lassen.«

Noch ein Dichter, dachte sie amüsiert, obwohl sie wusste, dass Prévert eigentlich Drehbuchautor war. Laut sagte sie: »Natürlich werde ich lesen, was immer es von ihm zu lesen gibt.«

»Seine Gedichte erscheinen in verschiedenen Zeitungen. Aber merk dir unbedingt, bitte, dass die Premiere des neuen Films, zu dem er das Drehbuch geschrieben hat, am neunten März stattfindet. *Kinder des Olymp* wird er heißen, und ich sage dir, alle werden ihn sehen wollen.«

»Das trifft sich gut.« Aus den Augenwinkeln beobachtete sie Yves, der ans Fenster getreten war und nachdenklich in den zu dieser Jahreszeit so früh beginnenden Abend sah. Die ersten Lichter flammten auf, die Verdunkelungsvorschriften schienen ihr längst vergessen. Gleiches galt für die einsamen Nächte des vergangenen Winters, in denen Henri sie allein gelassen hatte, um bei seiner Frau zu schlafen. Sie lächelte Yves' Rücken an und dachte, wie glücklich sie sein konnte, dass dieser starke junge Mann in ihr Leben getreten war. Und es spielte überhaupt keine Rolle, *was* sie verband. Hauptsache, es gab da etwas, das sie zu einem Paar machte.

»Am achten März ist unser letzter Abend im L'Étoile«, sagte sie ins Telefon. »Yves und ich haben also am Tag darauf Zeit für einen Kinobesuch.«

Als er seinen Namen hörte, drehte er sich zu ihr um. Er hob fragend die Augenbrauen.

»Zu deiner kleinen Party werde ich dir Préverts Gedicht über die welkenden Herbstblätter mitbringen. Es ist großartig. Ich bin sicher, es wird dir gefallen«, plauderte Cocteau.

»Wenn du es sagst, wird es wohl so sein. Bis zum fünfzehnten Januar im Le May Fair.« Nach einem weiteren liebevollen Abschiedsritual mit etlichen durch das Telefon geschmatzten Küssen legte Édith auf. Sie strahlte Yves an. »Ich glaube, Henris Chansontexte bekommen Konkurrenz.«

»Die hat er doch schon durch dich – so viel, wie du in letzter Zeit geschrieben hast.«

»Ein wenig Abwechslung ist immer erfrischend. Natürlich nur auf der Bühne«, fügte sie grinsend hinzu.

Yves schüttelte den Kopf. »Und schon wieder sind wir bei den Themen, bei denen wir ständig sind: Entweder streiten wir über deine ehemaligen Liebhaber, oder wir reden über unsere Auftritte. Aber keine Rede davon, wie wir den Rest unseres Lebens miteinander verbringen wollen. Die Hochzeit ist vergessen.« Er zog eine Grimasse. »Kennst du diesen Song von Fred Astaire aus dem Film *Swing Time*?« Er begann leise zu singen: »*A fine romance, with no kisses* ...« Nach der ersten Zeile unterbrach er sich und fügte hinzu: »Was uns angeht, würde ich das in *no wedding* umschreiben.«

»Genau deshalb liebe ich dich. Du verlierst nie deinen Humor.« Sie stand auf und lief zu ihm, schlang ihre Arme um seine Taille. »Aber mit Jacques Prévert hatte ich niemals etwas und mit Jean Cocteau auch nicht, der ist einfach nur mein bester Freund.«

»Das weiß ich ja.« Er beugte sich zu ihr hinunter und küsste sie aufs Haar. »Trage niemals dein Haar anders, ich liebe deinen Scheitel«, flüsterte er, als er sich wieder aufrichtete.

Lachend ließ sie ihn los. »Deine Schwester Lydia ist eine hervorragende Friseurin. Sie hat in Marseille wahre Wunder bewirkt. Wenn sie im Februar nach Paris kommt, hoffe ich, dass sie mich vor unserem Auftritt frisiert.«

»Édith, ich versuchte, von uns zu sprechen und nicht wieder von dem Konzert.«

»Von den Konzerten«, korrigierte sie. »Es ist eine ganze Reihe. Wir treten vom neunten Februar bis zum achten März im L'Étoile auf, was im Moment das schickste Musiktheater in Paris ist. Ich will, dass wir ein volles Haus haben. Deshalb gebe ich den Empfang im Le May Fair. Und deshalb«, sie klatschte in die Hände, »werde ich jetzt nach Momone sehen und mit ihr einen Einkaufsbummel machen. Ich brauche ein neues Kleid.«

»Was für ein Kleid?«, fragte er verblüfft.

»Na, eines zum Anziehen. Und dazu Handschuhe, einen Hut ...«

»Du trägst nie einen Hut!«

»Das ist doch egal«, gab sie genervt zurück. Eine Kopfbedeckung zu tragen galt als elegant – und sie hatte das Gefühl, an dem so sorgsam vorbereiteten Abend im Le May Fair Eleganz ausstrahlen zu müssen. Außerdem wollte sie schön für Yves sein. Sie hatte nicht vergessen, wie sehr er sie in dem blaugeblümten Sommerkleid bewundert hatte, das sie damals bei seiner Probe – seinem Vorsingen – trug. Es war eines ihrer schönsten Kleidungsstücke, aber nicht für eine Veranstaltung im Winter gemacht, und einen passenden Ersatz besaß sie nicht. Die wirtschaftliche Situation in Frankreich hatte auch den Inhalt ihres Kleiderschranks dezimiert.

Sie stellte sich in Positur wie ein Mannequin, lief zwei Schritte vor ihm auf und ab. »Also ich brauche ein Kleid, Handschuhe, einen Hut«, wiederholte sie.

»Das ist lächerlich«, murrte er. »Du brauchst nichts. Du bist wunderschön, so wie du angezogen bist ...«

Sie sah an sich hinunter. Der ausgeleierte Pyjama, den sie trug, war gemütlich, aber nichts, um damit ihr Hotelzimmer zu verlassen.

Seine Augen folgten ihrem Blick. »Du gibst schon viel zu viel Geld für diese Party aus. Wenn du dir dazu noch unnötige Sachen kaufst, bist du pleite, Édith. Ich möchte das nicht.«

»Du hast keine Ahnung, was eine Frau braucht«, warf sie ihm entschlossen entgegen, drehte sich um und marschierte zu ihrem Kleiderschrank, um etwas herauszusuchen, das sie für ihren Einkaufsbummel anziehen könnte.

»Ich verbiete es dir«, rief er ihr nach. Dabei klang sein Ton weniger forsch als hilflos. »Die Leute haben nichts zu essen, sie demonstrieren, weil sich die Versorgungslage seit der Befreiung nicht gebessert hat – und in dieser Situation denkst du an Kleider? Und an Hüte? Das geht nicht.«

Sie erschien in dem Durchbruch, ein Bündel Kleidungsstücke im Arm, das sie vor ihre Brust presste. »Nach deiner Logik dürften Menschen, die nur wenig zu essen bekommen, auch keine Theaterkarten kaufen.«

»Hast du nicht selbst gesagt, dass wir ihnen mit unserer Musik eine Ablenkung von ihrem grauen Alltag bieten?«

Sie nickte und zog sich wieder zurück. Es war sinnlos, mit Yves zu diskutieren. Er lebte äußerst sparsam, das wusste sie, und er bat sie niemals um Unterstützung. Vielleicht dachte er in diesen Dingen zu kleinbürgerlich, war noch zu stark von seinen Eltern geprägt, um zu verstehen, dass ihr Geld nichts bedeutete. Die Musik – ja. Auch die Karriere. Deshalb hatte er in diesem Punkt recht. Aber darüber hinaus sprachen Glanz und Schönheit sie an. Ein Vermögen zu besitzen war ihr jedoch noch nie erstrebenswert erschienen. Sie war in der Lage, an einem Tag Tausende von Francs zu verdienen – und die gab sie aus. Oder auch nicht. Was machte schon ein bisschen Ebbe in der Börse, wenn es morgen schon wieder anders aussah?

Während sie sich ankleidete, kam ihr ein Gedanke. Ob sich Simone oder Andrée bei Yves über sie beschwert hatten? Simone sollte die Klappe halten, und ihre Sekretärin sollte ihre Anweisung ausführen, Rechnungen abzulegen und sich um ihren Papierkram zu kümmern. Jedenfalls wollte Édith sich nicht länger den Kopf zerbrechen, sondern sich erst einmal bei dem Einkaufsbummel amüsieren.

Drei Stunden später, dreitausend Francs ärmer und allerbester Laune kamen Édith und Simone ins Hotel zurück. Yves lag angezogen auf dem Bett und las in einem Buch, als die Frauen kichernd in ihr Zimmer stürmten. Es war ihm anzusehen, dass ihn diese geballte Ladung verrückter Hühner nervte, aber es blieb ihm nichts anderes übrig, als Édith zur Begrüßung zu umarmen und ihre stürmischen Küsse zu erwidern. Bevor er aufstehen konnte, hatte sie sich der Länge nach auf ihn geworfen. Ihre Sehnsucht nach seiner körperlichen Nähe war so groß, dass sie sich keine Zeit nahm, ihren Mantel auszuziehen.

»Du schmeckst nach Cognac«, stellte er lächelnd fest und schob sie sanft von sich. Vorsichtig platzierte er das Buch auf dem Nachttisch.

»Wir waren in dieser kleinen Bar an der Place des Ternes, und dann waren wir ...«, hob sie an, stockte und richtete sich auf, um fragend ihre Freundin anzusehen, die an das Bettende getreten war. »In wie vielen Bars waren wir, Momone?«

Simone zuckte mit den Schultern. »Keine Ahnung. Ich habe irgendwann nicht mehr mitgezählt. Es waren so viele, die auf dem Weg lagen.«

»Dreizehn«, erwiderte Édith. »Ich bin sicher, es waren dreizehn.« Sie kicherte, versuchte, nach Yves' Arm zu greifen, der sich ihr entwand und aufstand. »Bestimmt waren es dreizehn. Das ist meine Glückszahl, weil der dreizehnte Oktober der Geburtstag meines Liebsten ist.«

Kopfschüttelnd blickte Yves auf sie hinab. »Was hast du in

dreizehn Bars gemacht? Ich dachte, du wolltest dir ein Kleid besorgen.«

»Oh, ich habe etwas anderes gekauft. Momone, zeig ihm die Handschuhe, die ich erstanden habe.«

»Nur Handschuhe?« Er war baff.

Édith zögerte. Unter seinem durchdringenden blauen Blick wirkte das Ergebnis ihres Ausflugs auf einmal ganz anders als im sanften gelben Licht der abendlichen Straßenbeleuchtung. Außerdem hatten die vielen Gläser, die sie im Laufe der vergangenen drei Stunden getrunken hatte, ein Durcheinander in ihrem Hirn angerichtet, das sich nicht so rasch ordnen ließ.

»Nur ein Paar Handschuhe«, wiederholte sie. Sie hob die Hand. »Wirklich nur das. Ich schwöre es.«

»Dann hast du auf mich gehört und doch nicht so viel Geld ausgegeben ...« Offensichtlich gefiel ihm der Gedanke.

»Wir sind blank«, fiel ihm Simone ins Wort.

Er starrte sie an. »Was? Wieso das?« Auf seiner Nasenwurzel erschien eine steile Falte.

»Bei unserem Einkaufsbummel sind wir an ... wie viele waren es ...? Ich glaube, wir sind tatsächlich an dreizehn Lokalen vorbeigekommen«, gab Simone bereitwillig Auskunft. »Vielleicht waren es auch fünfzehn. Es war überall sehr nett, und die Leute haben sich gefreut, Édith Piaf zu sehen ...«

»Ich bin so glücklich mit dir, *chéri*«, sagte Édith unvermittelt. Sie fiel zurück in die Kissen und streckte die Arme nach Yves aus. »Deshalb möchte ich, dass alle anderen Menschen auch glücklich sind. Ich habe sie alle eingeladen.«

»Môme hat eine Runde nach der anderen geschmissen«, bestätigte Simone. »Das war sehr amüsant.«

»Du hast dreitausend Francs vertrunken?«, vergewisserte sich Yves tonlos.

»Nicht ganz. Da sind ja noch die Handschuhe.« Édith kicherte.

»Bist du verrückt?«, brauste er auf. »Wie kannst du so etwas tun? Du wirfst das Geld zum Fenster hinaus. Das ist unverantwortlich. Du wirst noch als Bettlerin enden, wenn ...«

Sie ignorierte seine Vorwürfe, ließ ihre Finger wie zur Verlockung spielen. »Das ist alles so unwichtig. Komm zu mir, *chéri*, und lass uns glücklich sein.«

»Ich hatte dir verboten, unnötig Geld auszugeben!«

Das Wort *Verbot* brachte eine Saite in Édith zum Klingen, die sie mit einem Schlag klar denken ließ. Zumindest stellte sich ein Gefühl der Ernüchterung bei ihr ein – und Wut. Sie fuhr vom Bett hoch, schwang die Beine herum und sprang auf.

»Was bildest du dir ein?«, schrie sie Yves an. Ihre Stimme bebte, war ganz tief. »Es ist mein Geld, und du hast mir nichts zu verbieten. Das geht dich nichts an!«

Yves ballte die Fäuste, als wolle er sie schlagen und könne sich nur schwer beherrschen. Er öffnete den Mund, sagte aber nichts. Nach einem langen Blick, den er ihr zuwarf wie einen bösen Fluch, drehte er sich ohne einen weiteren Kommentar um und lief hinaus. Die Tür knallte hinter ihm ins Schloss.

Für einen Moment war es so still im Raum, dass ein auf den

Boden fallendes Blatt ihnen in den Ohren gedröhnt hätte. Nach einer Weile kommentierte Simone den Abgang: »Nun ist er weg.«

Mein Gott, fuhr es Édith durch den Kopf, was habe ich gesagt? Sie schlug die Hände vors Gesicht, als ihr bewusst wurde, wie sehr sie wollte, dass ihr Leben Yves etwas anging. Geld war doch viel zu unwichtig, um sich darüber zu entzweien. Das Glück, das sie beide miteinander empfanden, zählte so viel mehr als ein paar Francs. Ihre Finger wurden nass, Tränen rannen in Sturzbächen über ihre Wangen. Gleichzeitig stieg Übelkeit in ihr hoch, und ihr wurde schwindlig. Der Alkohol vertrug sich nicht mit der Aufregung, die sie gerade erlebte.

Sie schüttelte den Mantel mehr ab, als dass sie ihn auszog. Er fiel zu Boden, wo sie ihn liegen ließ. Dann schlüpfte sie aus ihren Schuhen und trottete zu ihrem Bett zurück. Sie weinte, als könne sie nie mehr damit aufhören. Und als sie sich auf die Kissen warf, auf denen noch der Abdruck von Yves' Kopf erkennbar war, schluchzte sie laut auf.

»Nicht traurig sein.« Simone setzte sich auf die Bettkante, strich über Édiths Haar. Es war eine Geste, die sie schmerzlich an Yves erinnerte.

Édiths Hand fuhr hoch und schlug die der Freundin fort. »Lass das! Lass mich in Ruhe! Lasst mich einfach alle in Ruhe.«

Sie vergrub ihr Gesicht in dem Bettzeug, das nach Yves roch. Simone stand auf, doch Édith achtete nicht darauf, wohin die Freundin ging. Es war ihr egal. Nein, eigentlich nicht. Aber es war gerade nicht wichtig. Yves war wichtig. Der Mann, den sie liebte. Der Mann, der sie verlassen hatte. Bei diesem Gedanken musste sie noch mehr weinen. Die Zimmertür klappte erneut, und sie dachte, dass es ziemlich gemein von Simone war, wenn sie jetzt auch noch ging.

»Nur in Hemd und Hose ist es draußen zu kalt. Bei dir ist es wärmer. Édith, ich brauche dich.«

Sie hob ihren Kopf, der schrecklich schwer war. Ein stechender Schmerz durchfuhr sie. Alkohol und Streit vertrugen sich nicht, aber Alkohol und Tränen waren eine Katastrophe. Sie wischte über ihre Augen, versuchte, das Karussell anzuhalten, das sich davor in Bewegung setzte. »Yves«, murmelte sie, als müsse sie sich durch den Klang seines Namens bestätigen, dass er zurückgekommen war.

»Édith, *chérie, mon amour.*« Er ließ sich neben ihr nieder und zog sie an sich. »Mein Alles. Ich will nicht mit dir streiten. Ich will mit dir glücklich sein.«

»Ja«, flüsterte sie unter Tränen. »Ja.«

Sie dachte noch, dass nichts die Luft so sehr reinigte wie ein heftiges Gewitter, und dann küssten sie sich.

KAPITEL 2

»Passen Sie auf, Édith!«, warnte Louis.

Sie blieb auf ihrem Weg durch das Le May Fair überrascht neben ihm stehen. Ihr Impresario lehnte in der Nähe der Bar gegen eine Säule, in jeder Hand einen gutgefüllten Champagnerkelch. Ihr kam es vor, als habe er auf einen Moment gewartet, sie mehr oder weniger allein zu erwischen. Offenbar hatte er sie beobachtet, während sie durch die Reihen ihrer Gäste schritt, lächelte und plauderte, Yves vorstellte, Charme versprühte. Es war ein gelungener Abend, und sie hatte sich innerlich bereits mehr als einmal auf die Schulter geklopft für ihre Idee, diesen Empfang zu veranstalten. Als Louis sie jetzt ansprach und ihr ein Glas reichte, nahm sie die kleine Pause dankbar an.

»Ich mute mir nicht zu viel zu«, erwiderte sie lächelnd. »Aber ich wage vorauszusagen, dass die vier Wochen im L'Étoile ausverkauft sein werden. Machen Sie nicht so ein Gesicht, Loulou, das ist doch großartig.«

»Das meinte ich auch gar nicht. Ich zweifle nicht an dem Erfolg, den Sie haben werden.« Er schüttelte den Kopf. »Haben Sie sich Yves heute Abend angesehen?«

»Natürlich. Ich schaue ihn andauernd an.« Sie lachte, ihre Augen wanderten durch die Menge. Sie fand seinen dichten braunen Schopf, umkreist von Pressevertretern. Yves' hochgewachsene Gestalt fiel immer und sofort auf, er füllte den Raum mit einer Präsenz, die sie stolz machte. Dieser Mann gehört zu mir, dachte sie, zu mir allein. An ihren Impresario gewandt fügte sie hinzu: »Unser neuer Star macht eine gute Figur, nicht wahr?«

»Darum geht es. Seine Präsenz ist atemberaubend. Sie sollten ihm in Ihrem Programm nicht zu viel Platz einräumen.«

»Ach, Loulou, was soll das? Sie wissen doch, dass wir genau das machen werden, was wir in Südfrankreich ausprobiert haben. Aber jetzt klappt es. Da bin ich ganz sicher. Yves ist hervorragend, und nach heute Abend wird ihn niemand mehr mit Steppschuhen und Hillbilly-Songs auf der Bühne erwarten, die Leute sind vorgewarnt.« Sie grinste verschmitzt und hob ihr Glas, um auf den erwarteten Erfolg zu trinken.

Eine Weile lang blieb ihr Louis eine Antwort schuldig. Auch er betrachtete das Treiben, tauchte mit seinen Gedanken offenbar ein in den Geräuschpegel, das Stimmengewirr, Lachen und Gläserklingen. Dann schüttelte er noch einmal den Kopf, bevor er sagte: »Wenn das so weitergeht, wird er Ihnen gefährlich, Édith.«

»Ach was! Ich möchte unbedingt, dass Yves' Talent entdeckt wird und er die Karriere macht, die er verdient.« Sie berührte zur Unterstützung ihrer Worte leicht Louis' Arm. »Ein Monsieur Piaf, der mich auffrisst, ist noch nicht geboren. Keine Angst.«

»Wer ist noch nicht geboren?«, fragte eine wohlbekannte Männerstimme in ihrem Rücken.

»Henri!« Édith streckte sich Contet entgegen, drehte dabei jedoch so schnell den Kopf, dass er den Kuss, den er offenbar auf ihrem Mund zu platzieren beabsichtigte, auf ihre Wange drücken musste.

»Môme meint, der Mann, der ihr gefährlich werden kann, ist noch nicht geboren«, antwortete Louis.

Henris Augen wanderten über ihre strahlende Erscheinung. »Bisher kenne ich nur eine ganze Reihe Männer, denen Édith gefährlich wurde. Meine Person eingeschlossen.« Sein Ton war für eine Feier wie diese zu ernst, sein Blick zu traurig. »Ich vermisse dich«, fügte er leise hinzu.

»Ich werde immer für dich da sein.« Sie lächelte ihm zu. »Nur nicht mehr so wie früher.«

»Freunde«, knurrte er. »Ich weiß. Wenn ich daran denke, dass ich es auch noch war, der dir Yves Montand vorgestellt hat ... Das ist nicht fair.«

Seine so offen zur Schau gestellte Traurigkeit und Eifersucht berührten Édith. Sie wollte Henri jedoch nicht darauf hinweisen, dass es auch ganz und gar nicht »fair« war, wie er sie mit seinen Versprechungen vertröstet hatte. Immerhin war er nicht allein, sondern hatte seine Doris.

»Wir werden immer Freunde sein.« Sie legte all die Aufrichtigkeit, zu der sie fähig war, in ihre Worte. »Und wie sollte ich in meiner Musik je auf dich verzichten können? Du schreibst viel zu gute Texte.«

Henri schmunzelte und verneigte sich in gespielter Ehrfurcht vor ihr. »Ich habe eben Jacques Prévert an der Tür getroffen. Willst du dir jetzt ein neues Image zulegen und intellektuelle Chansons singen?«

»Unsinn. Nein. Allerdings ...«, sie neigte in einer nachdenklichen Pose den Kopf, »ich habe ein Gedicht von ihm gelesen über welkende Herbstblätter, das mir durchaus gefällt. Aber im Moment habe ich ein Programm, und dabei bleibt es. Das habe ich Loulou eben auch schon erklärt.«

Durch die Bewegung hatte sich ihr Blickwinkel verändert, und nun bemerkte sie Yves' Agenten, der sich ein wenig abseits angeregt mit dem Regisseur Marcel Blistène unterhielt. Sie nickte in Richtung der beiden. »Loulou, wachen Sie doch bitte ein wenig über die Unterhaltung von Monsieur Audiffred und Monsieur Blistène. Ich habe Yves für eine Rolle in meinem neuen Film vorgeschlagen und möchte, dass er die auch sicher bekommt.«

Schweigend beobachteten Édith und Henri, wie Louis ohne einen weiteren Kommentar oder gar Widerspruch abzog. Während sie ihm nachsah, wanderten ihre Gedanken fünf Jahre zurück in die im Südwesten von Paris gelegenen Filmstudios in Boulogne-Billancourt. Die Gesichter ihrer Gäste im Le May Fair verschwammen mit ihrer Erinnerung an die Menschen am Drehort, die gedämpfte Beleuchtung der Feier verwandelte sich in das grelle Licht der Scheinwerfer, das Stimmengewirr wurde zu einem donnernden: »*Montmartre-sur-Seine*, Szene drei, die Erste!«

Es war etwas völlig anderes, auf einer Bühne zu stehen und sein musikalisches Programm vorzutragen, als vor einer Kamera eine Rolle zu spielen, selbst wenn es die Rolle einer Sängerin war. Édith war vor vielen Jahren schon einmal in diesen Ateliers gewesen. Ganz am Anfang ihrer Karriere hatte sie ein Lied in einem Film singen dürfen, sonderlich aufgefallen war sie als Nachtclubsängerin in dem Streifen La Garçonne *allerdings nicht. Das war nun anders: Sie spielte die Hauptrolle. Und sie liebte es. Nun gut, die Studios waren ihrem Herzen nicht ganz so nah wie die Musiktheater mit ihren Hunderten von Zuschauern, aber es war eine großartige Erfahrung für sie. Ihre Gefühle schwankten zwischen Neugier, Aufregung und Begeisterung.*

Sie musste lernen, sich richtig zu bewegen, zu sprechen – und es war etwas anderes, allein auf einer großen Bühne zu stehen als in einer Kulisse, die höchstens ein paar Quadratmeter maß, in der sie sich jedoch benehmen sollte, als wäre es derselbe Ort. Paul Meurisse brachte ihr alles bei, was sie wissen musste. Der

Bankierssohn, der seine Familie verlassen hatte, um sich ganz seiner Kunst widmen zu können, und nicht nur ein Star geworden war, sondern auch Édiths Liebhaber und Lebensgefährte. Er löste damit ihren Mentor Raymond Asso ab. Hatte der eine sie ins ABC gebracht, so brachte sie der andere zur Société Universelle de Films.

Nachdem die Szene im Kasten war, tauchte eine Maskenbildnerin an ihrer Seite auf. Sie hob gerade die von Édith ungeliebte Puderquaste, als ein Aufnahmeleiter vor sie trat. »Madame Piaf«, begann er vorsichtig, »haben Sie einen Moment Zeit?«

Édith nickte. »Warten Sie bitte«, wies sie die Frau mit den Make-up-Utensilien an, dankbar, der erwarteten Wolke aus Puder vorerst entfliehen zu können. Dann drehte sie sich zu dem jungen Mann um: »Was kann ich für Sie tun?«

»Hier ist ein Herr, der Sie sprechen möchte. Ein Journalist. Er kommt von der Zeitung Paris-Midi und würde Ihnen gern ein paar Fragen stellen.«

»Wenn er keine Angst hat, etwas von meiner Schminke abzubekommen, spreche ich gern mit ihm.« Sie lachte fröhlich. »Wie heißt Monsieur Le Journaliste denn?«

Die Scheinwerfer waren noch nicht ausgestellt und blendeten sie. Deshalb hatte sie nicht gesehen, dass der Reporter schon zu der kleinen Gruppe, in deren Mitte sie stand, gestoßen war. Sie hörte nur seine weiche, warme Stimme, bevor sie seine Gestalt als Schattenriss wahrnahm: »Mein Name ist Henri Contet.«

Édith war nicht aufgefallen, dass sie völlig in ihrer Erinnerung versunken war. Erst als Henri bemerkte: »Du willst alle Fäden in der Hand halten und überlässt nichts dem Zufall, nicht wahr?«, sah sie ihn wieder an.

»Warum sollte ich das nicht?«

»Du hast dich sehr lange nicht mehr für den Film interessiert. Warum jetzt?«

Die Anspannung, die sie kurz ergriffen hatte, fiel von ihr ab. »Was meinst du wohl?«, antwortete sie lachend mit einer Gegenfrage, bevor sie erklärte: »Marcel Blistène hat mir ein Drehbuch geschickt, und ich finde die Geschichte eines Films im Film ziemlich interessant. Ich habe ihm gesagt, dass ich einverstanden bin, die weibliche Hauptrolle in *Chanson der Liebe* zu spielen, aber nur, wenn Yves auch dabei ist. Das ist alles. Vielleicht möchtest du ja die Chansontexte schreiben. Wir sind schließlich ein gutes Team.«

Er ignorierte ihren Vorschlag ebenso wie ihr Kompliment. »Liebst du ihn so sehr, Édith? Oder ist dein Wunsch, seine Karriere zu steuern, so groß?«

»Wer weiß? Hast du jemals George Bernard Shaw gelesen, Henri?« Sie wartete seine Antwort jedoch nicht ab, sondern fügte hinzu: »Wenn ja, wüsstest du, wie man sich so fühlt als Pygmalion.«

Er sah sie eindringlich an, dann antwortete er: »Das Problem ist wohl das Ende von ›Pygmalion‹: Professor Higgins wird von Eliza verlassen, obwohl er eigentlich nicht mehr ohne sie leben kann. Bedenke das.«

Für einen kurzen Moment stockte ihr der Atem. Henri hatte natürlich recht, aber dass ausgerechnet er diesen Stachel in ihr Herz trieb, war nicht besonders nett. Aber vielleicht verständlich in seinem Zustand des Liebeskummers. Sie beschloss, ihm den Wink nicht zu verübeln. Dennoch hatte sie nun keine Geduld mehr mit ihm.

Sie setzte ihr Glas an und trank den Rest Champagner darin in einem Zug aus. »Sei so gut, und verdirb mir nicht den Abend, *chéri*!« Damit ließ sie ihn stehen und tauchte in die Menge ein, um an Yves' Seite zu gelangen.

KAPITEL 3

Die Polizei kam in der Morgendämmerung.

Édith und Yves waren noch wach, aber sie trug bereits ihren Pyjama, darüber eine Strickjacke und einen Morgenmantel gegen die Kälte und versuchte, sich mit einem dreifachen Cognac zusätzlich warmzuhalten. Sie waren fast die halbe Nacht im Théâtre de l'Étoile geblieben, hatten geprobt, umgestellt, geprobt, waren wieder auf Anfang gegangen. Zwei Tage vor der Premiere war die Nervosität nicht nur bei Yves enorm, sondern bei Édith ebenso. Als sie von der Avenue de Wagram ins Hotel Alsina fuhren, fühlte sie sich trotz der stundenlangen Mühen und Experimente auf der Bühne hellwach. In ihrem Zimmer überkam sie dann plötzlich bleierne Müdigkeit, doch an Schlaf war noch immer nicht zu denken. Vor allem nicht, weil sich Yves die Blätter mit seinen Chansontexten vom Sekretär nahm und zum erneuten Studium in einen Sessel fallen ließ, statt mit ihr ins Bett zu gehen. Dabei war die Liebe ihrer Ansicht nach das beste Mittel sowohl gegen Schlafstörungen als auch gegen Lampenfieber.

Ein mit Branntwein gutgefülltes Glas in der Hand, wanderte Édith im Zimmer auf und ab, als wisse sie nicht, wohin sie gehörte. Yves sah ein- oder zweimal auf, warf ihr einen strafenden Blick zu, sagte aber nichts und kümmerte sich wieder um sein Repertoire. Ihre Ruhelosigkeit störte ihn, keine Frage, dennoch fand sie nicht die Kraft, sich zurückzuziehen. Sie dachte gerade darüber nach, ob sie ihn weniger subtil von seiner Arbeitssucht ablenken könnte, als das Telefon klingelte. Das Schrillen erschreckte sie so sehr, dass sie zusammenzuckte und etwas von dem kostbaren Getränk verschüttete.

»Meine Güte, Môme, geh doch ran«, forderte Yves gedankenverloren. Er sah nicht auf, seine Lippenbewegungen deuteten darauf hin, dass er stumm ein Chanson sang.

Seltsamerweise fühlte sie sich wie erstarrt. »Wer ruft denn um diese Uhrzeit an?«

»Wahrscheinlich all die Leute, die dich sonst auch immer mitten in der Nacht anrufen«, erwiderte Yves. Abwesend legte er die Blätter zur Seite und sprang auf. Mit langen Schritten durchquerte er das Zimmer, trat an den Sekretär und nahm den Telefonhörer ab: »*Âllo, c'est qui?*« Dann schwieg er.

Durch den Hörer vernahm sie einen Mann, aber sie konnte weder eine bekannte Stimme ausmachen noch verstehen, was gesprochen wurde. Yves' Gesichtsausdruck verwandelte sich.

Er wirkte nicht mehr in sich gekehrt und über die Störung verärgert, sondern hellwach, irgendwie alarmiert. In Erwartung schlechter Nachrichten leerte sie ihr Glas in einem Zug.

»Das war der Portier«, sagte Yves und legte bedächtig auf, als müsse er sich vergewissern, dass das Gespräch tatsächlich durch das Herunterdrücken der Gabel beendet war. »Die Polizei steht unten und möchte dich sprechen.«

Sie sah auf ihr Glas und bedauerte, bereits alles ausgetrunken zu haben. »Was wollen Sie?«

»Keine Ahnung.« Yves fuhr sich in einer nervösen Geste durch das Haar. »Sie haben beim Portier nach deiner Zimmernummer gefragt und sind jetzt auf dem Weg zu uns.«

Jede weitere Frage war unnötig. Seltsamerweise konnte sie sich nicht rühren. Sie fühlte sich zur Salzsäule erstarrt. Eine Chansonsängerin aus Marmor, die erwartete, dass man sie mit Schmutz bewarf. Weder Andrée noch sie selbst hatten in der Zwischenzeit Nachricht vom Säuberungskomitee erhalten, es gab Gerüchte, dass demnächst die ersten Gerichtsprozesse gegen Kollaborateure stattfinden sollten. Norbert Glanzberg, den sie gehofft hatte als zusätzlichen Zeugen benennen zu können, war auch noch nicht aufgetaucht. Sie hatte die Augen vor der Realität verschlossen und so getan, als sei sie unantastbar. Doch offenbar war es damit nun vorbei. Ein kräftiges Klopfen gegen die Zimmertür bestätigte dies.

Yves öffnete und trat unverzüglich zur Seite, um zwei Uniformierte einzulassen.

»Mademoiselle Gassion?«, fragte der Ältere von beiden.

»Édith Piaf«, murmelte sie.

Der Polizist nickte und verbeugte sich leicht. »Wir sind gekommen …«

»Sparen Sie sich die lange Rede«, fuhr sie auf. Sie besaß weder Geduld noch Nerven für Geplänkel. »Tun Sie Ihre Arbeit, und verhaften Sie mich. Dann haben wir es wenigstens hinter uns.«

»Verhaften? Aber, Mademoiselle Gassion …« Der jüngere Beamte trat verlegen von einem Bein auf das andere. »Madame Piaf, wir sind gekommen, weil wir Ihnen eine schlechte Nachricht überbringen müssen.«

Werden Vorladungen für Gerichtsverfahren heutzutage durch die Polizei überbracht?, fragte Édith sich. Dann schüttelte sie den Kopf, als müsse sie den Gedanken vertreiben. Stumm wartete sie ab.

»Was für schlechte Nachrichten?«, fragte Yves.

Der Ältere fuhr zu ihm herum. »Wer sind Sie?«

»Yves Montand, der Verlobte von Mademoiselle Piaf.«

Sie atmete tief durch, sagte aber nichts zu seiner Behauptung.

»Gut, dass Sie da sind. Es ist immer wichtig, einen nahestehenden Menschen bei sich zu haben, wenn die eigene Mutter verstorben ist«, meinte der jüngere Beamte. Als er bemerkte, dass er anscheinend zu viel gesagt hatte, biss er sich auf die Lippe.

Édith hatte genug gehört. Sie schnappte nach Luft. »Meine Mutter ist tot?« wiederholte sie ungläubig. Irgendwie hatte sie immer angenommen, dass Hexen unsterblich waren.

»Unser Beileid, Madame«, begann der Ältere nun in einem Ton, der wohl in jahrelanger Erfahrung eingeübt war. Er zog einen Zettel aus seiner Brusttasche, da er sich den Namen der Verstorbenen anscheinend nicht merken konnte: »Annetta Giovanna Maillard, verheiratete Gassion, bekannt auch unter dem Namen Line Marsa …« Er hob den Kopf, sah sich einen Moment im Zimmer um, dann blickte er Édith an. »Das ist doch Ihre Mutter, nicht wahr?«

Sie nickte stumm.

»Madame Gassion ist in einem Stundenhotel in der Nähe der Place Pigalle tot aufgefunden worden. Der Mann, der sie fand, meinte, sie habe wohl eine Überdosis Morphium konsumiert. Sie wurde in eine Leichenhalle gebracht. Mehr konnten wir nicht tun. Es tut mir leid.«

Das Zimmer begann sich um Édith zu drehen. Sie hob das Glas in ihrer Hand an ihre Lippen, obwohl es längst ausgetrunken war, saugte einen verbliebenen Tropfen Cognac vom Rand. Es war seltsam, dachte sie. Die Nachricht machte sie betroffen, ja, aber sie erschütterte sie nicht. Eigentlich empfand sie nichts. Keine Trauer. Kein Bedauern. Da war Leere, aber ganz sicher kein Gefühl des Verlusts. Édith war zwei Monate alt gewesen, als diese Frau, die sich als ihre Mutter bezeichnete, sie verlassen hatte. Dennoch war sie nie ganz aus ihrem Leben verschwunden, sie war immer aufgetaucht, wenn sie eine Möglichkeit suchte, ihr Kind auszunehmen. Auszupressen, korrigierte sich Édith in Gedanken. Wie eine Zitrone. Annetta brauchte Geld für ihre Liebhaber – und für das

Rauschgift, das sie konsumierte. Daher war ihr Ende nicht einmal überraschend. Und doch hatte sie es geschafft, Édith selbst in diesem letzten Moment noch einmal in Angst und Schrecken zu versetzen.

Yves war neben Édith getreten und legte den Arm um ihre Schultern. »Danke, dass Sie uns benachrichtigt haben, *Messieurs*. Was kann Madame Piaf jetzt tun?«

»Die Leiche ist nicht beschlagnahmt, Sie können die Beerdigung veranlassen.«

»Gut.« Yves nickte beflissen. »Das werden wir tun.«

»Nein!« Édith wunderte sich selbst über den scharfen Klang ihrer Stimme. »Ich werde Henri bitten, sich darum zu kümmern.«

Yves' Arm sank von ihrer Schulter. »Henri Contet? Warum willst du, dass der die Beisetzung organisiert?«

»Henri hat Übung darin. Er hat auch für das Begräbnis meines Vaters gesorgt.« Ein wenig überrascht stellte sie fest, dass wieder Leben in ihre Glieder kam. Erleichterung erfasste sie. Die Polizisten waren nicht gekommen, um sie zu verhaften. Auf gewisse Weise hatten sie sogar das Gegenteil getan – sie befreiten sie. Vorsichtig stellte sie das Glas neben sich auf dem Fensterbrett ab, um mit ausgestreckter Hand auf die beiden Uniformierten zuzugehen. »Bitte hinterlassen Sie beim Portier die Adresse der Leichenhalle. Ein Freund – Henri Contet – wird sich der Angelegenheit annehmen. Leben Sie wohl.«

»Wenn ich vielleicht ein Autogramm …«, hob der Jüngere

an, brach jedoch ab, als ihn sein Kollege mit dem Ellenbogen in die Seite stieß.

Höfliches Nicken, dann schloss Yves die Tür hinter den beiden Besuchern. »Es tut mir sehr leid«, sagte er, als er sich zu Édith umwandte. Er sah sie bekümmert an. »Jetzt sind deine Eltern beide nicht mehr da. Das muss ein großer Verlust für dich sein.«

Sie schüttelte den Kopf, wagte ein kleines Lächeln. »Nein. Ich fühle nichts dergleichen. Meinen Vater habe ich auf gewisse Weise trotz allem geliebt, er hat sich wenigstens, so gut er es vermochte, um mich gekümmert, als meine Mutter es nicht tat. Ihr war ich von Anfang an vollkommen gleichgültig. Weißt du, sie war niemals auch nur annähernd so nett zu mir wie deine Mamma.«

»Meine Familie wird immer auch deine Familie sein«, versprach er feierlich. »Egal, was passiert.«

KAPITEL 4

Die Avenue de Wagram war eine der breiten Straßen, die von der Place de l'Étoile abging. In der Regel gab es hier freie Durchfahrt, doch an diesem Abend staute sich der Verkehr: Die Wagenkolonnen schoben sich an den Haussmann-Bauten vorbei, Scheinwerfer strichen die Fassaden entlang, vor dem Théâtre de l'Étoile stiegen elegante Herrschaften aus ihren Automobilen, noch mehr Zuschauer strömten von der Métro-Station in das Theater.

Édith stand an einem der Fenster des Direktionsbüros und blickte hinaus. Sie konnte das Treiben von ihrem Aussichtsposten zwar nicht sehen, aber sie wusste, dass sie sich direkt über dem Plakat befand, das die Premiere ankündigte und auf dem – entsprechend ihrem Wunsch – die Namen *Édith Piaf* und *Yves Montand* in derselben Größe gedruckt waren. Offensichtlich zogen sie eine Menge Leute an. Heute Abend gab es nicht einmal mehr ein Mäuseloch, das nicht wenigstens als Stehplatz verkauft worden war, tausendfünfhundert Karten befanden sich in Umlauf, und Édith hatte gehört, dass auch der Vorverkauf für die nächsten Vorstellungen sehr vielversprechend war. Bis hierhin konnte es nicht besser laufen, jetzt galt es, Yves' Höhenflug den letzten Schliff zu verleihen.

Sie wandte sich ab, durchquerte die leeren Verwaltungsräume, ihre Absätze klapperten auf den Stufen im Treppenhaus. Hinter der Bühne herrschte deutlich mehr Betrieb. Sie grüßte die Musiker, die ihre Instrumente stimmten, lief auf der Suche nach Yves an Bühnenarbeitern vorbei. Aus dem Parkett wehte das Stimmengewirr der Zuschauer zu ihr, irgendwo schallte das erste Läuten.

Schließlich sah sie ihn, verborgen hinter einem Schal des Bühnenvorhangs, in tiefste Konzentration versunken. Sicher ging er sein Programm noch einmal Takt für Takt durch. Was hatte sie für einen Perfektionisten aus ihm gemacht!

»*Chéri* ...«

Verstört, weil so abrupt aus seinen Gedanken gerissen, blickte er auf, fasste sich aber sofort. »Gut, dass du da bist. Ich wollte dich fragen, wie ich diesen komischen Teil mit ›Gilet rayé‹ angehen soll. Meinst du, ich sollte das Tempo verändern?«

»Mach dir keine Gedanken, wir haben dieses Programm bis zum Umfallen probiert und auf Tournee durchgespielt – es sitzt.« Sie nahm seine Hand und legte sie auf ihr Dekolleté, wo das kleine goldene Kreuz an einer Kette hing. Seine Finger waren kalt. »Auch wenn du nicht an die Kraft der heiligen Thérèse von Lisieux glaubst, solltest du dich dieses eine Mal ihrer Hilfe versichern.«

»Wir waren doch heute in der Kirche«, protestierte er. »Reicht das nicht?«

»Man kann nicht um genug Beistand bitten.«

Er beugte sich vor und hauchte einen Kuss auf ihren Hals. »Du bist meine Heilige«, flüsterte er, als er sich aufrichtete und sein Mund ihr Ohr streifte.

»Versündige dich nicht«, warnte sie, strafte ihre strengen Worte mit einem Lächeln jedoch Lügen. »Toi, toi, toi, Yves!«

»Für dich auch, Môme.«

Zehn Minuten später stand nicht Yves auf der Bühne, sondern Édith. Sie wusste, dass sie ihn damit überraschte, aber es war eine spontane Entscheidung, die sie diesen ungewöhnlichen Schritt vor den Vorhang machen ließ. Mit der Hilfe eines Technikers hatte sie sich durch die roten Samtportieren gewunden. Und nun stand sie da, ganz allein im Scheinwerferlicht vor einem Publikum, das hauptsächlich ihretwegen gekommen war, ihr Herz voller Liebe für den Mann, der gleich auftreten und seine berufliche Zukunft ersingen sollte. Sie blickte in das Parkett, ließ die Augen in die Ränge des im Empirestil erbauten Theatersaals wandern, fast geblendet machte sie eine dunkle Masse aus, hier und da war ein Gesicht erkennbar. Seit sie hinausgekommen war, herrschte erstaunte Stille. Es war das erste Mal, dass Édith Piaf ihren Anheizer ansagte.

Sie trommelte mit dem Finger zart auf das Mikrophon. Das erhoffte Echo ertönte.

»Guten Abend, meine Damen und Herren«, rief sie. »Ich freue mich sehr, dass Sie so zahlreich gekommen sind. Es ist mir eine große Freude, Ihnen heute hier in Paris den Mann vorzustellen, der mich seit Monaten schon begleitet. Bitte, bereiten Sie ihm ein herzliches Willkommen. Hier ist für Sie ...«, sie legte eine kleine Pause ein, warf einen kurzen Blick über ihre Schulter, um sich zu vergewissern, dass sich der Vorhang öffnete, und hob die Stimme, um jede Silbe seines Namens laut zu betonen: »Yves Montand.«

Beifall brandete auf.

Nicht schlecht, registrierte sie, während sie abging. So viel Applaus gab es in der Provinz nicht. Oder galt die Begrüßung dem Abschied ihrer Person und nicht dem Auftritt ihres Partners? Egal. Das Publikum würde nicht aufhören zu klatschen, weil Yves langsam, wie sie es ihm beigebracht hatte, über die Bretter zum Mikrophon schritt. Die Leute machten im selben Rhythmus weiter und trugen ihn damit durch den Beginn seines Programms.

Hinter der Bühne wartete Louis auf sie. »Das war ein guter Anfang, Édith. Wenn das heute klappt, hat Yves Ihnen seine Karriere zu verdanken.«

»Etwas anderes habe ich nie beabsichtigt.«

»Sie sollten als Impresario arbeiten. Sie machen mich überflüssig.«

Sie hakte sich bei ihm ein. »Unsinn, Loulou, Sie sind sehr wichtig für mich. Kommen Sie, lassen Sie uns in den Zuschauerraum gehen. Ich möchte mir Yves von der Loge aus ansehen, die wir für seine Familie reserviert haben.«

Obwohl sie natürlich unmittelbar nach ihm auftreten musste, blieb sie bis zum letzten Takt. Statt sich auf ihr Programm vorzubereiten, sah und hörte sie Yves zu und nahm gleichzeitig jede Regung im Parkett auf. Trotz der Erfahrungen auf ihrer gemeinsamen Tournee hatte sie ihn noch nie in dieser Stimmung erlebt. Er schien von einer Welle der Begeisterung getragen, die von ihm selbst ausging und sich auf die Zuschauer übertrug. Seine körperliche Wirkung war atemberaubend. Hatte er vor ein paar Monaten im ABC noch am Rand der Lächerlichkeit gestanden, so war er jetzt der Bühnenlöwe, der alles dominierte und den Spieß umdrehte: Er war der Dompteur, der die Menschen jubeln ließ. Und er hatte zu einem eigenen Stil gefunden, der ihn zu mehr machte als nur zum Schüler Édith Piafs. In Orléans, Lyon und den anderen Städten war er zeitweise eine männliche Kopie von ihr gewesen, heute Abend war er ganz er selbst, der Chansonnier, der sich bei der Probe im Moulin Rouge damals in ihr Herz gesungen hatte.

»Édith«, raunte Louis, »Sie müssen hinter die Bühne.«

Sie kannte sein Repertoire auswendig und wusste, wann sein letztes Lied erklang. »Noch nicht.«

Das Publikum raste. Donnernder Applaus schloss Yves'
Programm ab. Édith atmete tief durch, ihr Herz begann im
Rhythmus des Beifalls zu klopfen. Aus den Augenwinkeln
blickte sie zu seiner Mutter und seiner Schwester. Selbst bei
der spärlichen Beleuchtung konnte sie die geröteten Wangen
und leuchtenden Blicke erkennen. Beide beugten sich auf der
Brüstung vor und klatschten, bis ihnen wahrscheinlich die
Finger brannten. Tränen traten in Édiths Augen, als sie die
Liebe spürte, die aus dieser Begeisterung sprach. Eigentlich
brauchte Yves die Bühne gar nicht als Bestätigung oder Zuwendung. Er war ein glücklicherer Mensch als sie, die ihn an
diesen Ort und zu diesem Erfolg gebracht hatte.

Dreizehn Vorhänge hatte Édith gezählt. Dreizehnmal hatte
der Applaus Yves auf die Bühne zurückgeholt. Ich wusste es
doch, fuhr es ihr durch den Kopf, während sie zählte und mit
den anderen klatschte, dreizehn ist unsere Glückszahl. Nun
kann nichts mehr schiefgehen.

Ohne sich in ihrer Garderobe noch einmal frisch zu machen, trat sie schließlich auf. Ungeschminkt und ohne BH, wie
immer, routiniert – und glücklich wie selten. Der eigentliche
Star des Abends, der sich den Thron nun würde teilen müssen,
aber dabei fast überlief vor Liebe. Sie stand im Scheinwerferkegel in ihrem schlichten schwarzen Kleid, jener Bühnengarderobe, die Raymond Asso einst für sie ausgesucht hatte, eine

Frau, die durch ihre Stimme vergessen ließ, dass sie nicht einmal eineinhalb Meter maß. Wie immer fühlte sie sich getragen von der Musik wie ein Delphin auf einer Welle. Sie war in ihrem Element. Aber zum ersten Mal spürte sie gleichzeitig den Stolz nicht nur auf das, was sie als Diseuse leistete, sondern auch auf das, was Yves heute Abend erreicht hatte. Sie hatte einen hoffnungslosen Anfänger in einen wundervollen Chansonnier verwandelt. Ihr Plan hatte funktioniert. Sie fühlte sich wie erlöst.

»Wo kommen nur diese vielen Blumen her?«, wunderte sich Édith zwei Stunden später. In ihrer Garderobe schien es keinen freien Fleck mehr zu geben, auf den noch eine Vase oder ein Topf gepasst hätte. »Meine Güte, wir haben Februar ...«

»Und es ist noch Krieg«, warf Simone ein.

»Ja, das auch, aber davon will ich im Moment nichts hören.« Édith wedelte mit der Hand, als wolle sie die negative Aura, die ihre Freundin heraufbeschworen hatte, verscheuchen. »Ich sage ja auch nicht, dass es hier wie auf einem Friedhof aussieht. Aber was soll ich nur mit so vielen Blumen machen? Ich kann sie doch unmöglich mit ins Hotel Alsina nehmen.«

»Du könntest diesen Urwald der heiligen Thérèse von Lisieux spenden«, schlug Yves vor. Er zog aus einem Gesteck eine rote Rose und reichte sie ihr. »Bis auf die hier, die ist von mir.«

Édith brach in schallendes Gelächter aus. »Nein, die ist nicht von dir, sondern ...«, sie hielt inne, griff nach der Karte, die mit dem Bouquet geliefert worden war, »von Madame und Monsieur Raoul Breton. Das sind meine Musikverleger, und sie sind sehr wichtig.«

»Nicht so sehr wie ich«, behauptete er grinsend. »Weißt du, ein Strauß Rosen ist eine Geste der Höflichkeit, eine etwas altmodische Verbeugung vor einer großartigen Künstlerin, aber auf gewisse Weise auch ein Zeichen der Beliebigkeit …« Er unterbrach sich, wartete ihre Reaktion ab.

»Aha«, machte sie nur und biss die Zähne zusammen, um nicht wieder zu lachen.

»Eine einzige Rose ist eine Geste der Liebe. Sie sagt mehr als tausend Worte – oder tausend Rosen.«

»Das hast du schön gesagt«, meldete sich Simone aus dem Hintergrund.

Édith hörte nicht auf die Freundin. Die Worte von Yves hallten in ihr nach, während sie die Rose zwischen ihren Fingern drehte. Das Leben kann wie eine Rose sein, sinnierte sie. Dann leuchtet es in denselben Farben wie ein romantischer Sonnenuntergang. Wenn sie ihre Gefühle vorhin auf der Bühne beschreiben müsste, als sie sich von der Musik, dem Licht und ihrem Publikum wie umarmt gefühlt hatte, käme ihr dieser rosarote Ton in den Sinn. Wie das Leuchten ihrer Liebe zu Yves. Sie sah zu ihm auf, ließ seinen Blick nicht los und versuchte, ihm auf diese Weise all das zu sagen, was ihr gerade durch den Kopf ging.

»Hmmm …«, Simone räusperte sich.

Plötzlich flog die Tür zu Édiths Garderobe auf, und ohne

anzuklopfen, stürmte Louis atemlos herein. »Es ist unglaublich. Die Polizei muss den Verkehr vor dem Bühneneingang
regeln, weil so ein Andrang herrscht. Alle Welt will Sie und
Yves sehen, Édith, und die Presse ist auch da. Sie beide werden
morgen bestimmt auf den Titelseiten aller Zeitungen zu sehen
sein.«

Édith nickte. »Na, dann wollen wir uns mal in das Getüm-
mel stürzen.«

»Warte!« Yves nahm das Rosenbouquet des Ehepaares Breton und legte es in ihren Arm. »Auf den Fotos macht sich das
trotz allem besser als eine einzige Rose.«

»*Voilà!*«, gab sie lächelnd zurück. »Jetzt hast du verstanden,
worum es geht.«

Auf den Fotos der Aufmacherseiten waren am nächsten Tag
nicht Édith Piaf und Yves Montand zu sehen, sondern der
britische Premierminister Winston Churchill, US-Präsident
Franklin D. Roosevelt und der sowjetische Diktator Josef
Stalin. Die ersten Nachrichten von der Konferenz in Jalta be-
herrschten die Schlagzeilen. Doch sowohl Édith als auch
Yves und Simone überblätterten die Artikel, die sich mit dem
Krieg und einer Nachkriegsordnung des Deutschen Reichs
beschäftigten oder der schrecklichen Hungersnot im Norden
Französisch-Indochinas. Die Zeitungen raschelten, bis sie
schließlich die Meldungen fanden, auf die sie gewartet hat-
ten.

»Lies das, Édith«, rief er und zitierte mit sich fast überschlagender Stimme: »*Ein Name, den man nicht mehr vergessen wird, Yves Montand* ...« Er sprang aus seinem Sessel hoch und hüpfte wie ein kleiner Junge, der sein erstes Fußballtor geschossen hat, auf und ab. »Herrje, das bin ich!«

»Hör mal, das bist du auch«, meldete sich Simone: »*Ein Star ist uns geboren.*«

»Édith, ich hab's geschafft!«

»So sieht es aus«, bestätigte sie ruhig. Sie kannte dieses Fieber in Reaktion auf die Kritikermeinungen schon so viel länger als er, es riss sie nicht mehr vom Hocker. »Hier wird von einer *Revolution des Chansons* gesprochen ...«

Er hüpfte und tanzte um das Sofa herum, auf dem sie halb aufgerichtet lag. »Du hast recht gehabt, Môme. Und jetzt erkennen es endlich auch alle anderen.«

»Ja, ich weiß.«

»Wenigstens sind die Pariser nicht solche Trottel wie die Leute in der Provinz.«

Simone stieß einen leisen Pfiff aus.

Einen Moment lang war es still in ihrem Hotelzimmer. Stumm betrachtete Édith ihren Schützling, der ihr Liebhaber und nun ein Star war – die Leute liebten ihn dafür, wie aufrichtig und nahbar er in seiner Musik von den Dingen des Lebens erzählte, vom Kummer, aber auch vom Glück. Ihre Gedanken überschlugen sich, sie fragte sich, wie weit sie gehen, seine überschäumende Freude zerstören durfte. Sie wollte ihn nicht verletzen, dennoch entschied sie sich für die Wahrheit. Mit erstaunlich kühl klingender Stimme sagte sie: »Sei vorsichtig, man wird in Paris lanciert, aber in der Provinz gemacht. Und ohne unsere Tournee mit all ihren Misserfolgen hättest du dein Programm nicht verbessern können.« Sie sagte bewusst nicht, dass »wir dein Programm nicht verbessern konnten«, obwohl ihr der Hinweis auf ihre Zusammenarbeit auf der Zunge lag.

»Du kannst mir die Freude nicht verderben.« Er hüpfte zu Simone zurück, drehte sich dabei im Kreis, als versuche er sich an einer Pirouette. »Wie viele Vorhänge habe ich gehabt, Mo-mone? Dreizehn, nicht wahr?«

»Ja, dreizehn«, bestätigte Édiths Freundin.

»Édith, ich habe dreizehn Vorhänge gehabt! Dreizehn! Simone hat sie gezählt.«

»Ich habe sie auch gezählt, Yves. Es waren tatsächlich dreizehn.«

Er freute sich auf eine Art und Weise, die sie tief berührte. Aber zum ersten Mal in den vergangenen Monaten fühlte sie sich ihm in diesem Moment überlegen. Nicht als Musikerin, sondern an Alter und Erfahrung. All das, was Yves empfand, hatte sie längst erlebt. Er wollte nach dem Himmel greifen, in dem sie bereits die Königin war. Abgebrüht, dachte sie, wahrscheinlich trifft das auf mich zu. Ich bin zu abgebrüht. Ich habe das schon zu oft erlebt.

Der Gedanke, ja vielleicht sogar die Notwendigkeit, etwas völlig Neues zu versuchen, traf sie wie ein bunter Blitz. Eine Melodie tauchte in ihrem Kopf auf wie der Funkenregen eines

Feuerwerks. Ohne diese Idee richtig fassen zu können, kam ihr in den Sinn, dass sie selbst Musik machen könnte. Nicht nur singen. Richtig Musik machen. Erfinden. Komponieren. Sie hatte trotz der engen Zusammenarbeit mit Guite zwar keine Ahnung, wie sie das tun sollte, da sie ja nicht einmal sonderlich gut Noten lesen konnte, aber die Vorstellung gefiel ihr. Doch wie die Glitzereffekte eines Feuerwerks verschwand ihre Begeisterung für die Idee nach einem Augenblick im Dunkel.

Yves streckte seine Hand nach ihr aus. »Komm, lass uns tanzen.«

Lächelnd schüttelte sie den Kopf. »Das geht nicht. Wir haben weder ein Orchester noch Schallplatten hier.«

»Das macht nichts. Wir werden singen. Ein Duett. Édith, ich möchte mit dir zusammen ein Chanson singen«, entschied er und zog sie vom Sofa hoch, legte seine Arme um sie und stimmte a cappella einen Walzer an, in den sie sogleich einfiel. Er wirbelte sie durch das Wohnzimmer – und Simone klatschte den Takt.

KAPITEL 5

Ihr Programm war so erfolgreich, dass Édith und Yves es verlängern wollten. Da das Théâtre de l'Étoile jedoch ab Mitte März bereits anderweitig gebucht war, organisierte Louis einen »Umzug« in das Casino Montparnasse, ein wunderschönes Operettentheater im 14. Arrondissement. An dem freien Abend, der zwischen der letzten Vorstellung im alten und der ersten Vorstellung im neuen Haus lag, gingen sie ins Kino, wie Édith es ihrem Freund Jean Cocteau versprochen hatte.

Die Uraufführung des Spielfilms *Kinder des Olymp* war eine so große Sensation, dass sie in zwei Filmpalästen zugleich stattfand – trotz Überlänge und eines Preises von immerhin achtzig Francs für eine Eintrittskarte. Édith hatte sich gegen das Cinéma Madeleine und für den Besuch des Cinéma Colisée an den Champs-Élysées entschieden, weil sie so lange nicht dort gewesen war. Vier Jahre lang war es das deutsche Soldatenkino gewesen, in dem lediglich Ufa-Filme liefen.

Tout Paris schien von Ungeduld getrieben, jenen Streifen sehen zu wollen, der während der Besatzungszeit unter schwierigsten Bedingungen gedreht und nur durch die Findigkeit einiger Mitwirkender vor und hinter der Kamera überhaupt fertiggestellt worden war. Édith hatte gehört, dass Jacques Prévert einige Filmrollen vor der deutschen Zensur versteckt und sich dadurch in Lebensgefahr gebracht hatte. Groß war auch die Neugier auf den Verbleib der Hauptdarstellerin Arletty. Die meisten Menschen im Publikum fragten sich, ob sie sich zur Premiere zeigen würde. Niemand wusste genau, wo sich der Star aufhielt, ob sie inzwischen überhaupt in Freiheit war oder noch in der Conciergerie oder in Drancy einsaß. Man sah sie nicht.

Vor dem Hauptfilm wurden unter dem Überbegriff *Les Actualités Françaises* die Nachrichten der Woche gezeigt, die jedoch von Reportern aus aller Welt stammten. Natürlich waren die französischen Kommunalwahlen in sechs Wochen ein Thema, und zum ersten Mal in der Geschichte der Grande Nation dürften auch Frauen an die Urne gehen, was nicht jeden Franzosen mit Freude erfüllte. Es gab schlechte Nachrichten aus den Kolonien: Eine Reportage aus dem Norden Vietnams in Französisch-Indochina berichtete von dem grausamen Angriff japanischer Truppen auf französische Stellungen. Danach zeigten Filmsequenzen die Einnahme einer Eisenbahnbrücke bei der deutschen Stadt Remagen durch eine

Vorhut der 9. US-Panzerdivision, durch die den Alliierten erstmals die Überquerung des Rheins gelungen war. Dann wurde aus dem ehemaligen Konzentrationslager Auschwitz in Polen berichtet, das Ende Januar von der Roten Armee befreit worden war. Die Bilder ließen Édith das Blut in den Adern gefrieren. Ihr Herz hatte immer für die jungen Soldaten geschlagen, die gezwungen worden waren, im Krieg ihr Leben zu riskieren. Aber das, was sie nun sehen musste, betraf keine Männer in Uniform, sondern Zivilisten, ganz normale Menschen, Frauen, Kinder, Alte. Sie starrte auf die Leinwand und konnte nicht fassen, welchem Elend die Überlebenden des Todeslagers ausgesetzt waren, welche entsetzliche Pein sie zuvor hatten ertragen müssen. Bei ihrem Anblick schien es Édith fast, als gebe es auch nach der Befreiung keine Hoffnung. Obwohl sich die sowjetischen als auch die polnischen Militärs bemühten, Sorge für die Tausenden im Lager Verbliebenen zu tragen, die teilweise todkrank waren, starben die Menschen, die den Gaskammern entgangen waren, immer noch wie die Fliegen. Eine Lazarettschwester musste sich um zweihundert Patienten kümmern, und letztlich fehlte es an allem. Spenden können helfen, dachte Édith, ich muss Geld sammeln. Aber dann fragte sie sich, wie sie eine Summe – welcher Größenordnung auch immer – transferieren sollte. Ihre Hilflosigkeit machte sie noch trauriger. Seufzend blickte sie zu Yves, der die Szenen mit versteinertem Gesicht verfolgte.

Als das Licht im Kinosaal anging und sich leises, betroffenes Stimmengemurmel erhob, sagte sie wie zu sich selbst:

»Wenn es einen Namen für Dantes ›Inferno‹ gibt, lautet der wohl Auschwitz.«

»Ich weiß nicht, was du meinst, ich kenne diesen Dante nicht«, erwiderte Yves und wischte sich über die Lider. »Ich weiß nur, dass ich deinen Herrgott immer weniger mag. Er tut nichts für uns Menschen. Wie kannst du nur an ein Wesen glauben, das ein solches Grauen duldet?«

In einem Akt der Hilflosigkeit und zur Verteidigung ihres Glaubens hob sie die Schultern. »Wen Gott liebt, den züchtigt er. So steht es in der Bibel, Yves.«

»Dann kann ich ja nur hoffen, dass dein Gott mich nicht liebt.«

»Ach Yves«, seufzte sie. Sein unbarmherziger Ton verletzte sie, auch wenn sie ihn auf gewisse Weise verstand. Seine Angriffe gegen den Allmächtigen entsprangen seinen eigenen Schuldgefühlen. Er war der Bühnenstar, der sich feiern ließ, während sein großer Bruder noch in Kriegsgefangenschaft im Deutschen Reich darbte. Dennoch konnte und wollte sie nicht akzeptieren, dass er den Schrecken der deutschen Konzentrationslager in Verbindung mit ihrem Glauben brachte.

»Du hättest das alles lieber nicht gesehen, nicht wahr?« Der Ausdruck, mit dem er sie anblickte, war nicht mehr so hart, wurde mit jedem Wort weicher.

Sie nickte. Dann schüttelte sie den Kopf. Eigentlich wusste sie nicht, was sie ihm darauf antworten sollte. Ihr Leben war die Bühne, vor dem Vorhang verschloss sie die Augen vor der

Welt. Die Realität wurde auf diesem Podium nur sichtbar, wenn sie es zuließ. In ihrer Erinnerung waren die Verhältnisse in den Kriegsgefangenenlagern, die sie im Deutschen Reich besuchen durfte, besser als das gewesen, was die Kamera der Wochenschau in Polen eingefangen hatte. Sicher hatte man ihr nicht alles gezeigt, nicht alles erzählt. Sie fühlte sich auf seltsame Weise von der Erkenntnis eingeholt, dass in den vergangenen Jahren wahrscheinlich nichts so war, wie sie es gesehen hatte. Doch sie hatte versucht zu helfen. Wenigstens das. Auch wenn das der Säuberungskommission womöglich nicht genügte, die ihr Urteil über sie noch immer nicht gefällt hatte. Und die der Kollaboration angeklagte Arletty blieb verschwunden.

Dankbar registrierte sie, wie die Lichter wieder erloschen, das Publikum verstummte und der Hauptfilm begann. Über die Leinwand flimmerte das Bild eines altmodischen Theaters, dessen Vorhang geschlossen war. Die Titelmelodie erklang. Dann erschienen die Namen der Hauptdarsteller, des Regisseurs und schließlich in riesigen Lettern der Titel: *LES ENFANTS DU PARADIS ...*

Mehr als drei Stunden später ging das Licht im Kinosaal wieder an. Yves lehnte sich mit einem verzückten Gesichtsausdruck in dem roten Samtsessel zurück. »*La vie est belle*«, murmelte er. »Das Leben ist schön. Wenn das als wichtigster Satz eines Films haften bleibt, ist das wunderbar nach den schrecklichen Bildern zuvor. Das gefällt mir.«

»*La vie est belle*«, wiederholte Édith nachdenklich. »*La vie en rose* ...«

»Wie kommst du darauf, dass das Leben rosarot ist?«, warf Yves ein. »Das finde ich nun doch etwas übertrieben.«

»Ob das Leben nur schön ist oder rosarot, ist doch gleichgültig«, protestierte sie. »Es sagt dasselbe aus.«

»*Pardon*«, mischte sich ein Herr mit energischer Stimme ein, der in derselben Stuhlreihe gesessen hatte, aber bereits aufgestanden war. Hinter ihm und seiner Begleiterin bildete sich eine Schlange. Die Zuschauer kamen nicht an Édith und Yves vorbei, die sitzen geblieben waren. »Könnten Sie uns bitte vorbeilassen?«

»Selbstverständlich. Tut mir leid.« Yves sprang auf, lächelte den Mann freundlich an.

»Sie sind doch Yves Montand«, kreischte eine Frau nicht weit dahinter.

Yves' Lächeln wurde breiter. Er rührte sich nicht vom Fleck, stand jetzt breitbeinig in dem schmalen Gang der Bestuhlung und versperrte den anderen Leuten weiterhin den Weg.

»Bleib auf dem Teppich, *chéri*«, mahnte Édith. Sie erhob sich ebenfalls und nahm seine Hand. Ihr wurde bewusst, dass Arletty wirklich nicht anwesend war. Was war mit dieser berühmten Frau geschehen, dass sie nicht einmal bei einer so bedeutenden Uraufführung dabei sein durfte? »Komm, lass uns gehen. Ich brauche dringend ein Glas mit irgendetwas

Prickelndem darin.« Sie zog ihren Kopf ein, hoffend, dass man sie nicht auch erkennen und in ein Gespräch zwingen würde.

Im Foyer und unter der großen, von zahllosen Glühbirnen erhellten Überdachung gab es ein mächtiges Gedränge, auf der Straße stauten sich die Automobile wie nach der Premiere von Édith und Yves im Théâtre de l'Étoile. Morgen würde es eine Wiederholung des Auftriebs geben, wenn sie im neuen Haus konzertierten. Édith konnte die An- und Abfahrt der Gäste ja nur selten beobachten, weil sie sich vor ihren Auftritten hinter der Bühne oder in ihrer Garderobe vorbereiten musste, aber für sie war der Autokorso ein Zeichen des Erfolgs – und immer ein bisschen aufregend.

Während sie an Yves' Seite auf ein Taxi wartete, wanderten ihre Blicke ziellos umher. Plötzlich spürte sie, dass jemand sie ansah. Sie war es gewohnt, von Verehrern angestarrt zu werden, doch irgendetwas war anders. Verwundert reckte sie den Kopf, bemerkte aber nichts Ungewöhnliches. Bis ihr Blick eine Person streifte, die vor den Standbildern in den Schaukästen des Lichtspielhauses stand.

Der Mann in dem dunklen, abgetragenen Mantel fiel ihr nicht nur deshalb auf, weil er sie direkt ansah, sondern weil das Licht auf sein Haar fiel und es kupferrot aufleuchten ließ. Ihr Herz setzte einen Schlag aus. Ein Irrtum war ausgeschlossen. Es war Norbert Glanzberg.

»Warte auf mich«, rief sie Yves zu, während sie sich bereits in Bewegung setzte, um auf den alten Freund zuzulaufen. Sie stieß die Menschen, die ihr im Weg standen, zur Seite, ihre Absätze klapperten über den Asphalt.

»Édith!« Glanzberg breitete die Arme aus und drückte sie fest an sich.

»Nono, wie geht es dir? Was machst du hier? Weißt du, dass ich schon seit Monaten nach dir suche?« Ihre Fragen überschlugen sich, als sie ihre Nase in den derben Wollstoff seines Mantels steckte, der nach Mottenkugeln und dem feuchten Wetter roch.

»Ich versuche, mein Leben zurückzubekommen«, erwiderte er bekümmert, und sein Ton machte deutlich, dass ihm das noch nicht gelungen war. Sein Französisch hatte sich nicht gebessert, stellte sie amüsiert fest, er sprach es noch immer mit einem harten deutschen Akzent.

»Warum hast du dich nicht bei mir gemeldet?«

»Das wollte ich. Aber woher sollte ich wissen, wo du wohnst? Außerdem bin ich damit beschäftigt, meine Musik zusammenzusammeln. Weißt du, sie haben mich alle bestohlen, Trenet, Chevalier, was weiß ich, wer noch ...« Sein Ton war scharf geworden, doch dann brach er ab und blickte in die Ferne, als sehe er irgendwo hinter dem Arc de Triomphe seine Notenblätter.

Sie überlegte, ob die Furcht vor Plagiaten ebenso unsinnig war wie die Annahme, er hätte nicht herausfinden können, wo sich Édith Piaf in Paris aufhielt. Außerdem hatte sie die Adresse des Alsina bei der netten Frau in Varilhes hinterlassen. Aber er war da und bei bester Gesundheit, wie es schien.

Deshalb entschied sie, dass der Rest gleichgültig war. Um ihn versöhnlich zu stimmen, schlug sie überschäumend vor Wiedersehensfreude, Herzenswärme und Hilfsbereitschaft vor: »Du musst dich unbedingt mit Henri Contet treffen. Ich werde das arrangieren, Nono. Er wird zu diesem Titel, den wir von dem Musikverlag zurückbekommen haben, einen wunderbaren Text schreiben. Und ich werde dein Chanson singen ...«

»Ich arbeite jetzt mit Renée Lebas zusammen«, warf er ein. »Ich begleite sie am Klavier.«

»Oh.« Sie holte tief Luft. Renée Lebas war ebenso eine Entdeckung von Raymond Asso wie sie selbst, sie war eine gute Sängerin und bildschön, aber nicht einmal annähernd so erfolgreich wie Édith. Und sie war Jüdin wie Glanzberg. Édith hatte gehört, dass die Lebas bei der Besetzung von Paris zunächst nach Cannes und später in die Schweiz geflohen war. Édith hatte nicht gewusst, dass sie wieder zurück war. Irgendetwas an dieser Information versetzte ihr einen Stich. Sie wechselte das Thema: »Und was machst du hier? Warst du im Kino?«

»Nein. Die Karten sind mir zu teuer. Ich habe mir nur die Szenenfotos angesehen.«

»Édith?« Yves' Stimme, die durch den Verkehrslärm zu ihr wehte.

Glanzberg sah an ihr vorbei. »Ist das dein neuer Freund?«, fragte er.

»Das ist Yves Montand«, erwiderte sie mit einem gewissen

Nachdruck. »Wir treten ab morgen gemeinsam im Casino Montparnasse auf. Komm doch vorbei, ich lasse Plätze für dich reservieren.« Zu spät fiel ihr ein, dass ihre Konzerte auf Tage ausverkauft waren. Aber Glanzberg machte auch nicht den Eindruck, besonders versessen auf einen Besuch des Musiktheaters zu sein.

»Édith!« Diesmal rief Yves drängender nach ihr. »Das Taxi wartet.«

»Nono, ich muss gehen.« Sie legte ihre Hand auf Glanzbergs Arm. Unter den gegebenen Umständen konnte sie ihn nicht gleich bitten, als Zeuge für sie auszusagen. Das musste warten. »Aber ich möchte dich unbedingt wiedersehen. Bitte. Ich logiere im Hotel Alsina. Versprichst du mir, dass du dich meldest?«

Er zögerte einen Moment, dann nickte er. »Ja. Ich verspreche es. Du musst nur verstehen, dass im Moment alles sehr schwer für mich ist. Ich war zwölf Jahre lang auf der Flucht – und jetzt bin ich ein freier Mann. Das kann man nicht so einfach von einem Tag auf den anderen begreifen.«

Als sie sich im Fond des Taxis zurücklehnte, erzählte sie Yves von ihrer Begegnung. Glanzbergs offensichtliche Schwermut machte sie betroffen. Obwohl sie sich keinesfalls sicher war, dass er diesen Faden seines alten Lebens aufnehmen wollte und sie sich noch einmal wiedersehen würden, hoffte sie, dass er sich bei ihr meldete. Nicht nur, damit sie ihn bitten konnte, zu ihren Gunsten bei der Säuberungskommission auszusagen. »Er wirkte auf mich wie verloren«, erklärte sie. »Wie ein Mensch ohne Heimat. Wahrscheinlich muss er die erst finden, um zu sich selbst zu kommen.«

»Für einen Juden ist es im Moment nicht einfach. Auch wenn er frei ist, bleibt die Erinnerung an das Grauen. Du hast den Wochenschaubericht gesehen, Édith: Überlebender zu sein ist nicht leicht, und wir müssen Verständnis haben und uns bemühen, ihre Gefühle zu verstehen.«

»Hm«, machte sie, erschöpft von den Eindrücken des Abends und auch des Wiedersehens. Sie kuschelte sich in seinen Arm, lehnte ihren Kopf an seine Schulter.

»Weißt du«, fuhr Yves fort, »es gibt eine Grenze zwischen dem Verlangen, alles zu wissen, und der Hoffnung, nicht mehr zu wissen, als man verkraften kann. Diese Grenze muss durchbrochen werden. Das ist nur durch solche Reportagen wie vorhin im Kino möglich. Es darf niemals vergessen werden, was geschehen konnte, verstehst du? Nur wenn jeder von uns sich so fühlt und handelt, als wäre er selbst Jude oder gehörte einer der anderen Gruppen an, die verfolgt wurden, wird es so etwas niemals wieder geben.«

Es fiel Édith schwer, sich als Jüdin zu fühlen. Sie war im katholischen Glauben erzogen worden, hatte von ihrer Großmutter und vielen katholischen Priestern erfahren, dass die Juden angeblich für die Kreuzigung Christi verantwortlich waren. Gegenüber ihren jüdischen Freunden hatte sie jedoch niemals Vorbehalte gehabt. Deren Herkunft war für sie nie wichtig gewesen, ihre verbindende Religion war die Musik.

»Vielleicht müssen wir einfach nur aufpassen, dass wir im Diesseits nicht zu viel Schlechtes tun«, meinte sie, »um im nächsten Leben nicht so furchtbar bestraft zu werden.«

KAPITEL 6

»Es ist phantastisch!«, jubelte Louis. »Hier in Paris haben Sie beide jeden Abend ein volles Haus, und die Tournee wird besser laufen als jede andere zuvor.«

»Yves und ich waren erst einmal zusammen auf Tournee«, warf Édith gedankenverloren ein. Sie lag auf dem Canapé in ihrem Hotelzimmer, dachte über Chansons im Allgemeinen und im Besonderen über die dazugehörige Musik nach. Der Melodie wurde häufig weniger Bedeutung beigemessen als dem Text, was sie weder verstand noch akzeptierte, denn für sie musste beides eine Einheit bilden. Das Lied über ein glücklich verliebtes Paar konnte schließlich nicht mit dramatischen Tönen begleitet werden.

»Ich wollte nur sagen, dass Ihr erstes Konzert in Villeurbanne ausverkauft ist – und es sind noch zehn Tage bis zum dreißigsten März. Außerdem haben mich schon einige andere

Veranstalter informiert, dass ihnen die Kassen eingerannt werden. Und in Marseille werden die zwölf Abende bereits mit dem Hinweis angekündigt, dass Vorbestellungen empfohlen werden. Édith, das ist großartig!«

»Ja. Sicher.« Sie riss sich aus ihren Überlegungen, zwang sich, sich auf Louis zu konzentrieren. Er saß in dem Sessel am Fenster und ging seine Notizen zu den Terminen der Gastspielreise durch, die Édith und Yves nach dem Ende ihres Programms im Casino Montparnasse von Villeurbanne, einem Vorort von Lyon, quer durch Südfrankreich führen würde, bis sie Anfang Juni in Bordeaux endete. »Yves wird überall den Vorhang aufziehen«, seufzte sie. »Und ich schließe das Programm ab, wobei ich allabendlich mein Kreuz bis zum Ende tragen muss.«

Louis sah sie verständnislos an. »Wollen Sie nicht mehr mit ihm gemeinsam auftreten?«

»Doch. Natürlich will ich das.« Sie lächelte in Erinnerung an seine Hände, die sie heute Nacht gestreichelt hatten, an seine Lippen, die sie küssten, seine Wärme, die sie umfing. »Doch, doch. Aber manchmal habe ich das Gefühl, er ist der Bühnenlöwe, der mich eines Tages frisst. Seine Präsenz ist unglaublich.« Nicht nur im Musiktheater, fügte sie in Gedanken hinzu, in meinem Bett verhält er sich genauso. Er hatte in jeder Beziehung viel gelernt.

»Das haben Sie ihm beigebracht, Édith.«

Sie schmunzelte. »Ich hätte nie gedacht, dass ich eine so gute Lehrerin sein könnte.«

»Wenn Sie allein auftreten möchten, brauchen Sie es nur zu sagen.«

Sie richtete sich auf und schwang ihre Beine herum. »Das werde ich tun, wenn es so weit ist, Loulou. Aber bis dahin will ich etwas anderes tun.«

»Darf ich fragen ...«

»Sie tun es ja schon«, unterbrach sie ihn amüsiert. »Ja, Sie dürfen fragen, Loulou, und ich antworte Ihnen, dass ich ein Lied komponieren möchte.«

Er riss die Augen auf und schwieg verblüfft.

»So wie Sie reagieren, brauche ich mir wohl keine Hoffnung darauf zu machen, dass mich die Herrschaften bei der SACEM als Komponistin anerkennen. Sie wollten mich anfangs ja auch nicht als Textdichterin, und als Komponistin dürfte ich es noch schwerer haben.«

»Das ... kommt ... überraschend«, stammelte Louis. »Was ... was ... wollen Sie denn für Lieder komponieren?«

»Vorläufig nur eines.« Sie erhob sich und stellte sich so hin, als befände sie sich vor einem Saal mit Hunderten von Zuschauern. Um ihren Vortrag eindrucksvoll zu gestalten, sammelte sie sich, dann stimmte sie die Melodie an, die ihr seit Wochen durch den Kopf ging. Es war wie ein unerbittlicher Ohrwurm, den man trotz aller Anstrengungen nicht vergessen konnte, dennoch war Édith sich sicher, dass sie dieses Lied nie zuvor gehört hatte. Eine Melodie in Moll, passend zu einem Chanson über die Liebe, nichts Dramatisches, eben nur ein kleines Lied, das zu Herzen gehen und glücklich machen

sollte. Da es noch keinen Text dazu gab, sang sie »la …
lalala … lala …« Als sie abbrach, weil ihr noch nicht viel mehr
als ein Refrain eingefallen war, blickte sie Louis hoffnungsfroh
an. Sie stand ganz still und fragte aufgeregt: »Nun, was sagen
Sie?«

Er klatschte Beifall. Dann fügte er hinzu: »Es klingt hübsch.«

»Hübsch? Sind Sie noch bei Trost?« Normalerweise lächelte
sie Kritik weg, aber in diesem Fall wollte sie nur Zustimmung
hören. »Hübsch ist eine verniedlichende Umschreibung von
nichts Großartiges.« Verärgert stampfte sie mit dem Fuß auf.

»Nun ja, das Chanson ist doch noch nicht fertig, oder? Vielleicht sollten Sie mit einem Musiker darüber sprechen. Aber,
Édith, die Idee ist wirklich hübsch … sehr schön.« Louis lächelte ihr aufmunternd zu. »Haben Sie es Yves schon vorgesungen?«

Sie schüttelte den Kopf. Seltsam, fuhr es ihr durch den Kopf,
dass sie etwas so Persönliches wie diese Melodie noch nicht
mit dem Mann geteilt hatte, den sie liebte. Dabei beherrschte
Yves jedes Mal ihre Gedanken, wenn sie an die Abfolge der
Noten dachte, die ihr durch den Kopf gingen. Wenn daraus
jemals ein richtiges Chanson werden sollte, dann war es zweifellos *ihr Lied*, das Lied von Édith und Yves. Aber bis dahin
sollte er besser nichts davon erfahren. Er würde ihre Ambitionen wahrscheinlich für verrückt halten.

»Loulou, vergessen Sie es.« Kraftlos sank sie zurück auf das
Sofa. »Lassen Sie uns wieder über die Termine sprechen. Was
steht nach der Tournee auf dem Programm? Ich will, dass wir

überall singen. Nicht nur in den großen Musiktheatern, sondern auch in den kleinen Varietés und Nachtlokalen. Yves muss sich ausprobieren. Ich möchte, dass er lernt, auf allen Bühnen zurechtzukommen.« Sie redete und redete, um ihre Enttäuschung über Louis' mangelnde Begeisterung zu überspielen. Dass ihre Melodie vielleicht gar nicht so gut sein könnte, wie sie meinte, kam ihr nicht in den Sinn. Sie spürte, dass aus dem Lied von Édith und Yves etwas Besonderes werden würde.

Seit Édith mit Raymond Asso zum ersten Mal in Marguerite Monnots Wohnung gewesen war, bedeuteten die Räume der alleinlebenden Künstlerin so etwas wie den Himmel für sie. Die Einrichtung wirkte freundlich und modern, es schien überall Ordnung zu herrschen, Nippes war geschmackvoll auf Kommoden und in Regalen verteilt, Bilder hingen gerade und an den rechten Stellen an den Wänden, nichts war angestaubt, alles blitzte und blinkte. Bei Édith war es immer anders zugegangen. Nicht nur, weil sie in ihrer Jugend auf der Straße gelebt hatte, als ganz junge Frau kannte sie eigentlich nur wechselnde Hotelzimmer. Erst mit Paul war sie in ein eigenes Haus gezogen, doch da hatte er stets das Sagen gehabt, und das Personal, das er einstellte, schüchterte sie ein. Später, als sie mit Simone über dem berühmt-berüchtigten Etablissement von Madame Billy in der vornehmen Rue Villejust eingezogen war, hatte sich dort ziemlich rasch ein solches Chaos gebildet, dass Henri sich zeitweise weigerte, auch nur einen Fuß hineinzusetzen. Genau genommen hatte Édith keine Ahnung, wie man eine Wohnung einrichtete und sauber hielt. Umso mehr beeindruckte sie immer wieder aufs Neue Guites Zuhause. »Du kommst genau zur rechten Zeit.« Marguerite küsste Édith auf beide Wangen. »Ich habe gerade eines der Chansons für deinen neuen Film fertig geschrieben. Henri hatte mir den Text geschickt, und ich habe mich gleich an die Arbeit gemacht.«

»Oh!« Édith zögerte. Sollte sie Marguerite lieber zuerst bitten, ihr die neue Komposition vorzuspielen? Es war unhöflich, die Neuschöpfung hintanzustellen. Aber sie konnte es kaum erwarten, ihre eigene Idee vorzutragen. Gegen den Rat ihrer inneren Stimme preschte sie vor. »Hör mal, ich wage es kaum zu sagen, aber ich möchte dich etwas fragen, das nichts mit *Chanson der Liebe* zu tun hat.

»Du kannst mich alles fragen. Das weißt du doch. Aber komm erst einmal herein.« Guite schob sie mit sanfter Gewalt ins Musikzimmer, wo Édith neben dem Flügel stehen blieb, statt sich in einen der Sessel zu setzen, die zu der kleinen Sitzgruppe am Fenster gehörten. »Möchtest du etwas trinken, bevor du mir deine Frage stellst?«

»Nein. Jetzt nicht.« Édith zog ihren Mantel aus, den die Hausherrin ihr vergessen hatte abzunehmen, und warf ihn achtlos über einen Stuhl.

Sie lächelte und fasste den Mut, mit der Wahrheit herauszurücken: »Mir geht seit einer Weile schon eine bestimmte

Melodie durch den Kopf. Es gibt noch keine einzige Zeile dazu, aber das wird kommen. Denn eigentlich höre ich die Musik bei jedem Text immer gleich mit, wenn mir die Zeilen einfallen. Alles bildet sich gleichzeitig in meinem Kopf.« Zur Untermauerung ihrer Worte klopfte sie gegen ihren Schädel. »Glaubst du, ich könnte versuchen, ein kleines Lied zu schreiben?«

Im Licht einer Stehlampe wirkte Guites blondes Haar wie von einem Heiligenschein umgeben. Ihr engelsgleiches Gesicht strahlte. »Aber warum denn nicht, Môme? Versuch es! Ich werde dir helfen.«

Édith kam es vor, als fiele eine Zentnerlast von ihren Schultern. Plötzlich konnte sie sich die Schüchternheit nicht erklären, die sie eben überfallen hatte. Wie albern von ihr anzunehmen, ausgerechnet Guite würde sie unverrichteter Dinge fortschicken.

»Darf ich mich setzen?«, fragte sie und deutete auf den Klavierhocker. »Ich würde dir gern vorspielen, was ich mir ausgedacht habe.«

»Fang schon an.«

Marguerite lehnte sich an den Flügel, während Édith deren eigentlichen Platz einnahm und sich setzte. Flüchtig streiften Édiths Augen den Notenständer, an den Papiere gelehnt waren, Seiten dicht beschrieben mit Textzeilen, daneben Notenblätter. Der Klavierdeckel war nicht geschlossen, was ein weiteres Indiz war, dass sie die Komponistin gerade bei der Arbeit unterbrochen hatte.

Sie legte ihre Hände auf die Tasten, wie sie seit ihrer ersten Begegnung es schon so oft getan hatte. Einen kurzen Moment lang hoffte sie, Guite würde wie damals ihre Finger auf die ihren legen und mit ihr gemeinsam spielen. Doch diesmal handelte es sich um ihr eigenes Werk. Ihre erste eigene Komposition. Etwas, das sie ganz allein im Begriff war zu schaffen. Ein Lied, dessen Musik von Édith Piaf war, die auch noch den Text schreiben und es natürlich eines Tages singen wollte. Sie würde eins sein mit diesem Chanson. Sie war das Lied, und das Lied war sie. Eine wundervolle Vorstellung.

Mutig schlug sie die ersten Takte an, die sich in ihrem Kopf festgesogen hatten. Sie spielte ihre kleine Melodie, die noch unfertig war und eines Schliffs bedurfte, aber schon so sanft wirkte wie der laue Wind, der in der Normandie im Frühjahr durch die Apfelblüten strich. Je länger sie ihrer Idee auf diese Weise nachging, desto mehr Variationen fielen ihr ein. Als hätte sie sich in ihr gelöst und in ihre Fingerspitzen begeben.

Erstaunt über sich selbst sah sie auf. Sie atmete tief durch und faltete die Hände in ihrem Schoß, bereit, das Urteil ihrer Freundin entgegenzunehmen. »Was sagst du?«

Guite schüttelte den Kopf. »Ich spüre nichts.«

»Was heißt das? Gefällt es dir nicht?«

»Nicht einmal das. Ich kann dir nicht sagen, ob es gut oder schlecht ist. Ich empfinde einfach nichts bei dieser Melodie. Wie geht der Text?«

»Es gibt noch keinen.« Édiths Stimme klang ungewöhnlich schwach. Sie fühlte sich wie benommen. Wie konnte Guite bei dem Lied nichts spüren, das doch direkt aus ihrem, Édiths, Herzen kam? Ein winziger Hoffnungsschimmer glomm in ihr auf, als sie hinzufügte: »Wir freuen uns alle über das neue Leben in Freiheit, das nach der Befreiung für uns begonnen hat, deshalb dachte ich an etwas wie *la vie est belle* oder *les choses en rose* …«

»Die *Sachen* sind rosarot?« Guite runzelte die Stirn.

»Vielleicht passt der Bezug zum Leben doch besser, also sollte es *la vie en rose* heißen«, schlug Édith eifrig vor.

»Dieser Text ist …«, begann Guite, unterbrach sich jedoch, um gedankenverloren über das polierte Holz zu streichen. Offensichtlich suchte sie nach dem geeigneten Wort.

Édith wartete ab. Ihr Herz klopfte ihr bis zum Halse.

»Nein«, entschied die Komponistin mit ungewöhnlicher Härte. »Das ist nicht gut. Egal, wie es am Ende heißen wird, das ist kein Chanson für dich. Sei ehrlich, du würdest diese Melodie niemals singen, wenn sie dir von jemand anderem vorgespielt würde. Sie ist viel zu … na ja, lieblich. Und die Zeile ist wirklich ein wenig kitschig. Nein, Môme, glaube mir: Das ist nichts für dich.«

Zuerst war sie nur fassungslos. Édith konnte sich nicht erinnern, dass die sonst so zurückhaltende Marguerite jemals so deutliche Worte für irgendetwas gefunden hatte. Doch dann stellte sich Trotz ein. Wie konnte eine Melodie, die ihr seit Wochen nicht mehr aus dem Kopf ging, so schlecht sein? Lieblich! Pah! Natürlich war sie charmanter und lebhafter als andere, es sollte schließlich ein Lied sein, in dem es um ein durch und durch positives Gefühl ging – und nicht um die verlorene Liebe, von der die meisten Chansons handelten. Sie hatte in Yves' Armen von diesem Lied geträumt, verband es mit seinem verschmitzten Lächeln und dem Leuchten seiner Augen. Das konnte – durfte! – einfach nicht schlecht sein.

»Es gefällt dir also nicht«, stellte Édith sachlich fest. Sie zuckte die Schultern, als würde Guites Meinung ihr nichts ausmachen, was natürlich nicht stimmte, aber sie beabsichtigte nicht, weiter darüber zu diskutieren. »Dann eben nicht.«

»Sei mir bitte nicht böse, Môme. Du wolltest mein Urteil hören.«

»Ja. Und das habe ich.« Sie erhob sich von dem Klavierhocker, streckte ihre seltsam steifen Arme, lächelte Guite versöhnlich an. »Ich sollte nicht so viele Fragen stellen. Aber etwas wüsste ich jetzt doch gern: Wie klingt das neue Chanson, das du für den Film geschrieben hast?«

Im Fenster blitzte plötzlich ein Sonnenstrahl auf und breitete sich im Zimmer aus. Winzige Staubkörnchen tanzten in seinem Licht. Édith sah es und grinste. Staub. Auch hier gab es Staub. Guite war anscheinend doch nicht so perfekt, wie sie immer angenommen hatte. Was für eine wundervolle, wohltuende Erkenntnis das doch war.

KAPITEL 7

Ihr Koffer war noch nicht verschlossen, aber er war immerhin schon gepackt. Simone und Andrée hatten sich wie immer um ihre Garderobe und Toilettenartikel gekümmert, Édith selbst sorgte nur für ihr Arbeitsmaterial – Klaviernoten und Textblätter – und die Bücher, die sie auf ihrer Reise lesen wollte. Außerdem nahm sie *Étoile sans lumière*, das Drehbuch von Marcel Blistène, mit, in der Hoffnung, dass sich zwischen ihren Proben und der endlosen Fahrerei auch ein paar Stunden erübrigen ließen, in denen sie sich mit Yves auf ihren ersten gemeinsamen Film vorbereiten könnte. Die Vorstellung, wie sie zusammen ihre Rollen einstudierten, war wundervoll. Mit einem verträumten Lächeln stand sie neben ihrem Bett, blickte auf ihr Gepäck, das geheftete Skript in der Hand, und war mit ihren Gedanken in einem anderen Hotelzimmer Hunderte von Kilometern entfernt irgendwo im Süden, wo der Frühling bereits eingezogen war. Geöffnete Fenster, ein leichter Wind, der die hellen Vorhänge blähte, Vogelgezwitscher in der Abenddämmerung, von irgendwoher die hereinwehenden Töne eines Akkordeons, den Geschmack eines guten Rotweins auf der Zunge, den Duft von Yves' Körper in der Nase ...

»Édith!« Andrées Rufen unterbrach ihre Gedanken.

Sie zwinkerte, um die Bilder zu verscheuchen, die einen Moment lang deutlich vor ihrem geistigen Auge gestanden hatten. Sogar der Geruch hatte gestimmt, aber das war angesichts des Orts, an dem sie sich tatsächlich befand, nicht erstaunlich. Yves hatte die Nacht und den Morgen bei ihr verbracht. Er war nur in seine Wohnung im 12. Arrondissement gefahren, um seine Sachen zu packen. Sie würden sich an der Gare de Lyon treffen, wo sie für die erste Etappe ihrer Reise den Zug nehmen wollten.

»Édith, Môme, es ist Post gekommen!« Atemlos und mit vor Aufregung glühenden Wangen stand ihre sonst so gefasst auftretende Sekretärin vor ihr.

»Natürlich ist Post angekommen. Du bist doch extra zur Rezeption gelaufen, um sie zu holen. Aber ich sage dir gleich, von Rechnungen will ich nichts hören.« Demonstrativ wandte sich Édith ab, legte das Drehbuch auf ihren Koffer und zerrte an einem Stück Stoff, dem Ärmel eines ansonsten akkurat zusammengelegten Kleides, der vorwitzig herausguckte. So kurz vor ihrer Abreise wollte sie sich wirklich nicht mit Angelegenheiten des Alltags beschäftigen. Eigentlich wollte sie sich damit zu keiner Zeit auseinandersetzen. Aber jetzt ganz sicher nicht.

»Das Komitee hat geschrieben«, stieß Andrée hervor. »Als ich den Absender sah, musste ich den Brief schon auf der Treppe öffnen.«

Édith fuhr herum. Sie wagte nicht, im Gesicht ihrer Vertrauten zu lesen. Furcht und Hoffnung wechselten sich ab, raubten ihr ebenso den Atem wie Dedée anscheinend der schnelle Lauf durch die Hotelflure. »Und?« Ihre Stimme war ein seltsames Krächzen.

Andrée strahlte. »Es ist alles gut gegangen. Du bist freigesprochen worden.«

Das Zimmer begann sich um Édith zu drehen. Wände, Möbel, Türen und Fenster wirbelten um sie herum wie die bunten Scheiben, auf die auf einem Jahrmarkt mit Pfeilen geworfen wurde. Sie schloss die Lider, doch der Schwindel ließ nicht nach, verwandelte sich in ein Kaleidoskop aus Bildern, die sie so rasch wie möglich vergessen wollte. Auf ihrer Brust lastete ein Druck wie an jenem Tag in dem kleinen Verhörzimmer in der *Préfecture*. Sie wankte, ihre Knie gaben nach, und sie sank auf das Bett. Ein paar Luftzüge lang blieb die Atemnot. Sie saß ruhig, versuchte, sich zu sammeln. Langsam, ganz langsam stellte sich die Erkenntnis ein, dass sie frei war. Es drohte kein Auftrittsverbot mehr. Niemand warf ihr mehr Kollaboration mit dem Feind vor. Prozess, Gefängnis, öffentliche Demütigung – all das würde ihr erspart bleiben. Ihre Ängste gehörten der Vergangenheit an. Fast auf den Tag genau acht Monate nach der Befreiung von Paris war endlich auch sie von der Last der Besatzung befreit. Mit einem Aufschrei ließ sich Édith auf den Rücken fallen, zog die Beine an, strampelte und jubelte wie ein kleines Kind, dem etwas besonders Schönes widerfahren war.

»Ich wusste, dass du dich freuen würdest«, bemerkte Andrée lachend.

Édith hielt inne, richtete sich wieder auf. »Und es ist wirklich wahr? Ich habe nichts mehr zu befürchten, ja?«

»Gar nichts«, bestätigte die andere.

Spontan sprang Édith auf und umarmte ihre Sekretärin. »Ich glaube, man hört die Steine, die mir gerade vom Herzen fallen, bis nach Marseille.«

»Du solltest dich besser wieder hinsetzen. Es ist nämlich noch ein wichtiges Schreiben eingegangen.«

»O mein Gott …« Zutiefst erschrocken griff Édith nach dem goldenen Kreuz an ihrer Halskette.

»Beruhige dich, und setz dich hin«, kommandierte Andrée und schob sie mit der Hand sanft auf das Bett zurück. Sie schien weniger um Édiths körperliches Wohl besorgt als um die Unversehrtheit der beiden Kuverts in ihrer freien Hand. »Du hast nichts zu befürchten, es ist einfach nur wunderbar. Der Absender des anderen Briefs machte mich so neugierig, dass ich ihn auch gleich geöffnet habe.«

»Wo wurde er abgeschickt? Im Vatikan?«

»So ähnlich. Er stammt aus dem Élysée-Palast.« Andrée wedelte mit dem fraglichen Umschlag herum, der ganz neutral aussah und anscheinend von einer Behörde stammte. »Du musst mit Loulou sprechen. Was immer du für Konzerte am vierzehnten Juli geplant hast – sie müssen umgehend abgesagt werden.«

»Nun sag schon, was los ist! Ich hasse es, auf die Folter gespannt zu werden. Du weißt genauso gut wie ich, dass ich am Nationalfeiertag keine Veranstaltung habe.«

Andrée setzte eine feierliche Miene auf. »General Charles de Gaulle persönlich lässt dich bitten, bei den Feierlichkeiten zum vierzehnten Juli ...«, sie legte eine winzige Pause ein, »an der Place de La Concorde«, ein Schlucken, dann: »Die ›Marseillaise‹ zu singen.«

»*Moi*?«, fragte Édith. »Ich?«

»Du bist doch Madame Piaf, oder?«

Édith ließ sich noch einmal zurück aufs Bett fallen, strampelte wieder und jauchzte, schrie, kreischte, lachte.

Die Einladung war nicht nur eine große Ehre – sie war ein Ritterschlag. Der erste Nationalfeiertag nach der Besatzung war ein besonderer Tag, die Feier wäre bedeutsamer als viele zuvor. Vielleicht würde bis dahin auch der Krieg endlich vorbei sein. Dann wäre es ein Datum, das für die Freiheit stand. Und sie würde die Hymne singen, die während des Vichy-Regimes verhallt und durch ein anderes Lied ersetzt worden war und auch deshalb ein musikalisches Symbol darstellte. Unwillkürlich fiel ihr das erst siebenjährige kleine Mädchen ein, das ganz allein auf einer heruntergekommenen Straße im Arbeiterviertel Belleville stand und sich mit der »Marseillaise« in die Herzen der Menschen sang, so dass ihr selbst die Armen ein paar Münzen zuwarfen. Das war der Anfang gewesen. Und am 14. Juli dieses Jahres, dreiundzwanzig Jahre später, würde sie sich auf dem Höhepunkt ihrer Karriere befinden.

KAPITEL 8

Marseille

Auf der Tournee setzten Édith und Yves den in Paris begonnenen Erfolg fort. Die Mühe, die er sich gab, um sich selbst den richtigen Schliff zu verpassen, nötigte ihr inzwischen größte Bewunderung ab. Nicht nur die vielen Proben an ihrer Seite formten den Chansonnier, er hatte in Paris angefangen, Ballettstunden zu nehmen, um sich noch besser auf der Bühne zu bewegen, und trainierte jeden Morgen neben dem jeweiligen Hotelbett die Schritte und Figuren, die ihm beigebracht worden waren. Meist tat Édith so, als würde sie schlafen, und häufig wachte sie auch tatsächlich nicht auf, wenn er sich in aller Frühe aus den Kissen schälte. Aber an manchen Tagen beobachtete sie ihn unter halbgeschlossenen Lidern und durch ihre Wimpern hindurch. Wie immer konnte sie sich nicht sattsehen an seinem schlanken jungen Körper. Um ihn nicht aus der Konzentration zu reißen und sofort zurück in das Bett zu rufen, zwang sie sich zu professioneller Zurück-haltung. Und dann war sie wieder die Lehrerin, deren Ver-besserungsvorschläge dringend nötig waren. Er musste mehr an seiner Sprache arbeiten, befand sie im Stillen, je näher sie seiner Heimat kamen, desto schleppender wurde sein Ton, desto mehr nuschelte er wieder. Doch der nüchterne Gedanke blieb nicht lange in ihrem Kopf. An seine Stelle trat das Ver-langen. Sie rief ihn zu sich, und er beendete sein Training mit albernen Gesten und machte Faxen, um sie zum Lachen zu bringen.

Sie lachten viel in diesen Wochen. Jeder Tag voller Applaus schien in Yves Blockaden zu lösen und half gegen die Schüch-ternheit, die er Fremden gegenüber empfand. Diese Verände-rung betraf vor allem seine inzwischen umjubelten Auftritte, aber auch sein Benehmen hinter der Bühne. War er früher ernst und in sich versunken zu einer Vorstellung erschienen, wirkte er nun so locker, dass er mit Édith in den Kulissen herumalberte. Sie erfuhren nie, ob ihr schallendes Gelächter bis ins Parkett zu hören war, auf jeden Fall legte es sich als feine Aura über ihre Programme, die dadurch immer besser wurden. Einmal konnte der Vorhang nicht pünktlich geöffnet werden, weil die beiden Hauptpersonen des Abends sich nicht beruhigen konnten über einen Witz, der so harmlos war, dass sie ihn gleich wieder vergaßen, aber der Spaß blieb lange an ihnen haften.

Während Édith und Yves wie auf einem anderen Stern lebten, ging der Krieg in Europa zu Ende. Die Briten und

Amerikaner bombardierten die kleinen Häfen an der französischen Atlantikküste, in denen sich noch immer versprengte deutsche Truppen verschanzt hielten, die deutschen Soldaten hielten bis zum Ende aus und zerstörten häufig die Reste, die von den Orten noch übrig waren. Immer mehr Städte im Deutschen Reich wurden von den Alliierten eingenommen, bis an dem Abend, als Édith und Yves zum letzten Mal gemeinsam in Marseille auftraten, die Nachricht vom Tode Adolf Hitlers um die Welt ging und ein Rotarmist die Fahne der Sowjetunion auf dem Berliner Reichstag hisste.

Louis wartete in der Garderobe mit den Neuigkeiten auf Édith. Er reichte ihr ein Glas Champagner und sagte: »Jetzt wird es nicht mehr lange dauern, bis wir Frieden haben.«

Yves, der nach ihr eingetreten war, wirkte wie auf dem Sprung, als könne er sich nicht entscheiden, ob er bleiben oder fortlaufen sollte. »Das muss meine Familie erfahren. *Dio mio!* Mein Bruder Giuliano wird heimkehren. Nach fast fünf Jahren! Mamma wird außer sich sein vor Freude.«

»Ich wünschte, wir könnten morgen mit ihnen feiern«, erwiderte Édith. Sie trat an den Toilettentisch, auf dem ein Sektkühler stand, nahm die Flasche heraus und füllte ein Glas, das sie Yves reichte. »Es ist so schade, dass wir schon abreisen müssen.«

»Wir müssen sofort mit ihnen feiern«, erklärte Yves mit der größten Selbstverständlichkeit.

»Es ist mitten in der Nacht«, gab Louis zu bedenken.

»Na und? Im Süden schläft um diese Uhrzeit sowieso noch kein Mensch. Außerdem glaube ich nicht, dass in dieser Nacht überhaupt irgendjemand schlafen kann.«

In der Küche der Livis bejubelten sie gemeinsam das Ende des Krieges. Yves' Familie war Édith so ans Herz gewachsen, als wäre es die ihre. Längst fühlte sie sich nicht mehr als Gast, sondern als ein Teil von ihnen. Es störte sie nicht einmal mehr, als von irgendjemandem das italienische Wort *fidanzata* benutzt wurde, das sie zu Ivos Verlobten erklärte. Etliche Nachbarn waren gekommen, und sie fragte sich, woher Giovanni Livi diese unerschöpflichen Mengen an Rotwein nahm, den sie alle fast bis zur Bewusstlosigkeit tranken. Dabei gab es Gelächter, Trinksprüche und Musik. Immer wieder ließ Yves' Vater die tapferen Soldaten der Roten Armee hochleben, Yves sang »Bella ciao«, das Lied der italienischen Partisanen, und Édith die »Marseillaise«, begleitet von einem Chor unterschiedlicher Stimmen und Musikalität. Als der Morgen dämmerte, waren sie heiser, aber glücklich.

KAPITEL 9

Paris

Am 3. Juni fand das letzte Konzert der Tournee in der Sport-
arena mitten in der Altstadt von Bordeaux statt. Der Krieg war
seit fast vier Wochen vorbei, aber als Édith nach Paris zurückkehrte, kam sie nicht in eine Stadt, die – wie sie es erwartet
hatte – den Frieden feierte. Stattdessen protestierte die Bevöl-
kerung wütend gegen die immer noch vorherrschende Man-
gelwirtschaft. Das Taxi, das sie von der Gare de Lyon ins Hotel Alsina brachte, musste mehrmals wegen Demonstrationen
stoppen. Überall wurden sie von großen wie kleineren Gruppen aufgehalten, von Frauen und Männern unterschiedlichen
Alters, die selbstgemalte Schilder hochhielten, auf denen eine
bessere Versorgung gefordert wurde. Niemand wollte mehr
hungern, sich mit Bezugskarten abmühen, die den Menschen
nicht halfen, das Nötigste legal zu erwerben. Die Preise stiegen
unaufhörlich, und selbst auf dem Schwarzmarkt waren nicht

einmal mehr die nötigen Grundnahrungsmittel zu bekommen.

»Die Zeiten sind nicht besser als unter der deutschen Besatzung«, schimpfte der Taxifahrer, eine glimmende Zigarettenkippe zwischen den Lippen. »Und die Amerikaner sind satt und laufen so wichtigtuerisch herum wie die *Boches*.«

Obwohl Édith deutlich weniger dem Alkohol zusprach, seit sie mit Yves zusammen war, besaß die Beschaffung eines guten Tropfens für sie Priorität vor jedem Baguette. Aber wenn die Leute nicht trinken können, dachte sie, brauchen sie etwas anderes, das ihre Laune hebt. Da hilft nur Musik.

Sie wandte sich an ihren Impresario, der zwischen ihr und Simone im Fond des Wagens saß. »Wie sehen unsere Pläne aus, Loulou?«

»Nächste Woche beginnen die Dreharbeiten zu *Chanson der Liebe*. Hoffentlich kommt Yves pünktlich aus Marseille zurück und beschließt nicht noch, auf die Heimkehr seines Bruders zu warten. Wer hätte gedacht, dass es so lange dauert, aus dem besiegten Deutschland nach Hause zu fahren.«

»Bei den *Fritzen* ist wohl alles kaputt, keine Straße ist ordentlich befahrbar, und die Zugverbindungen funktionieren auch nicht. Aber Yves sagte, dass sie trotzdem jeden Tag mit Giuliano rechnen«, warf Simone ein. »Es gibt anscheinend vom Internationalen Roten Kreuz organisierte Transporte.«

»Ich habe keinen Zweifel daran, dass Yves zur rechten Zeit hier sein wird«, sagte Édith entschieden, »wann auch immer sein Bruder heimkehren kann. Der Film ist etwas Besonderes für ihn. Das ist ihm noch wichtiger als der Gesang. Er glaubt, nur als Filmschauspieler könne er eines Tages nach Amerika kommen.«

»Aber er kann doch auch irgendwann als Sänger in den Staaten auftreten«, meinte Louis verwundert.

Édith verdrehte die Augen. »Das habe ich ihm auch gesagt.«

»Erinnert euch an seine Vorliebe für Fred Astaire.« Simone lachte. »Auch wenn er nicht mehr so viel steppt, lebt seine Begeisterung für Hollywood weiter.«

Belustigt zwinkerte Édith Loulou zu, und dann lachten sie alle drei.

Es tat ihr ein bisschen weh, bei diesem entscheidenden Wiedersehen mit Giuliano, der auch Julien genannt wurde, nicht an Yves' Seite zu stehen. Dennoch hatte sie seinen Vorschlag, mit ihm von Bordeaux noch nach Marseille zu fahren, anstatt direkt nach Paris zu reisen, ohne lange zu überlegen, abgelehnt. Sie hatte zu viel zu tun, um sich von einem Familientreffen überwältigen zu lassen. Seit ihren letzten Vorstellungen kreisten ihre Gedanken um ihr Programm. Da war dieser Moment gewesen, an dem sie festgestellt hatte, dass sich das Publikum in zwei Hälften teilte: in die Gruppe der Zuschauer, die kamen, um Édith Piaf zu sehen und zu hören, und in die anderen, die Yves Montand erleben wollten. Sie waren zwei Teile einer Vorstellung, aber nicht mehr zwei Teile eines Ganzen. Dieser Gedanke brachte sie dazu, ihr

Repertoire zu überdenken. Sie musste etwas ändern, um wieder die volle Aufmerksamkeit aller Konzertbesucher zu erreichen.

Im Hotel angekommen, galt ihr erster Telefonanruf Henri. »Ich brauche neue Chansons. Das alte Repertoire wird langweilig.«

»Langweilig?«, schnaubte Henri am anderen Ende der Leitung.

»Ich will neue Texte«, erklärte sie bestimmt.

Henri lachte auf. »Wenn es nur das ist: Ich habe gerade einen Text auf diesen Walzer geschrieben, den mir Norbert Glanzberg in deinem Auftrag gegeben hat. Willst du ihn hören? Er heißt ›Padam, Padam‹ …«

»Das klingt ausgesprochen vielversprechend«, fiel sie ihm trocken ins Wort, um dann hinzuzufügen: »Padam, Padam klingt lächerlich.«

»Langweilig, lächerlich – findest du nicht, dass du ein bisschen grob bist? Für deinen Film habe ich einen Text geschrieben, der ›Mariage‹ heißt. Vielleicht findest du die Ehe ja intellektueller.« Und ohne ihr die Möglichkeit einer Antwort zu lassen, fragte er unvermittelt: »Wie geht es dir und Yves?«

Sie dachte daran, wie glücklich sie sein konnte, von seiner Familie geschätzt zu werden. *La fidanzata.* Die Verlobte. Sie lächelte in sich hinein. Wenn er mir noch einen Heiratsantrag macht, nehme ich ihn an. Egal, ob er dafür einen romantischen Rahmen wählt oder nicht.

»Môme, bist du noch da?«, hallte Henris Stimme durch das Telefon. »Ich wollte dich mit meiner Frage nicht erschrecken. Ist etwas zwischen euch nicht in Ordnung?« Er klang tatsächlich ein wenig hoffnungsfroh.

»Dummkopf! Es ist alles in Ordnung. Ich bin zum Sterben glücklich, Henri.« Sie ließ ihre Worte nachhallen und stellte fest, dass das, was sie so leicht dahingesagt hatte, die Wahrheit war.

»So genau wollte ich es nicht wissen«, knurrte er prompt. »Ich melde mich bei dir, wenn ich neue Texte für dich habe.«

»Danke, Henri, du bist ein Schatz.« Belustigt legte sie den Hörer auf. Seine Eifersucht amüsierte sie immer noch. Sie dachte daran, dass sie jetzt gern mit Yves gesprochen hätte, aber die Familie Livi besaß keinen Telefonanschluss. Diese Erkenntnis ließ sie unverzüglich in ein tiefes Loch fallen. Ohne den Kontakt zu ihrem Geliebten fühlte sie sich mit einem Mal schrecklich einsam. Sie saß auf ihrem Bett im Hotel Alsina, starrte das Telefon an und wünschte, es würde klingeln …

Es schrillte.

Édith zuckte erschrocken zusammen. Gab es tatsächlich so etwas wie Gedankenübertragung?

»Yves?«, meldete sie sich.

»Oh … äh …«, machte eine Männerstimme. »Entschuldigen Sie, hier spricht nicht Yves, sondern nur Henri Betti.«

Der Pianist und Komponist von Maurice Chevalier, fuhr es

ihr durch den Kopf. Sie kannte den jungen Mann nicht besonders gut, aber sie fand ihn sympathisch und wusste, dass er sehr begabt war. Deshalb gab sie sich besser gelaunt, als sie sich im Moment fühlte: »*Bonsoir*, Henri Betti. Was kann ich für Sie tun?«

»Ich habe gehört, dass Sie wieder in der Stadt sind.« Er fragte gar nicht erst, ob sie Madame Piaf sei, er erkannte ihre Stimme. »Ich dachte mir, ich melde mich, bevor Sie keinen Termin mehr frei haben.«

»Keine Ahnung, wie Sie das meinen, aber eigentlich wollte ich jetzt schlafen gehen. Das ist ein sehr wichtiger Termin.«

Sie merkte seiner Stimme an, dass er lächelte. »Ein ehemaliger Kommilitone von mir an der Musikhochschule möchte Sie gern kennenlernen. Er sucht Arbeit als Komponist oder Klavierspieler, das ist ihm im Moment egal. Jedenfalls hofft er, dass Sie vielleicht jemanden brauchen. Und ich kann nicht mehr für ihn tun, als Sie zu fragen, ob er sich bei Ihnen vorstellen darf.«

Die Müdigkeit, von der sie eben noch scherzhaft gesprochen hatte, legte sich plötzlich über sie wie ein Theatervorhang, dessen Saum mit Bleischnüren verstärkt war. Sie gähnte und gab sich nicht die Mühe, dies zu verbergen. Um das Gespräch möglichst rasch zu beenden, schlug sie halbherzig vor: »Sagen Sie Ihrem Freund, dass ich heute Abend an der Bar meines Hotels auf ihn warte.«

»Tausend Dank, Madame, das ist sehr nett von Ihnen. Mein Freund ist übrigens Spanier. Er stammt aus Barcelona und heißt Louis Guglielmi, aber er nennt sich Louiguy.«

»Louiguy«, wiederholte sie verwundert. »Mit diesem Namen wird er niemals Karriere machen.« Im selben Moment ärgerte sie sich, dass sie die Einladung überhaupt ausgesprochen hatte. Warum sollte sie ihre Zeit mit einem völlig Unbekannten verbringen? Weil sie gern anderen Künstlern half, sagte sie sich. Andererseits könnte ein aufstrebender Musiker den Schwung in ihr Leben bringen, den es gerade benötigte. Zumindest in ihr Berufsleben. Und sie fühlte sich einsam.

An der Seite von Simone betrat Édith am Abend die Hotelbar. Hinter der Theke wusch der Barkeeper gerade Gläser ab. Überrascht registrierte Édith, dass sie den jungen Mann nie zuvor gesehen hatte. Sie raunte ihrer Freundin zu: »Haben die hier neues Personal?«

Simone kniff die Augen zusammen, um besser sehen zu können, und nickte. »Scheint so.«

»Gut. Dann können wir wenigstens endlich wieder anschreiben lassen.« Édith trat an den Tresen, stellte sich auf die Zehenspitzen, schenkte dem Barmann ein strahlendes Lächeln und verkündete: »Ich möchte eine Flasche von dem besten Champagner, den Sie kalt gestellt haben. Und natürlich geht das aufs Haus. Falls nicht, schreiben Sie es auf meine Zimmerrechnung.«

»Sehr wohl, Madame«, lautete die verbindliche Antwort.

Sie sah sich in dem nicht besonders gut beleuchteten Raum

um. Es war noch relativ früh, und die Gäste waren nicht sehr zahlreich, auch fehlten noch die Musiker des Abends. In einer Ecke saß ein junger Mann an einem Tisch, ein Glas Wasser vor sich. Er hatte seinen Hut nicht abgenommen, darunter verbarg sich ein weiches Gesicht, das durch den dichten *moustache* über seinem vollen Mund wohl markanter wirken sollte. Er starrte sie an und erhob sich langsam, als er ihren Blick bemerkte.

»Madame Piaf.« Er nahm seinen Hut ab, ging um den Tisch herum und auf sie zu. »Ich danke Ihnen, dass Sie sich Zeit für mich nehmen.«

»Geschliffener Stil«, murmelte Simone anerkennend.

Édith deutete auf das Wasserglas. »Am besten, Sie schütten das erst einmal in den Blumentopf da drüben. Der nette Barkeeper wird uns gleich Champagner bringen. Damit lässt sich viel leichter reden, denn ich möchte alles von Ihnen wissen, am meisten interessiert mich aber, was ich für Sie tun kann.«

Drei Stunden und ebenso viele Champagnerflaschen später war Édith überzeugt, dass Louis Guglielmi alias Louiguy etwas für sie tun konnte. Ein arbeitsloser Komponist mit klassischer musikalischer Ausbildung war genau der richtige Mann, um ihren Einfall zu Papier zu bringen. Die Melodie, von der sowohl Loulou als auch Guite behaupteten, dass sie nichts taugte. Aber eben dieses Urteil hatte sie das Thema nicht vergessen lassen, sie sogar angespornt, so dass sie die Melodie weiterentwickelt und sich noch mehr Elemente dazu überlegt hatte. Sie sang das Lied ihrem neuen Freund vor und fragte ihn, ob er ein Chanson daraus machen könnte. »Du wirst es nicht bereuen«, fügte sie hoffnungsvoll hinzu.

Als sie irgendwann in der Nacht in Édiths Zimmer torkelte, stellte Simone fest: »Du bist verrückt! Du gehst nicht mit diesem Louiguy ins Bett, aber du schenkst ihm das Lied, das aus deinem Herzen kommt. Das verstehe ich nicht.«

»Irgendjemand muss aus meiner Idee ein richtiges Chanson machen«, protestierte Édith. »Ich kann es nicht. Also musste ich mir jemanden suchen, der es kann. Guite will es nicht. Also nehme ich einen anderen Komponisten. So einfach ist das.« Umständlich steckte sie ihren Schlüssel ins Schloss der Hotelzimmertür. »Und im Moment habe ich lieber dich neben mir als einen fremden Mann. Ich vermisse Yves.« Sie kicherte und stieß die Tür auf.

Ich liebe ihn, und er liebt mich, dachte sie, und deshalb ist mein Leben rosarot.

KAPITEL 10

Yves war wie verzaubert. Er stand neben einem Cabriolet und betrachtete hingerissen die auf Leinwand gemalten Bilder einer hübschen Landschaft mit Büschen und Bäumen und einer schmalen Straße unter einem blauen Himmel. Es wirkte wie eine Gegend irgendwo in der Île-de-France – und war doch nur Illusion. Das Werk eines talentierten Bühnenbildners. Das altmodische Automobil war als einziges Requisit echt. Um sich dessen trotzdem zu vergewissern, klopfte er vorsichtig auf die Kühlerhaube.

»Du siehst aus wie ein kleiner Junge, der eine Wundertüte geöffnet hat«, stellte Édith belustigt fest.

»Genauso ist es«, erwiderte er voller Begeisterung. »Ich kann kaum glauben, dass ich mich in einem Filmstudio befinde. Alles ist so anders und … ja, es ist neu und ziemlich aufregend.«

Seit Tagen beobachtete sie, wie Yves über Kabel stolperte, schaute und lernte und oftmals in den Kulissen wartete, bis der letzte Scheinwerfer erloschen war, auch wenn er nichts mehr zu tun hatte. Er spielte nur eine Nebenrolle, mehr hatte Édith nicht für ihn herausschlagen können. So gab er sein Debüt mit der Figur eines jungen Automechanikers, eines Jugendfreundes der Protagonistin. Madeleine, verkörpert von Édith Piaf, war ein Mädchen aus der Provinz, das zum Film wollte und eine Chance als Synchronsprecherin und Gesangsdouble einer Berühmtheit erhielt. Die Geschichte spielte Ende der zwanziger Jahre, als der Tonfilm zum Problem vieler Stummfilmstars wurde, deren Stimmen nicht für Sprechrollen und Musikszenen taugten. In einer Szene unternahmen Madeleine/Édith und Pierre/Yves in dem Cabriolet eine Spritztour ins Grüne, wobei sie ein Chanson sang. Und das alles in einem Wagen, der nicht fuhr, und in einer Landschaft, die buchstäblich gemalt war.

Das Schönste an den Dreharbeiten war für Édith, Yves' Staunen zu beobachten. Diese grenzenlose Fassungslosigkeit, gepaart mit Verwirrung und Freude. Er kam ihr vor wie ein kleiner Junge, der durch einen Märchenwald stapfte. Das Zweitschönste war, dass sie mehr Zeit für einander hatten als bei der Arbeit auf der Bühne. Obwohl auch die Dreharbeiten häufig bis in die Nacht hinein dauerten, gab es erstaunlich viele freie Abende, die sie miteinander genossen, weil sie sich plötzlich wie ein ganz normales Liebespaar durch Paris bewegen konnten: Sie besuchten Lokale nicht mehr, um sich von der Anspannung einer Vorstellung zu befreien, sondern gingen »richtig« aus, etwa zu zweit zum *dîner* in ein Restaurant, oder trafen Freunde. Yves lernte Jean Cocteau kennen und auch den zurückgekehrten Sacha Guitry, freundete sich mit Jacques Prévert an und begleitete Édith zu einem Empfang bei Maurice Chevalier in dessen palastartiger Wohnung an der Avenue Foch.

Sie zupfte an Yves' Hemdsärmel. »Wir sind fertig, und ich habe wirklich genug für heute.«

Wie auf ein Stichwort verwandelte sich die Szene. Die Scheinwerfer gingen aus, und die eben noch wie von Sonnenstrahlen durchflutete Landschaft auf den Leinwänden wirkte im Licht der Notbeleuchtung düster und leblos.

Yves wirkte wie ein kleiner Hund, dem man den geliebten Knochen weggenommen hatte.

»Falls du hier noch Wurzeln schlagen willst, *chéri*, ich gehe inzwischen in meine Garderobe und würde dann gern irgendwo etwas trinken. Kann ich mit dir als Begleitung rechnen?« Sie zwinkerte ihm lächelnd zu.

»Ich lasse dich nicht allein.« Mit einem verschmitzten Aufflackern in seinen blauen Augen hob er seine Rechte wie zum Schwur. »Niemals.« Er legte seinen Arm um sie. Gemeinsam verließen sie die Szene, in der sie ein verliebtes Paar spielten.

An diesem Abend fuhren sie in ihr Lieblingsrestaurant, eine kleine Brasserie nahe der Rue de Richelieu, in der es kaum ein Dutzend Tische, urige Butzenscheiben, karierte Tischdecken und Gerichte gab, die trotz des vorherrschenden Mangels köstlich waren. Der Wirt kommandierte seine Gäste gern herum, war zu manchen geradezu unfreundlich und wies Neuankömmlinge, die ihm nicht gefielen, strikt ab. Édith nannte ihn belustigt »General«, obwohl er sich ihr gegenüber sanft und zuvorkommend verhielt. Er war ein so großer Bewunderer ihrer Kunst, dass er ihr und Yves sogar das Tagesmenü ohne die Vorlage der notwendigen Lebensmittelkarten kredenzte. Außerdem servierte er dem berühmten Gast einen hervorragenden Pinot Noir aus dem Burgund, und Yves lernte, diesen Wein aus einem kugelförmigen Glas zu genießen. Das hinderte ihn nicht daran, fast ununterbrochen zu reden.

Zwischen zwei Schluck Rotwein schwärmte er: »Ich hatte immer angenommen, ein Film würde gedreht, wie man ihn im Kino sieht, also Szene für Szene, vom Anfang bis zum Ende. Und nun erlebe ich, wie aus einem von irgendjemandem zusammengesetzten Haufen Zelluloidschnipsel eine Geschichte entsteht. Das ist unglaublich.«

»Meine Güte«, rief Édith mit einem gespielt dramatischen Unterton, »jetzt begreife ich: Du liebst mich nicht mehr. Du bist verliebt in den Gedanken, ein Filmschauspieler zu sein. Das ist jetzt deine große Liebe, nicht mehr ich.«

»Nein, nein, nein«, sagte er und strahlte sie an.

»Während du die Kulissen angeschmachtet hast, habe ich

mich ein wenig umgehört«, fuhr Édith ernster fort. »Es heißt, Marcel Carné bereite einen neuen Film vor. Das ist der Regisseur von *Kinder des Olymp*. Du erinnerst dich sicher an ihn, du hast ihn auf der Premierenfeier kurz kennengelernt. Ich habe ihm damals schon geraten, deinen Namen nicht zu vergessen.«

»Ja, natürlich erinnere ich mich.« Yves hob sein Glas an die Lippen, gespannt auf ihre Erklärung wartend.

»Angeblich will er für sein neues Projekt unbedingt Jean Gabin haben, aber ich finde, du bist nun so weit für eine Hauptrolle. Ich habe mir vorgenommen, so lange auf Carné einzureden, bis er dich engagiert. Die *Pforten der Nacht* sollen dein Türöffner zum großen Kino sein.«

Er kippte den Burgunder in seine Kehle, als müsse er einen Schock ertränken. Den ballonförmigen Kelch absetzend, schluckte er schwer. »Das könnte mich nach Hollywood bringen«, sagte er mit belegter Stimme.

»Du grübelst zu viel über deine Pläne als Filmschauspieler«, erwiderte sie. »Du wirst deine Chance bekommen – ja. Aber es ist nicht deine einzige. Du kannst auch als Sänger den langgehegten Wunsch deines Vaters erfüllen. Du hast das Zeug dazu, sowohl auf der Bühne eines Musiktheaters als auch im Lichtspielhaus zu brillieren.«

»Meinst du?« Zweifelnd schüttelte er den Kopf. »Na ja, du wirst schon recht haben«, fügte er kapitulierend hinzu. »Ohne dich wäre ich nichts.«

Sie schwieg einen Moment, drehte ihr Glas versonnen zwischen den Händen. Sollte sie ihm gestehen, dass sie nicht mehr zusammen mit ihm auftreten wollte? Sie hatte Loulou angewiesen, keine Verträge mehr für ein gemeinsames Programm mit Yves abzuschließen. Ihr Protegé musste nun seine eigenen Wege gehen – und Pygmalion sich wieder auf sich selbst konzentrieren. »Es ist höchste Zeit dafür«, hatte ihr Impresario zugestimmt. »Die Veranstalter können euch tatsächlich nicht mehr zusammen engagieren, jeder ist für sich zu stark.« Nun ja, vielleicht übertrieb Louis da etwas. Seit dem Tag, an dem der Sturm auf die Bastille vor fast hundertsechzig Jahren gefeiert wurde und sie die »Marseillaise« geschmettert hatte, galt sie als die Stimme Frankreichs. Das hatte Yves noch nicht erreicht.

Jedenfalls würden ihre Namen bis zur Uraufführung von *Chanson der Liebe* und danach für lange Zeit nicht mehr auf demselben Plakat stehen. In derselben Größe gedruckt, sinnierte Édith. Plötzlich stieg Wehmut in ihr auf und schnürte ihr die Kehle zu. Sie trank von ihrem Wein. Diese Trennung ist nur künstlerisch, tröstete sie sich, und sie ist wichtig für uns beide als Musiker. Außerdem betrachtete sie ihre Mission noch nicht als endgültig erfüllt.

Das Essen wurde serviert – ein Rinderbraten in köstlicher Sauce auf Kartoffeln und Gemüse –, und eine Weile lang genossen sie schweigend ihr Mahl. Um sie her klapperten die meisten anderen Gäste ebenso entzückt mit ihrem Besteck, aßen still, und Gläser klirrten leise, als sich die einen oder anderen zuprosteten. Der »General« kam zu Édith und Yves an den Tisch und erkundigte sich, ob es ihnen schmeckte. Zufrieden nickten beide. Dennoch beendete Édith ihr Menü vorzeitig.

Sie schob ihren Teller über den Tisch. »Ich habe genug, wenn du magst, iss es auf, *chéri*. Aber ich habe Durst. Wir sollten mehr Wein bestellen.«

Natürlich nahm er ihre Reste. Er war jung und schien nie satt zu werden. Sie ertappte sich dabei, dass sie ihn immer häufiger mit anderen Augen als denen der Geliebten betrachtete. Wie seine Mamma, fuhr es ihr durch den Kopf.

Sie beobachtete aufmerksam, wie er dem Wirt ein Zeichen gab, um eine weitere Flasche Pinot Noir zu ordern. Eine fast weltmännische Geste, befand sie zufrieden. Im nächsten Moment schalt sie sich für diese Erkenntnis, die ebenso mütterlich war wie die vorherige.

»Du solltest über einen Liederabend nachdenken«, schlug sie unvermittelt vor. »Zwei Stunden nur Yves Montand auf der Bühne des Théâtre de l'Étoile. Danach wird man dich groß und unvergleichlich nennen.«

Er schnappte nach Luft. Sie sah ihm an, dass er zwischen Begeisterung und Panik schwankte. »Was soll ich einen ganzen Abend lang allein auf der Bühne dieses Musiktheaters tun? Das hat vor mir noch keiner gebracht.«

»Doch. Einer. Maurice Chevalier.« Sie überlegte, ob sie hinzufügen sollte, dass auch sie zu dieser Elite zählte. Loulou hatte für zwei Wochen ab Mitte September das Théâtre de l'Étoile für sie gebucht. Nur für sie und die Musiker, mit denen sie schon auf Tournee waren. Den Anheizer schenkte sie sich diesmal. Aber auch für sie wäre das die erste Erfahrung mit einem reinen Soloprogramm.

»Hm«, machte Yves. Er schwieg, schaufelte die Reste ihres Essens in sich hinein und wirkte dabei so gedankenverloren, dass sie sicher war, er könne kaum schmecken, was er aß. Schließlich legte er sein Besteck ordentlich auf den Teller und sah wieder zu ihr auf.

Seine fragenden Augen hielten ihrem Blick stand. »Meinst du, ich schaffe das? Den Mut hätte ich schon für einen Lieder-abend. Dafür müsste ich aber noch viel proben, Môme. Du weißt, was da auf dich zukommt, oder?«

Sie hatte damit gerechnet, dass er ihre Idee annehmen würde. Es war ein gutes Zeichen, dass er nicht gleich Feuer und Flamme war, sondern zuerst daran dachte, wie er sich vorbereiten und weiter verbessern könnte. Außerdem war es eine schöne Vorstellung, ihn weiter zu formen, bis er auf dem Höhepunkt seiner jungen Karriere angekommen war. Sie lächelte. Dann nickte sie. Ja, sie wusste, was sie zu tun hatte.

In dieser Nacht konnte sie nicht schlafen. Während Yves er-schöpft in den Kissen lag, wälzte sie sich auf ihrer Seite des Bettes hin und her, bis sie endlich beschloss aufzustehen. Die Gedanken an seine Zukunft hielten sie wach.

Barfuß tappte sie zu dem Sideboard, in dem Simone den

Alkohol vom Schwarzmarkt aufbewahrte. Es war ein warmer Sommer, und der Boden fühlte sich angenehm kühl unter ihren Füßen an, durch die Fenster leuchteten der Mond und die gelbe Straßenbeleuchtung. Bedauerlicherweise befanden sich jedoch in der Cognacflasche, die Édith an die Lippen setzte, nur noch ein paar Tropfen.

Sie schlich zu dem Sekretär, schaltete eine kleine Lampe ein und zog den Stuhl heran. Blicklos saß sie vor einem kleinen Stapel Papier, auf den der Lichtkegel fiel. Sie wusste, dass es Chansontexte waren, die ihr zur Prüfung vorgelegt worden waren. Heute Nacht fehlte ihr jedoch die Kraft, sich ihre Schlaflosigkeit mit dieser Lektüre zu vertreiben. Ratlos saß sie da, blickte in die Dunkelheit des übrigen Zimmers, lauschte den Atemzügen ihres Geliebten.

Einer plötzlichen Eingebung folgend, öffnete sie eine Schublade und nahm ein weißes Blatt heraus, dann suchte sie nach einem Stift. Und wie von selbst schien es sich mit Worten zu füllen:

Des yeux qui font baisser les miens
Un rire qui se perd sur sa bouche

Augen, die die meinen sich schließen lassen
Ein Lachen, das sich auf seinen Lippen verliert

Sie schrieb, korrigierte, strich durch, schrieb von neuem, bis der Morgen anbrach. Die Dämmerung tauchte den Himmel in ein

Farbenspiel, das von Lila zu Pink wechselte und sich schließlich in einem hellen Rosa verlor. Nach einem Blick aus dem Fenster überschrieb sie ihren Text mit der Zeile: *La vie en rose.*

DRITTER TEIL
1945/46

»Les feuilles mortes«

Stets ist die Liebe vor mir geflohen.
Nie konnte ich den, den ich liebte,
lange in den Armen halten.

Édith Piaf

KAPITEL 1

Paris

Es war zum Heulen. Tatsächlich sammelten sich in ihren Augen Tränen, aber die entsprangen eher ihrer Wut als Verletzung und Traurigkeit. Was fiel diesem Mann eigentlich ein? Wie konnte er derartige Behauptungen aufstellen? Um sich zu vergewissern, dass sie sich nicht irrte, las sie den offenen Brief an sie, der in allen Tageszeitungen veröffentlicht worden war, noch einmal. Dabei kannte sie ihn bereits auswendig, und der Inhalt dieses Pamphlets traf sie zutiefst.

Der Schreiberling, ein Musikkritiker, behauptete, die Chansons in ihrem neuen Programm wären zu literarisch. Er mokierte sich über die *künstlerisch überhebliche neue Piaf*, die fernab der liebenswerten Ganoven und Huren ihres alten Repertoires und absolut unmöglich wäre. *Sie ist weit entfernt von meiner lieben, armen Môme Piaf, die einst so wahrhaftig war wie das Leben selbst.* Besonders der Schlusssatz hatte es in sich.

Vielleicht war sie im Théâtre de l'Étoile wirklich in dem Glauben aufgetreten, sie wäre unantastbar. Der große Star mit seinem neuen Programm. Leider riss sie die Zuschauer tatsächlich nicht von den Stühlen, das hatte sie bereits bemerkt. Aber ein verändertes Repertoire brauchte eben seine Zeit, um das Publikum bis in den letzten Winkel des Herzens zu erreichen. Allerdings hatte sie nie einkalkuliert, dass irgendjemand ihre Lieder nicht mögen würde – warum auch? Bisher war sie für jede ihrer Ideen umjubelt worden. Und Geschmack war nun einmal verschieden. Das, was sie in der Zeitung las, war jedoch keine Meinungsäußerung – es war ein Schlag in den Magen. Schlimmer noch, es war in dieser Häufung nichts, das sie ignorieren durfte.

In einer trotzigen Geste wischte sie den Stapel Zeitungen von dem Beistelltisch, auf dem Louis ihn mit bedrückter Miene abgelegt hatte. Das Papier raschelte, als es zu Boden fiel.

»Ein Zimmermädchen soll kommen und das alte Papier wegwerfen«, wies sie Simone an. Ihre Stimme klang überraschend fest. Dabei war ihr zum Heulen zumute.

Ihre Freundin stand neben ihr, schnappte hörbar nach Luft und schien sich unschlüssig, ob sie den Arm um Édith legen oder sich nach dem Müll bücken sollte.

»Hör auf mit dem, was du da machst«, sagte Yves vom Sessel her.

Édith sah ihn scharf an. »Wie bitte?«

»Sei ehrlich, der Mann hat nicht in jedem Punkt unrecht. Vieles von dem, was du da machst, taugt nichts. Deine Chansons klingen gekünstelt, sie kommen weder von hier«, er klopfte sich auf den Kopf, »noch von da«, er wiederholte die Geste auf seinem Bauch.

Die Selbstgefälligkeit, mit der Yves sprach, und seine Körperhaltung verletzten sie mehr als die Zeitungskritik. Sie bestritt seit einer Woche ihr Programm allein im L'Étoile, sie füllte das Theater durch ihren Namen, sie war ein Star. Wie konnte Yves es wagen, sie derart herabzuwürdigen? Was erlaubte er sich? Alles, was er leistete, hatte sie ihm beigebracht. Wie kam ausgerechnet er dazu, sich der Kritik eines anderen anzuschließen? War er wirklich schon so weit, sich das ihr gegenüber herauszunehmen zu dürfen? Zugegeben, er arbeitete hart, um am Abend nach ihrer letzten Vorstellung mit einem Liederabend Premiere im selben Haus zu feiern. Der Kartenvorverkauf ließ sich großartig an. Aber rechtfertigte dies sein Verhalten ihr gegenüber? War er so schnell zu Erfolg gekommen, dass er blind gegenüber der Person geworden war, die doch aber absolute Loyalität verlangte – von ihrem Schüler. Von ihrem Liebhaber. Von dem Mann, den sie liebte.

Édith spürte, wie etwas in ihr zerbrach. Sie wusste nicht, ob es eine Frage des Respekts oder des Vertrauens war. Für sie kam es einem Verrat gleich, dass er so rasch bereit war, in das Horn ihres Kritikers zu stoßen. Ohne auch nur ihre Meinung dazu zu hören. Wohin war ihr Held verschwunden? Der Mann, der sie verteidigte und sich stets vor sie geworfen, ja sich für sie geprügelt hatte?

Zwischen den Dreharbeiten zu Chanson der Liebe *und dem Engagement im Théatre de l'Étoile trat sie an einem Abend im Club des Cinq auf. Es war eines jener Nachtlokale, die seit der Befreiung und spätestens nach dem Ende des Krieges wie Pilze aus der Pariser Erde schossen. Das Cabaret an der Rue Montmartre war von fünf Offizieren der 1. Französischen Armee gegründet worden, der inzwischen heimgekehrte Komponist Michel Emer dirigierte das Orchester, und namhafte Künstler gaben sich das Mikrophon in die Hand. Édith mochte die lockere Atmosphäre, diesen Hauch von Jazz in einer durch und durch französischen Bar.*

Die Bühnenbeleuchtung ließ zu, dass sie die Zuschauer während ihres Auftritts sah. Während sie sang, wanderten ihre Augen immer wieder zu Yves, der sich an der Bar im hinteren Teil des Lokals auf einen Hocker geschwungen hatte. Das goldene Etui blitzte im Licht einer Lampe auf, als er sich eine Zigarette nahm. Édith hatte es ihm am letzten Drehtag zur Erinnerung an seinen ersten Film geschenkt, und es machte sie glücklich, ihn damit zu sehen.

Sie sah aber auch, wie er sich mit einem Mann, der sich an die Bar lümmelte, unterhielt. Oder stritt. Seine Miene war alles andere als freundlich.

»Ich lasse mir von Ihnen doch nichts sagen«, dröhnte die Stimme des Unbekannten durch den Saal.

»Monsieur, bitte.« Auch Yves' Ton war lauter geworden, er blieb jedoch höflich. »Seien Sie still. Sie stören Madame Piaf.«

»Was geht mich dieser kleine Spatz an?« Der andere brüllte vor Lachen über seinen Witz, der alles andere als lustig war.

Unruhe erfüllte den Saal. Zuschauer drehten sich auf ihren Plätzen an den Tischen im Parkett neugierig zur Bar um. Édith spürte, wie sie die Aufmerksamkeit der Leute verlor. Allerdings hätte sie selbst ihren Vortrag am liebsten abgebrochen.

»Halten Sie den Mund!«, herrschte Yves den Mann an.

»Gehen Sie nach draußen«, forderte der.

Yves rutschte von dem Barhocker, warf seine Zigarette in einen Aschenbecher und schritt zielstrebig zur Treppe, die auf die Straße führte. Grinsend folgte ihm der Pöbler. Édith sah den beiden Männern nach und beschloss, auf den Vers zu verzichten, um ihr Lied schneller zu beenden. In diesem Moment fuhr Yves herum und versetzte seinem Kontrahenten eine Ohrfeige. Der Schlag klatschte so laut wie der Tusch zweier Becken. Unvermittelt brach Édith ab, die Musiker kurz darauf ebenso. Im Saal war es still. Schreck, Aufregung und Sensationsgier schienen die Gäste zu lähmen.

»Wenn Madame Piaf singt, hält man den Mund«, belehrte Yves den Mann, der sich taumelnd die Wange hielt.

Mit dem Gebrüll eines verwundeten Stiers wollte sich der Flegel auf Yves stürzen. Doch inzwischen waren zwei Kellner herbeigeeilt, griffen nach seinen Armen und nahmen ihn in den Schwitzkasten.

Der Mann wurde nach draußen befördert, Yves kehrte ruhig
auf seinen Platz an der Bar zurück. Das goldene Zigarettenetui
leuchtete wieder auf.

  Édith lächelte ihm zu. Dann hob sie die Hände und klatschte.
Ihr Publikum fiel in den Beifall ein.

Sie stemmte die Hände in die Hüften, reckte ihr Kinn in die
Höhe. »Wiederhol noch einmal, was du gesagt hast, Yves.«

  Er richtete sich in seinem Sessel auf. Seine Bewegung verriet, dass er seinen Worten mehr Gewicht verleihen wollte, er
verlor dabei aber weder seine Überzeugung noch seine Ge-
lassenheit. »Ich finde dein Programm auch nicht gut. Ich
würde …«

  »O Gott, nein«, flüsterte Simone.

  »Dein ›ich, ich, ich‹ kannst du dir an den Hut stecken!«,
schrie Édith. Sie sah die Verständnislosigkeit in seiner
Miene und fühlte sich dadurch noch stärker provoziert.
»Wenn ich einmal beschließen sollte, bei irgendjemandem
Stunden zu nehmen, sage ich dir Bescheid. Lass dir trotzdem einen Rat von mir geben: Der Erfolg ist ein wankelmü-
tiger Freund, er ist unzuverlässig und kommt und geht, wie
er möchte. Daran wirst du dich auch auf deinem Höhenflug
gewöhnen müssen. Aber jetzt verschwinde, ich habe genug
von dir.«

  Es war eine Qual für sie zuzusehen, wie er langsam aufstand. Seine Augen suchten ihren Blick, doch sie schaute an

ihm vorbei, fixierte einen Punkt an der Wand hinter ihm. Als er ging, spürte sie kein Bedauern.

Dort, wo ihre Liebe gewesen war, begann sich Leere auszubreiten.

KAPITEL 2

Natürlich vertrugen sie sich wieder. Édith fragte sich, ob sie einem Missverständnis zum Opfer gefallen war, und Yves bat sie um Vergebung. Sie feierten leidenschaftlich Versöhnung in ihrem Bett im Hotel Alsina, er machte sie glücklich. Zurück blieb jedoch ein feiner fader Beigeschmack. Allerdings hatte Édith nicht viel Zeit, darüber nachzudenken. Seine Premiere musste vorbereitet werden – und ihre Tournee, die sie am Tag darauf nach Nordfrankreich und Belgien führen würde. Zum ersten Mal wieder ohne Partner auf Reisen. Ein mulmiges Gefühl beschlich sie, das sie jedoch nicht zulassen wollte.

Statt sich um ihre eigene Zukunft zu kümmern, steigerte sie sich wieder in ihre Rolle als Yves' Lehrmeisterin. Mindestens einmal täglich rief sie bei Marcel Carné an, um Yves für die Hauptrolle in dem Film *Pforten der Nacht* zu empfehlen – bis sie endlich die Zusage erhielt. Sie lobte Yves' Ausdauer, mit der er probte, bis seine Knie weich und seine Kehle wund waren. Gemeinsam gingen sie immer wieder sein Repertoire durch, probten, tauschten Titel aus, probten weiter. Am Ende konzentrierten sie sich auf sechzehn Melodien, dramatische Chansons wechselten sich mit zärtlichen Liedern ab, außerdem sang er den einen oder anderen jazzigen Song. Es war ein absolut rundes Programm, wie Édith zugeben musste, ein bisher nie dagewesenes Rezital.

Seine Familie reiste wieder aus Marseille an, dieses Mal war endlich auch sein Bruder Giuliano dabei, der darauf bestand, dass Édith ihn Julien nannte. Aber nicht nur die Anwesenheit des Älteren bewirkte eine Veränderung. Keiner nannte Édith mehr *fidanzata*, die Livis behandelten sie mit schüchternem Respekt. Das forderte sie heraus, stärker als beabsichtigt die Lehrerin zu geben, die ihren Schützling zu dessen Reifeprüfung begleitete. Als sich der Vorhang hob, ging sie weder in den Saal noch in die Loge, von der Yves' Familie zusah. Sie blieb hinter der Bühne, ihren gestrengen Blick auf die Darbietung gerichtet, die ihre Handschrift trug und doch etwas ganz Eigenes war. Zwei volle Stunden lang ballte sie die Fäuste, um ihrem Geliebten die Daumen zu drücken.

Yves feierte den Erfolg seines Lebens. Die Zuschauer jubelten, verlangten eine Zugabe nach der anderen. Schweißüberströmt kehrte er in die Kulissen zurück. Er breitete die Arme aus und zog sie an sich, vergrub sein Gesicht in Édiths Haar.

Sie spürte seinen Herzschlag, atmete seinen Duft ein ...

»Monsieur Montand«, rief jemand, »kommen Sie, bitte. Das Publikum will Sie noch einmal sehen.«

Mit einer Mischung aus Stolz, Verzweiflung und Zufriedenheit löste er sich von ihr. Er schenkte ihr sein verschmitztes Lächeln, zuckte in fast rührender Hilflosigkeit die Achseln und wandte sich dann entschlossen um. Langsam entfernte er sich von ihr. Sie beobachtete, wie er sich mit dem Handrücken über die Stirn wischte. Eine vertraute Geste, die mit einem Mal unendlich fremd wirkte.

Der tosende Applaus, der ihn auf der Bühne empfing, drang bis zu ihr.

»Jetzt braucht er mich nicht mehr«, murmelte sie in sich hinein. »Er kann allein fliegen.«

Édith thronte in dem Doppelbett in ihrem Hotel nahe der Grand-Place in Brüssel. Sie versank fast zwischen den vielen Blättern der aufgeschlagenen Zeitungen, die ihr Andrée aus Paris geschickt hatte. Die Verlegung des berühmtesten Häftlings Frankreichs vom Festland auf die Atlantikinsel Île d'Yeu beherrschte die Schlagzeilen: Marschall Philippe Pétain, der Held von Verdun im Ersten und Führer des *État Français*, der Vichy-Regierung, im Zweiten Weltkrieg, war nach einem aufsehenerregenden Kollaborationsprozess zum Tode verurteilt worden; de Gaulle hatte den Neunundachtzigjährigen jedoch zu einer lebenslangen Haftstrafe begnadigt, die Pétain nun in der Zitadelle des Fort de Pierre-Levée antrat. Édith überblätterte die politischen Nachrichten, bis sie den Kulturteil der jeweiligen Gazetten fand. In diesem spielte Yves die Hauptrolle.

Langsam las Édith Artikel für Artikel: *Yves Montand ist eine der stärksten Persönlichkeiten, die in der Music-Hall ans Licht getreten sind*, war noch das zurückhaltendste Lob. Die meisten Kritiker teilten in unterschiedlichen Worten die Meinung des Journalisten Hubert de Malafosse: *Montand hat sich jetzt die Rangabzeichen eines Spitzenstars verdient.* Und in der Theaterzeitschrift *Opéra* stand: *Dieser junge, so erstaunliche Sänger ist der Türöffner zu einer neuen Welt.* Das waren natürlich andere Kommentare als das, was zuletzt über Édith geschrieben worden war.

Müde lehnte sie sich in dem Berg Kissen zurück, den sie sich in den Rücken geschoben hatte.

Ihr Herz zersprang wie eine Kristallkugel, die auf den Boden geschmettert worden war. Es war ihr unmöglich, zu lieben und den Geliebten gleichzeitig neben sich im Licht des Gipfels erstrahlen zu sehen. Sie wollte nicht mit ihm in einen Wettstreit um die Gunst des Publikums und der Kritik treten. Für sie beide stand der Beruf an erster Stelle, das hatte sie geeint, war ihr Fundament gewesen – und nun verstand sie, dass genau dies zum größten Hindernis ihrer Liebe geworden war. Ihr Glück hatte so lange gehalten, wie sie gemeinsam der Zukunft entgegenstrebten. Dieses Gefühl war jedoch mit einem Mal Vergangenheit geworden.

Stumme Tränen rannen über Édiths Wangen. Sie schalt sich augenblicklich eine naive Göre, wischte sich energisch über die Lider, bis diese rot waren und schmerzten.

Es war nicht vorbei mit ihnen beiden, das letzte Wort nicht gesprochen. Sie befand sich vorläufig auf Tournee, und wenn sie nach Paris zurückkehrte, würde Yves bald darauf nach Marseille reisen. Er wollte Weihnachten zwar mit ihr verbringen, Silvester aber zum ersten Mal wieder an der Seite seines Bruders feiern. Seltsamerweise fragte er sie nicht, ob sie ihn begleiten wollte. Dabei wusste er, für wie bedeutsam sie einen Jahreswechsel hielt. Sie würde also mit Simone in Paris bleiben, so viel stand fest, und trotz der Gesellschaft der Freundin irgendwie allein sein. Aber zumindest gestattete ihr das Schicksal in Form ihres Terminkalenders eine Atempause, bis sie sich entscheiden musste, was aus ihrer Liebe werden sollte. Solange sie räumlich getrennt waren, blieben sie zusammen.

KAPITEL 3

»Loulou, ich möchte eine eigene Wohnung haben«, verkündete Édith drei Monate später.

Sie stand in dem Telefonhäuschen an der Rezeption eines etwas altmodischen Hotels in Strasbourg, wo sie im Rahmen einer Tournee durch das Elsass untergebracht worden war. Die Zimmer waren nicht auf dem neuesten Stand und verfügten über keine eigenen Telefonanschlüsse. Es erschien Édith reichlich aufwendig, wegen jedes Gesprächs, das sie führen wollte, in die Hotelhalle zu gehen. Zumal zu der Zeit, in der sie für gewöhnlich telefonierte, nur der Nachtportier Dienst tat und die Vermittlung nicht besetzt war. Diese Widrigkeit hinderte sie daran, mit Yves zu telefonieren. Aber genau das war der positive Aspekt, den sie der Situation abgewann. Je weniger sie mit ihm sprach, desto mehr festigte sich der Entschluss, den sie in diesen Tagen getroffen hatte.

»Wofür brauchen Sie eine Wohnung?«, fragte Louis am anderen Ende der Leitung in Paris.

Ihr Lachen klang verbittert, als sie zurückgab: »Hat nicht jeder Mensch ein Recht auf ein eigenes Zuhause? Ich habe keine Lust mehr, in Hotels zu schlafen. Auch nicht im Alsina. Ich bitte Sie, eine schöne große Wohnung mit ordentlichen Möbeln in der besten Gegend für Momone und mich zu suchen ...«

»Und für Yves«, warf ihr Impresario ein. Es war nicht deutlich, ob es eine Frage oder eine Feststellung war.

Sie schluckte. »Nein. Nicht für Yves. Er zieht nicht mit uns ein. Ich will auch nicht, dass er von meinem Auftrag für Sie erfährt, Loulou. Wenn Sie Yves etwas über meine Pläne verraten, kündige ich Ihnen auf der Stelle. Verstanden?«

»Édith, er ...«

»Was immer Sie mir sagen wollen – ich möchte es nicht hören!« Einem spontanen Impuls folgend, drückte sie die Gabel am Telefon herunter und beendete das Gespräch. Durch den Hörer schrillte ein Tuten, das ihr Trommelfell malträtierte. Doch sie rührte sich nicht, gefangen in der Endgültigkeit ihrer Entscheidung.

Es war ein düsterer Februartag, an dem Édith zurück nach Paris fuhr. Regen prasselte auf die Dachkonstruktion der Gare de l'Est, ein auffrischender Wind wirbelte den Unrat auf der Straße vor dem Bahnhof auf, Wasser spritzte aus den Pfützen hoch, durch die die Autos fuhren. Édith war binnen kürzester Zeit durchnässt, als sie neben Simone und Louis, die sie vom Zug abgeholt hatten, zu einem Taxi lief. Ihre Freundin und ihr Impresario trugen wenigstens einen Hut, während ihre Frisur sofort ruiniert war.

»Rue de Berri sechsundzwanzig«, wies Louis den Chauffeur an.

Eine leise Ahnung erfüllte Édith, und sie lächelte. »Was ist das für eine Adresse?«

»Das ist fortan Ihre Anschrift«, erwiderte Louis. »Ich dachte mir, eine Seitenstraße der Champs-Élysées im achten Arrondissement entspricht dem, was Sie unter der besten Gegend verstehen.«

»Nun ja …«

»Wir sehen uns die Wohnung an«, erklärte Simone entschieden.

Das Haus, vor dem der Wagen hielt, war eine Enttäuschung. Es war ein eher schlichtes Gebäude, das Édith lediglich ein leises Aufstöhnen entlockte. Bei der gegebenen Witterung wirkte es in seiner Strenge unfreundlich und sogar abweisend. Vielleicht sollte sie lieber wieder ins Hotel Alsina ziehen. Dort wartete Yves auf sie.

Wenn mir die Wohnung nicht gefällt, ist es ein Zeichen, fuhr es Édith durch den Kopf. Sie berührte das goldene Kreuz, das sie trug, mit ihren Fingerspitzen. Wenn sich Louis einen Fehlgriff geleistet hatte, war es Schicksal. Gottes Wille. Dann würde sie zu Yves zurückkehren.

»Kommen Sie, bitte.« Louis wies ihr und Simone den Weg durch ein Tor.

Sie passierten den Eingang zu einem Innenhof, der sich zu einem Garten öffnete mit Büschen und Bäumen, die ihre kahlen Äste wie mit der flehenden Bitte um Frühling in den Himmel streckten. Durch den Regenschleier blickte Édith nun auf ein hübsches kleines Stadtschloss, ein prätentiöses Gebäude, das selbst in dem grauen Tageslicht zu leuchten schien. Überrascht folgte sie Louis in die Erdgeschosswohnung, Simone in ihrem Rücken. Sie besichtigten praktisch möblierte Zimmerfluchten und kehrten schließlich in den Salon zurück. Ein Blumenstrauß auf dem Sims eines imposanten Marmorkamins verbreitete so etwas wie Heimeligkeit.

»Gefällt es Ihnen?«, wollte Louis wissen.

»Es ist nicht übel, aber ziemlich groß«, meinte Simone, und aus ihrem Ton klang wenig Begeisterung.

Édith umfasste das Kreuz fester. Sie schloss die Lider, schickte ein Gebet zur heiligen Thérèse und hoffte, dass sie das Richtige tat. »Wir bleiben hier.« Als sie die Augen öffnete, spürte sie die Träne, die sich aus ihren Wimpern löste und langsam ihre Wange hinabbrann.

Weder Simone noch Louis sprachen ein Wort.

»Was ist mit Yves?«, fragte Simone später, als sie mit Édith den ersten Abend in ihrem neuen Salon verbrachten. Der

Regen trommelte gegen die Fenster, und der Wind ächzte im Schornstein. Während Édith eine Weinflasche öffnete, kümmerte sich Simone um den Kamin. Doch der Windstoß löschte das Feuer wieder, das sie gerade zu entfachen versuchte.

Édiths Hände, die den Korkenzieher hielten, zitterten leicht. »Ich habe eine Entscheidung getroffen, die mir schon eine Zeit lang auf dem Herzen brennt. Mit Yves ist es vorbei, Momone, er braucht mich nicht mehr.«

»Aber er weiß, dass du heute zurückgekommen bist. Er wird im Alsina auf dich warten.«

»Ja. Wahrscheinlich. Dann wird er Dédée anrufen und fragen, wo ich bleibe. Ich habe von Strasbourg aus mit ihr telefoniert und sie gebeten, ihm auszurichten, dass ich ihn nicht sprechen möchte.«

Der Korken ließ sich mühsamer aus der Flasche drehen als erwartet. Als sie den Wein schließlich in die bereitgestellten Gläser goss, fühlte sich Édith erschöpft.

»Aber du bist Yves eine Erklärung schuldig«, insistierte Simone. »Du kannst ihn doch nicht in Unwissenheit …«

»Wenn du nicht jeden Satz mit einem *Aber* beginnen würdest, wäre ich dir sehr dankbar«, unterbrach Édith. Sie stürzte den Inhalt ihres Glases hastig die Kehle hinunter. Im nächsten Moment bedauerte sie, dass sie ihre Freundin so angefahren hatte. Sie stellte das Glas wieder ab und trat an den Kamin, wo sie sich neben Simone in die Hocke niederließ.

»Was soll ich ihm denn sagen, Momone?«, seufzte sie. »Dass ich lieber gehe, wenn die Liebe noch groß ist, und ein Ende, an dem wir uns zerfleischen, nicht abwarten will? Ich bin sicher, Yves würde nicht verstehen, dass man den Mut haben muss, Schluss zu machen, wenn man sich noch liebt. Bevor man das zerstört, was Einzigartiges zwischen einem war. Sonst fängt man an, sich zu hassen, oder bleibt aus Mitleid zusammen. Das wäre furchtbar.« Sie lauschte dem Klang ihrer eigenen Stimme und horchte in sich hinein, als müsse sie sich selbst von dieser Wahrheit überzeugen.

Simone schwieg eine Weile. Sie strich immer wieder ein Streichholz an, doch der Wind, der durch den Kamin stob, blies jedes aufs Neue aus. Irgendwann ließ sie die Hände sinken und blickte in Édiths traurige Augen. »Was machst du, wenn er hierherkommt?«

Der Gedanke an ein Wiedersehen mit Yves, das ihre Entscheidung womöglich ins Wanken bringen könnte, ließ sie erstarren. »Wieso sollte er das tun? Er hat ja nicht einmal die Adresse.«

»Loulou wird sie ihm geben ...«

»Ich habe Loulou mit Kündigung gedroht, wenn er Yves verrät, wo ich bin.«

»Er wird es ihm sagen, Môme. So oder so. Kerle halten zusammen. Und wenn du wissen willst, warum Yves dich suchen wird, kann ich dir nur sagen, dass er es tut, weil er ein Mann ist. Ein guter Mann. Falls du das vergessen haben solltest. Aber du hast ihn ja schon lange nicht mehr gesehen.«

»Hör auf«, zischte Édith. »Sarkasmus steht dir nicht.«

Gegen Mitternacht klingelte es an der Wohnungstür. Édith und Simone befanden sich im Schlafzimmer der Hausherrin, jede eingehüllt in eine Decke. Sie schliefen noch nicht, es war noch lange nicht Édiths Zeit dafür.

»Wehe, du öffnest!«, drohte Édith. Ihr Herz klopfte so laut wie der Regen, der noch immer gegen die Fenster trommelte. Warum kann ein Herz, das einem so schwer ist, eigentlich so rasend schnell pochen?, fragte sie sich in Gedanken.

Simone sah sie bekümmert an und schwieg.

Die Glocke schrillte weiter, unterbrochen von Fäusten, die gegen die Tür schlugen.

»Édith!« Yves schrie so laut, dass seine Stimme durch das ganze Haus hallte, vom Dachboden bis in den Keller. Sie wehte durch jede Ecke der Wohnung im Parterre und traf wie ein Pfeil mitten in Édiths Seele. »Mach auf! Ich weiß, dass du da bist. Édith!« Es war der Hilferuf eines Ertrinkenden.

Sie hob die Hände, um sich die Ohren zuzuhalten, steckte sich die Finger in den Gehörgang. Vergeblich. Tränen liefen ihr über die Wangen. Sie steckte ihren Kopf unter ein Kissen, hoffend, nicht nur seine Stimme, sondern auch alle Erinnerungen an ihn auszusperren. Sie waren so glücklich gewesen.

Viel zu glücklich. Ihr Leben hatte in rosaroten Farben geleuchtet – bis es sich in ein hässliches Grau zu verwandeln begann. Édith hörte durch die Daunen, wie Yves nach ihr rief. Sie spürte Simones Hand, die liebevoll über ihren Rücken streichelte. Und es dauerte, bis sie begriff, dass sie diejenige war, die so verzweifelt schluchzte.

»Ich will ihn nicht wiedersehen, Momone. Wenn ich es täte, würde ich wankelmütig werden, aber ich will nicht mit ihm weitermachen wie bisher. Bitte, bitte, sorg dafür, dass er weggeht. Ich ertrage es nicht, ihn so zu erleben. Wenn er nicht endlich verschwindet, komme ich nicht darüber hinweg.«

Sie wusste nicht, wie lange es dauerte. Sein Klopfen und sein Rufen ebenso wie ihr Schmerz. Irgendwann wurde er leiser, dann trat Stille ein.

EPILOG
1947

»Hymne à l'amour«

Ich bereue nichts.

Edith Piaf

New York

Die erste Enttäuschung auf ihrer Amerikareise erlebte Édith schon auf dem Schiff. Wie alle anderen Passagiere der ersten Klasse war sie an diesem Oktobertag bei der Einfahrt in den Hafen von New York City an Deck geeilt. Man hatte ihr gesagt, der Blick auf die Freiheitsstatue sei wunderbar. Es war einer der Höhepunkte, einer der vielen Momente der fünftägigen Seereise, in denen sie oft bedauerte, dass Simone in Paris geblieben war. Die *Liberty* war ein Geschenk des französischen Volkes an die Vereinigten Staaten von Amerika – also eigentlich auch von Édith und ihrer Freundin, obwohl sie bei der Einweihung des Monuments vor einundsechzig Jahren natürlich beide noch nicht geboren waren. Doch die Jubelrufe ihrer Mitreisenden teilte Édith nicht. Nachdem sie sich am frühen Morgen aus dem Bett gequält hatte, stand sie an der Reling, gegen den

Wind ein Kopftuch um ihr Haar geschlungen, und war keineswegs begeistert – sie fand den Anblick höchst unbefriedigend. Da ragte kein Koloss aus dem Meer, die Statue erschien ihr viel kleiner als erwartet. Warum wurde darum so ein Bohei gemacht? Der Eiffelturm war viel eindrucksvoller. Dafür hätte sie auch im Bett bleiben können.

Ihre Unzufriedenheit über die Freiheitsstatue hätte ihr ein Omen für den Beginn ihres Aufenthalts sein sollen. Denn der hätte kaum schlechter sein können.

Nach wenigen Tagen zerstritt sie sich mit ihren Anheizern. Seit geraumer Zeit ließ sie sich von einer Gruppe junger Männer begleiten, die sich *Les Compagnons de la Chanson* nannten. Und nun wagten es diese undankbaren Jungs, dem pulsierenden Leben in Manhattan zu verfallen, wo es immer Licht, unerschöpfliche Mengen an Getränken, Essen und Zigaretten ohne Lebensmittelkarten gab und hübsche Mädchen in schicken Kleidern herumliefen, für die ein Freund aus Europa erstrebenswert zu sein schien. Der Leiter der Band, Jean-Louis Jaubert, war Édiths Liebhaber, aber der wurde ebenso gnadenlos vor die Tür gesetzt wie die anderen Sänger.

Édith ärgerte sich, dass sie sich auf die Truppe aus dem Elsass eingelassen hatte. Wahrscheinlich hätte sie besser den jungen Armenier mitnehmen sollen, den sie unter ihre Fittiche genommen hatte. Weil er Geld brauchte, hatte er zeitweise als Sekretär für sie gearbeitet und war mit ihr auf Tournee gegangen. Auf einen Familienvater war mehr Verlass als auf einen Tross halbwüchsiger Kerle, das hätte sie sich vorher denken sollen. Doch während sie in ihrem Zimmer im eleganten Hotel Ambassador an der noch feineren Park Avenue wie ein Tiger im Käfig auf und ab lief, bereitete Charles Aznavour seinen ersten Abend im Alhambra in Paris vor. Es blieb ihr nichts übrig, als die Telefonistin anzuweisen, ein Telegramm an ihren aufstrebenden Freund zu schicken:

Bin mir deines Erfolges sicher +++ STOP +++
Bedauere, nicht da zu sein +++ STOP +++
Herzlichste Grüße und Küsse +++ gez. Édith.

Da sie die *Compagnons de la Chanson* hinausgeworfen hatte und sich auf dieser Seite des Atlantiks nicht so schnell Ersatz finden ließ, musste sie ihr Programm wieder ohne Unterstützung durchziehen. Ihr ging durch den Kopf, Yves anzurufen und zu einem Flug nach New York zu überreden. Doch er wäre zu stolz, um zu ihr zurückzukommen, und so oder so würde sie ihm mit einer Einladung wahrscheinlich das Herz brechen. Seine Schwester, mit der sie gelegentlich in Kontakt stand, behauptete, dass er Édith noch immer liebe. Tatsächlich hatte sie Yves seit der Trennung noch nicht wiedergesehen. Dabei wäre er der perfekte Bühnenpartner für ein Duett. Sie hatte zwei Lieder, die sie bislang noch nicht in ihr Repertoire aufgenommen, jedoch vorausschauend ins Englische hatte übersetzen lassen – eines davon war *ihr* Lied, es war »La vie en rose«. Sie trank sich mit mehreren Gläsern Bourbon Mut an. Den brauchte sie, um eine Abweisung zu ertragen. Sie legte ihre

Hand auf das Telefon. Lydia hatte ihr verraten, in welchem Hotel Yves in Paris lebte. Es wäre ganz einfach, die Nummer zu erfragen und die Vermittlung um eine Leitung nach Frankreich zu bitten.

Édith hatte das Gefühl, noch mehr Whisky zu brauchen, bevor sie zur Tat schreiten konnte. Ihr Herz pochte, ihre Gedanken rasten, der Alkohol rann ihr die Kehle hinab, stille Tränen tropften hinein. Schließlich war sie zu betrunken, um überhaupt nur klar aussprechen zu können, was sie von dem Fräulein vom Amt wollte.

Als sie ihren Rausch ausgeschlafen hatte, war sie wieder zuversichtlicher. Eine Édith Piaf brauchte niemanden, um zu überleben. Simone fehlte ihr zwar schrecklich, aber sie verscheuchte den Schmerz, umso wilder entschlossen, jede Hürde allein zu meistern, ihr Programm vorzubereiten.

Die nächste Katastrophe bahnte sich mit ihrem Auftritt im Playhouse Theatre am Broadway an. Édith kam in ihrem schlichten schwarzen Kleid auf die Bühne – und prompt wirkten die Zuschauer indigniert. Sie sang – und das Publikum pfiff! Sie intonierte die englischen Texte – und ein Gast rief ihr zu, wie gut ihr Italienisch sei. Der Mann schien es sogar nett zu meinen.

Nach der Vorstellung saß sie in ihrer Garderobe und weinte vor Verzweiflung.

»Es ist gar nicht so schlecht gelaufen, wie Sie glauben«, tröstete sie Clifford Fisher, ihr Agent und damit die amerikanische Version von Louis. »Die Leute waren überrascht, Sie so schlicht angezogen zu sehen. Hier wird Frankreich mit dem Cancan und dem großen Auftritt verbunden. Sie wissen schon, mit Straußenfedern und Flitter ...«

»*Mon dieu!*«, stieß Édith hervor. Trotzig hob sie ihre tränennassen Augen. »Das werden sie von mir nicht bekommen.«

»Ein kleiner Pelz wäre schon hilfreich, eine Stola vielleicht. Und ein wenig Make-up und der Besuch bei einem Friseur«, schlug Clifford in einem liebenswürdigen Ton vor. »Man ist hier an Rita Hayworth gewöhnt, verstehen Sie?«

Es war Édith bewusst, dass er sie nur beraten und nicht beleidigen wollte. Dennoch schrie sie auf: »Ich bin doch kein Pin-up-Girl!«

»Aber es ist wirklich nicht schlecht gelaufen«, wiederholte ihr Agent geduldig, ihren Protest ignorierend. »Die New Yorker arbeiten sehr hart, der Alltag rauscht hier mit einer unerhörten Geschwindigkeit an einem vorbei. Deshalb sehnen sich die Menschen nach ein bisschen Glamour, sie wollen abends fröhlich sein dürfen und keine Dramen erleben. Dazu passen Lieder über die Arbeiterklasse nun einmal nicht unbedingt.«

»Ich hab's gehört«, zischte Édith zwischen zusammengebissenen Zähnen.

»Sie meinen die Pfiffe?« Clifford lachte, wobei ihm beinah die Zigarre aus dem Mundwinkel fiel, auf der er herumkaute. »Das ist bei uns anders als in Europa. Deshalb sage ich ja, dass es ganz gut gelaufen ist. Pfiffe bedeuten hierzulande Zustimmung – und nicht Ablehnung. Wussten Sie das nicht?«

Sie schüttelte den Kopf.

Niemand hatte sie auf ihre Reise nach New York vorbereitet. Auf die Freiheitsstatue ebenso wenig wie auf die Marotten eines fremden Publikums. Und sie hatte geglaubt, es würden Auftritte werden wie zu Hause. Wie aber sollte sie die Anforderungen erfüllen, die man hier an sie stellte? Sie hätte sich vollkommen verbiegen müssen, um dem Typ Sängerin zu entsprechen, der anscheinend gerade gefragt war. Überwältigt von Heimweh, schlug sie die Hände vors Gesicht.

»Wir kriegen das schon hin. Ich spiele Poker, Edith, und ich verwette einen Straight Flush, dass Sie noch den Pot holen.«

Sie hörte ihn wohl, aber ihr fehlte der Glaube an seine Worte. In diesem Moment fand sie es nicht einmal mehr lustig, dass er ihren Namen wie *Idiss* aussprach. Ihr war nur noch und immer wieder zum Heulen zumute. Noch nie hatte sie so schnell aufgegeben. Aber auch wenn es einen Vertragsbruch bedeutete – sie wollte nach Hause!

Ein paar Tage später, die sie in Erwartung einer baldigen Schiffspassage nach Le Havre durchhielt, erschien Clifford mit einer Zeitung unter dem Arm in ihrem Hotelzimmer. Er nahm sich weder die Zeit, seinen Hut abzunehmen, noch, die Zigarre aus seinem Mund zu nehmen und in einen Aschenbecher zu legen. »Sehen Sie sich das an.« Seine Stimme war eigentlich nur ein Nuscheln, dennoch schaffte er es, dass sie sich fast überschlug vor Aufregung. »Virgil Thomson hat in der *New York Herald Tribune* über Sie geschrieben. Zwei Spalten lang.«

Édith saß an dem Tisch am Fenster und überlegte, ob das ihr servierte Frühstück ein Scherz sein sollte. Kein Franzose aß pochierte Eier auf Toast, die in Sauce hollandaise schwammen und mit einer Scheibe Schinken garniert waren. Selbst wenn die Versorgung in Paris wieder so wie vor dem Krieg wäre, würde niemand – wirklich niemand – seinem Magen schon am Morgen ein derart mächtiges Gericht zumuten. Sie hörte Clifford nicht zu und fragte gedehnt, während sie mit dem Zeigefinger auf ihren Teller zeigte: »Was ist das?«

»*Eggs Benedict*«, kam es wie aus der Pistole geschossen. »Sieht gut aus!«

»Womöglich. Aber, ich wollte eigentlich nur ein Frühstück haben und kein Mittagessen«, murmelte sie, griff nach der Silberkanne und goss Kaffee in ihre Tasse. Obwohl aus echten Bohnen gewonnen, wirkte der wiederum so dünn, dass sie meinte, den Tassenboden zu erkennen. Das Heißgetränk überraschte sie weniger als das Essen, den amerikanischen Kaffee hatte sie bereits kennengelernt. Wieso kochten Menschen, die nicht mit Lebensmittelknappheit zu kämpfen hatten, so dünnes Zeug? Sie nippte daran.

Cliffords Begeisterung war fast körperlich spürbar. Deshalb tat sie ihm den Gefallen und fragte: »Wer hat etwas über mich geschrieben?« Dabei interessierte sie der Artikel nicht sonderlich. Sie erwartete keine großartigen Kritiken mehr. Jedenfalls nicht von diesen verständnislosen New Yorkern.

»Virgil Thomson«, wiederholte Clifford. »Kennen Sie ihn nicht? Er ist Komponist und Musikkritiker und hat bis zur deutschen Besetzung in Paris gelebt.«

»Ich kenne doch nicht jeden, der einmal in Paris gewohnt hat. Wissen Sie, wie groß die Stadt ist?«

»Sie werden ihn lieben«, versprach Clifford und schlug die Zeitung auf. »Dieser Artikel ist mehrere tausend Dollar wert. Mister Thomson erklärt den Lesern, was ein französisches Chanson und wer die Königin des französischen Chansons ist. Er schreibt über Ihre Stimme, Ihr Aussehen, Ihre Gesten, Edith. Aber das Beste kommt am Schluss ... warten Sie ...« Er suchte offenbar den entsprechenden Absatz, dann übersetzte er: »*Wenn man sie*«, er hob kurz seinen Kopf, »also Sie, Edith ...«

»Ja, ja.« Sie machte eine auffordernde Geste. »Sprechen Sie weiter.«

»*Wenn man sie nach diesem unverdienten Misserfolg nach Hause fahren lässt*«, fuhr Clifford fort, »*dann hat das amerikanische Publikum sein Unverständnis und seine Dummheit unter Beweis gestellt.*«

Ihr entfuhr ein leiser Pfiff. »Donnerwetter! Und nun?«

»Sie dürfen keinesfalls abreisen. Ich werde in den schicksten und zugleich versnobtesten Nachtclub von New York gehen, und Sie werden einen Vertrag mit dem *Le Versailles* bekommen. Das verspreche ich Ihnen.«

Unwillkürlich lächelte sie ihn an. Sie mochte Clifford Fisher. Er war ein Kerl nach ihrem Geschmack. Kein Mann zum Lieben. Aber das war Loulou auch nicht. Umso mehr bedauerte sie, dass seine Mühe wahrscheinlich umsonst war.

Sie sah an sich hinunter, wie sie da in ihrem alten Morgenmantel saß – und schüttelte den Kopf. »Ich möchte keine Straußenfedern und keinen Flitter tragen.«

»Nach diesem Artikel«, Clifford trommelte mit dem Finger auf die Zeitung, »werden die New Yorker Ihr kleines schwarzes Kleidchen lieben.«

Sie hob die Augenbrauen, und ihre Hand flog zu ihrer Halskette mit dem goldenen Kreuz. Wenn Clifford Fisher recht behalten wollte, musste sie zunächst einmal eine katholische Kirche finden, um darin zu beten.

Der Scheinwerferkegel erfasste sie. Édith war für einen Moment geblendet, sah weder die pompöse Einrichtung des Nachtclubs noch das Publikum. Alles hinter dem gleißenden Licht lag in schwarzer Finsternis. Dennoch wusste sie natürlich von den Proben um die riesigen Dimensionen des Le Versailles, hatte den Prunk gesehen, die Säulen und goldenen Stuckverzierungen, war von dem von der hohen Decke herabhängenden Kristalllüster beeindruckt, der tatsächlich eines Ludwig XIV. würdig wäre, und den mit weißen Leinen und Silberbesteck eingedeckten Tischen. Zum ersten Mal seit langer Zeit war sie zu nervös, um die Ankunft der Gäste aus den Kulissen zu beobachten. Deshalb wusste sie nur vom Hörensagen von eleganten Abendroben, Frack und Smoking und dass ihre Zuschauer entweder aus den besten Kreisen der Ostküste stammten oder einem Who's who Hollywoods entsprungen waren. Clifford hatte Édith berichtet, dass Greta Garbo einen Tisch reserviert hatte, Gene Kelly, Charles Boyer und Lena Horne am Bühnenrand saßen und schließlich Marlene Dietrich darum gebeten hatte, nach der Vorstellung in Édiths Garderobe kommen zu dürfen.

Und da stand Édith nun in ihrem schlichten schwarzen Kleid. Ihr Kreuz blitzte im Licht, die Schweißtropfen in ihrem ungeschminkten Gesicht glänzten, ihr mit rotem Lippenstift nachgezogener Mund öffnete sich zu einem tiefen Atemzug. Sie zwang sich, das Ambiente zu vergessen, konzentrierte sich auf ihr Programm und begann mit der englischen Version von »La vie en rose«:

Hold me close and hold me fast
The magic spell you cast ...

Sie war überzeugt, dass die Zuschauer ihre Worte nicht mehr für eine italienische Übersetzung hielten. In den zwei Wochen, die ihr bis zu dieser Premiere Zeit geblieben waren, hatte sie Englischunterricht bei einer Miss Davidson genommen. Sie hatte gelernt und es als ausgesprochen hart empfunden – eine Sprache zu studieren, die ihrem Zungenschlag so entfernt klang, war kein Spaziergang gewesen. Aber nun fühlte sie sich sicher. Ihr französischer Akzent klang gewiss charmant, ihre Aussprache jedoch war klar und deutlich.

Nach diesem ersten Lied sang sie ihre bekannten Chansons in der Originalfassung, die Arbeiterlieder, die bei ihrem ersten Auftritt so gar nicht angekommen waren. Sie dachte nicht an den Misserfolg, sah nur nach vorn, wo sie eigentlich nichts wahrnahm – und fühlte sich wie seinerzeit im ABC, als Raymond Asso wie jetzt Clifford Fisher hinter der Bühne wartete, um zu erleben, ob sich sein Einsatz gelohnt hatte. Ihre Stimme war fester, besser geschult als damals, ihre Gesten durchdachter, obwohl beides wie damals direkt aus ihrem Herzen kam.

Tosender Applaus brach über Édith herein. Bravo-Rufe wehten auf die Bühne. Irgendjemand schrie:»*Vive la France!*«, und Tränen stiegen in Édiths Augen. Sie verbeugte sich, ging ab, das Publikum raste.

Als sie zurück auf die Bühne kam – mit langsamen Schritten –, wurden Zugaben verlangt. Der Bühnentechniker drehte das Scheinwerferlicht etwas schwächer, so dass Édith ein Blick in den Saal gewährt wurde.

Fassungslos starrte sie zu den Gästen. Sie konnte nicht glauben, was sie sah und hörte. Diese beneidenswert eleganten Leute standen auf den Stühlen und auf den Tischen, klatschten und riefen einstimmig nach einem Chanson, das sie noch einmal hören wollten. Es dauerte eine Weile, bis sie verstand: Im Takt skandierten die Zuschauer einen Titel. Jedes Wort

berührte Édiths Herz. Sie wollten das Lied, das ihrer Seele
entsprang wie bisher kaum ein anderes. Es war das Lied ihrer
Liebe zu Yves Montand:

La vie en rose

NACHWORT

»Non, je ne regrette rien«

Sie ist eine Frau von königlicher Einfachheit.
Die Kraft, die von ihrem winzigen Körper ausgeht,
versetzt jeden in das Reich der Magie.

Jean Cocteau über Édith Piaf

Édith Piaf war 1947 ursprünglich für vier Wochen ins Le Versailles engagiert worden – sie blieb ein gutes halbes Jahr in New York. In dieser Zeit begegnete sie bei einer Dinner-Party im französischen Konsulat einem überaus populären Landsmann, dem Mittelgewichtsweltmeister Marcel Cerdan. Der Boxer hatte es nicht nur ebenso wie sie aus kleinsten Verhältnissen nach oben geschafft, er war in vielerlei Hinsicht Édiths Seelenverwandter. Darüber hinaus war er ein großer Verehrer ihrer Chansons, er war freundschaftlich eng verbunden mit den Gründern des Pariser Club des Cinq und befreundete sich dort auch mit Yves Montand.

Für Édith war er die ganz große Liebe. Cerdan war zwar verheiratet und Vater dreier Kinder, doch auch sie war für ihn die Frau seines Lebens. Deshalb zögerte er nicht, als sie ihn während einer neuen Konzertreihe in New York am Telefon anflehte, so rasch wie möglich zu ihr zu kommen. Sie hielt es vor Sehnsucht nach dem Geliebten nicht mehr aus. Marcel Cerdan nahm nicht das langsamere Schiff, sondern setzte sich ins Flugzeug: Die Air France 009 von Paris nach New York stürzte am 28. Oktober 1949 über den Azoren ab. Es gab keine Überlebenden.

Der Tod von Marcel Cerdan war der Schicksalsschlag, von dem sich Édith niemals wieder erholen sollte. Von diesem Zeitpunkt an trank sie nicht nur sehr viel mehr als zuvor, sie wurde auch rauschgiftsüchtig. Als Folge von zwei schweren Autounfällen in den 1950er Jahren wurde sie zudem tablettenabhängig. Ihr kleiner Körper konnte so viele Drogen nicht verkraften, er wurde schließlich vom Krebs zersetzt. Dennoch versuchte Édith, ihr Leben zu meistern, arbeitete ununterbrochen und heiratete zwei Mal. Manche Biographen meinen, sie habe sich Stellvertreter für den toten Marcel Cerdan gesucht. Der körperliche Verfall indes war längst nicht mehr aufzuhalten.

Louis Barrier und Simone Berteaut blieben bis zu ihrem Tod am 10. Oktober 1963 an Édiths Seite.

Marguerite Monnot war zwei Jahre zuvor gestorben, nachdem ihr Musical »Irma la Douce« ein Welterfolg geworden war.

Jean Cocteau folgte seiner Freundin Édith wenige Stunden, nachdem er die Nachricht von ihrem Tod erhalten hatte.

Der Verlust Édith Piafs führte in Frankreich zu landesweiter Trauer. Rund 40 000 Menschen begleiteten ihren Sarg auf dem letzten Weg zum Friedhof Père Lachaise in Paris. Ihr Einfluss als »Pygmalion« wirkte noch lange darüber hinaus in der Arbeit ihrer Protegés, zu denen neben Yves Montand und Charles Aznavour später auch Eddie Constantine, Gilbert Bécaud, Georges Moustaki u. a. gehörten. Geblieben sind unvergessene Chansons, von ihr gesungen und geschrieben, eines sogar teilweise von ihr komponiert: »La vie en rose« ist bei den Franzosen noch heute fast so populär wie die »Marseillaise«.

Das Leben von Yves Montand verlief weitaus glücklicher. Im Sommer 1949 lernte er durch Jacques Prévert die intellektuelle Charakterdarstellerin und spätere Oscar-Preisträgerin Simone Signoret kennen und lieben. Die beiden heirateten 1951 und wurden zu einem der glanzvollsten Paare des internationalen Films. Übrigens zelebrierte Yves die Einführung seiner neuen Verlobten in der Familie Livi genauso wie das Treffen mit Édith (und Édith stellte den Livis ebenfalls ihren ersten Mann Jacques Pills vor ihrer Hochzeit mit ihm vor). Simone Signoret und Yves Montand engagierten sich im Laufe ihres Lebens sehr stark politisch, protestierten etwa gegen die Niederschlagung des Ungarischen Volksaufstands durch sowjetische Truppen 1956 und gegen den Einmarsch der Soldaten des Warschauer Pakts 1968 in die Tschechoslowakei, demonstrierten für Arbeiterrechte und gegen die Aufrüstung mit Kernwaffen.

Sein Film *Pforten der Nacht* (*Les portes de la nuit*) wurde zwar ein Flop, machte aber Regisseure und Produzenten auf Yves Montand aufmerksam. Er wurde rasch ein gefragter und schließlich weltberühmter Filmschauspieler, der es auch nach Hollywood schaffte. Er drehte mit Romy Schneider, Ingrid Bergman, Shirley MacLaine und Marilyn Monroe, mit der ihm eine Affäre nachgesagt wird. Trotz der Karriere als Schauspieler trat Yves Montand immer wieder mit Soloprogrammen und den alten Chansons in den Musiktheatern von Paris auf, trug dabei schwarze Hose und schwarzes Hemd – und kam jedes Mal ganz langsam auf die Bühne geschritten. Wenn Yves in Interviews auf Édith Piaf angesprochen wurde, sprach er stets verzückt von ihr als seiner ersten großen Liebe. In Ausschnitten des französischen Fernsehens etwa aus dem Jahr 1970, die sich bei YouTube finden, kann man ihn dabei sehen, wobei sich allein an seinem Gesicht und seiner Gestik ablesen lässt, wie verzaubert er von dieser großen, kleinen Frau blieb; dafür braucht man nicht einmal französische Sprachkenntnisse.

Yves Montand starb sechs Jahre nach Simone Signoret am 9. November 1991. Er wurde neben seiner Frau auf dem Friedhof Père Lachaise in Paris beigesetzt.

Ich muss zehn oder elf Jahre alt gewesen sein, als ich das Lied »La vie en rose« zum ersten Mal bewusst hörte. Das war, als ich den Film *Sabrina* mit Audrey Hepburn im Fernsehen anschauen durfte. Mir gefiel dieses Chanson ausgesprochen gut, weil es für mich den Inbegriff alles Französischen darstellte, es begleitete lange Zeit auch meine Träume von einem Aufenthalt in Paris (den ich mir viele Jahre später erfüllte). Irgendwann erfuhr ich, dass es eines der Lieblingslieder meines Vaters, des Filmkomponisten Michael Jary, war. Er hatte seinen Kollegen Louiguy sogar in Südfrankreich kennengelernt, aber diese Begegnung gehörte leider zu den Geschichten, für die sich die Tochter damals nicht sonderlich interessierte.

Als ich gefragt wurde, ob ich einen Roman über Édith Piaf schreiben wolle, konnte ich schon allein wegen meiner Liebe zu diesem Chanson nicht nein sagen. Wie bei »Mademoiselle Coco und der Duft der Liebe« dachte ich anfangs irrtümlicherweise, dass es eine einfach umzusetzende Geschichte sei. Doch je mehr ich über das Leben von Édith Piaf las und in Filmen, Dokumentationen und auf Theaterbühnen sah, wurde mir klar, dass ich nicht von der Frau erzählen wollte, die bereits zerstört von Drogen war. Der Aufstieg des Kindes von der Straße zu einer weltberühmten Ikone der französischen Musik, zu einer gebildeten, brillanten, intellektuellen Person faszinierte mich deutlich mehr als ihr trauriges Schicksal nach Marcel Cerdans Tod. Aber gerade die aufstrebende, hart arbeitende, energische und doch charmante Karrierefrau ist so gut wie niemals die Protagonistin all der Rückblicke, die es zu ihr gibt. Damit wird man ihr meines Erachtens aber nicht gerecht. Deshalb habe ich mich entschlossen, die strahlende Édith Piaf zu zeigen, ich möchte ihre Leistung würdigen, nicht ihre Zerstörung dokumentieren. Die Jahre zwischen der Befreiung von Paris Ende August 1944 und dem tragischen Flugzeugunglück im Oktober 1949 waren meines Erachtens ihr persönlicher Höhepunkt.

Der Ablauf und die Handlungsorte dieses Romans sind weitgehend authentisch. Es gibt allerdings unterschiedliche Berichte über den Zeitpunkt von Édith Piafs erster Begegnung mit Yves Montand, die jedoch, so glaube ich, häufig im Bereich der Legende anzusiedeln sind und ihren Ursprung vielleicht auch darin haben, dass die deutsche Besatzungszeit in Frankreich, die Befreiung von Paris und deren Folgen bis heute nicht öffentlich aufgearbeitet wurden.

Es erscheint mir nach Kenntnis vieler Quellen absolut unmöglich, dass sich die beiden noch während der deutschen Besetzung kennengelernt haben sollen. Denn dass Yves Montand unter den Augen von Nazi-Kulturzensoren im Frühjahr 1944 als Cowboy-Sänger in amerikanischem Stil aufgetreten sein soll, wäre nur in kleinen Untergrundkneipen möglich gewesen, nicht aber in Musiktheatern wie dem ABC. Außerdem ergibt es keinen Sinn, dass die beiden in kürzester Zeit für die Wiedereröffnung des Moulin Rouge probten, während die Räume noch als deutsches Kino genutzt wurden. Deshalb habe ich den zeitlichen Ablauf so dargestellt, wie er nach Kenntnis aller historischen Zusammenhänge am wahrscheinlichsten gewesen sein mag und auch in der einen oder anderen Biographie kolportiert wird. Für die historischen Hintergründe habe ich viel Basisliteratur gelesen. Drei Titel davon möchte ich ausdrücklich nennen und empfehlen:

Den Ausstellungskatalog »Paris – libéré, photographié, exposé«, Musée Carnavalet Paris 2014

Patrick Buisson: »1940–1945 années érotiques – l'occupation intime«, Éditions Albin Michel 2010

Paul Sérant: »Die politischen Säuberungen in Westeuropa«, Stalling 1966

Darüber hinaus habe ich unzählige Biographien über Édith Piaf, Yves Montand und Simone Signoret, Maurice Chevalier, Charles Trenet, Marcel Cerdan, Arletty, Charles Aznavour und Norbert Glanzberg gelesen. Sehr schöne, stimmungsvolle Fotografien beinhaltet der Bildband »Édith Piaf«, den der Komponist Charles Dumont in Zusammenarbeit mit Bernard Marchois vom Édith-Piaf-Museum in Paris zusammengestellt hat (Flammarion 2013, auf Deutsch bei edelbooks erschienen). Charles Dumont schrieb für Édith die Melodie zu »Non, je ne regrette rien«, der Text ist von Michel Vaucaire.

Viele der Handlungsorte existieren heute nicht mehr, etwa

das Hotel Alsina in Paris und das Hotel Ambassador in New York. Das berühmte Musiktheater ABC am Boulevard Poissonnière wurde von 1965 bis 1981 als Lichtspielhaus genutzt, heute ist es ein Warenhaus für Babyartikel. Im Le Versailles, dem einst schicksten Nachtclub New Yorks, befindet sich nach langem Leerstand heute ein türkisches Spezialitätenrestaurant. Die Rue Villejust, in der Édith Piaf während des Krieges über einem Edelbordell wohnte, heißt inzwischen Rue Paul Valéry – und um die Ecke befand sich meine Pariser Wohnung.

Es war mir eine Ehre, einen Roman über Édith Piaf schreiben zu dürfen. Und es war mir ein großes Vergnügen. Selten habe ich beim Schreiben so viel Musik gehört, ich wurde in dieser Zeit von mehr als einem Ohrwurm begleitet.

Für das Gelingen eines solchen Buchs sorgt nicht allein die Autorin. Da ist natürlich zuerst meine Familie, ohne deren Liebe ich nicht dieselbe wäre. Ich danke meiner Agentin Petra Hermanns für ihre Unterstützung, ihren gelegentlich notwendigen Trost und das glücklicherweise auch wiederkehrende Lob. Ganz wichtig sind natürlich vor allem meine Ansprechpartner im Aufbau Verlag: Ich danke dem Verlagsleiter Reinhard Rohn, der Programmleiterin Taschenbuch Stefanie Werk, die auch meine Lektorin ist und die ich leider reichlich Nerven gekostet habe, sowie Oliver Pux, Inka Ihmels, Astrid Schmidt, Siggi Altmann und, und, und …

Und ich danke meinen Leserinnen und Lesern, die am Ende darüber entscheiden, ob mein Roman ein Erfolg wird. Ich hoffe, ich habe Sie gut unterhalten.

Michelle Marly

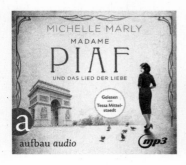

Michelle Marly
Madame Piaf und
das Lied der Liebe
Hörbuch, 2 CDs
Gelesen von Tessa Mittelstaedt
ISBN 978-3-945733-47-9

»Das Glück muss man mit Tränen bezahlen.« ÉDITH PIAF

Paris, 1944: Nach dem Ende der deutschen Besatzung wird die Sängerin Édith Piaf der Kollaboration angeklagt – und fürchtet ein Auftrittsverbot. Während sie ihre Unschuld zu beweisen versucht, lernt sie Yves Montand kennen, einen ungelenken, aber talentierten jungen Sänger. Édith beginnt mit ihm zu arbeiten, und schon bald werden aus den beiden Chansonniers Liebende. Das Glück an Yves' Seite inspiriert Édith zu einem Lied, das sie zu einer Legende machen könnte – »La vie en rose«.

Édith Piaf – sie verkörperte den Mut zu lieben wie keine andere und ging in ihrer Kunst wie im Leben bis zum Äußersten.

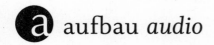

KRISTIN HANNAH

LIEBE &
VERDERBEN

ROMAN

KAPITEL EINS

*I*n jenem Frühjahr kam der Regen in so schweren Sturm-
böen, dass er an den Dächern der Häuser riss und lärmte. Das
Wasser drang bis in die kleinsten Ritzen und untergrub noch
die stärksten Fundamente. Land, das die sichere Heimat meh-
rerer Generationen gewesen war, brach auf und häufte sich zu
Schlackebrocken auf den tieferliegenden Straßen, riss Häuser und Autos und Swimmingpools mit sich. Bäume stürz-
ten um, krachten auf Stromleitungen. Flüsse traten über ihre
Ufer, überfluteten Gärten und zerstörten Häuser. Menschen,
die einander liebten, gerieten in Streit miteinander. Unter-
dessen fiel der Regen unablässig, und das Wasser stieg weiter.

Leni war nervös. Sie war neu in der Schule, nur ein unbe-
kanntes Gesicht in der Menge – ein rothaariges Mädchen mit
Mittelscheitel, das keine Freunde hatte und jeden Tag allein
zur Schule ging.

Sie saß auf ihrem Bett, die Knie umschlungen, die mageren
Schenkel an die flache Brust gedrückt. »Unten am Fluss« lag
aufgeschlagen neben ihr, eine Taschenbuchausgabe voller Esels-
ohren. Durch die dünnen Wände des Hauses hörte sie ihre
Mutter sagen: *Ernt, Baby, bitte nicht. Hör doch …*

Dann die verärgerte Stimme ihres Vaters: *Lass mich zufrieden, verdammt noch mal.*

Es ging wieder los. Das Streiten. Das Gebrüll.

Bald würde es Tränen geben.

Wetter wie dieses brachte die dunkle Seite ihres Vaters zum Vorschein.

Leni schaute auf die Uhr an ihrem Bett. Wenn sie sich jetzt nicht auf den Weg machte, käme sie zu spät zur Schule. Sie würde auffallen, und das war das Einzige, was noch schlimmer war, als auf der Mittelschule die Neue zu sein. Zu dieser Erkenntnis war sie auf die harte Tour gelangt. In den letzten vier Jahren war sie auf fünf Schulen gewesen, und auf keiner war es ihr geglückt dazuzugehören. Doch sie gab nicht auf und hoffte noch immer, dass sie es eines Tages schaffen würde. Sie atmete tief durch und stand auf. Leise verließ sie ihr karg möbliertes Zimmer und überquerte den Flur. An der geöffneten Küchentür blieb sie stehen.

»Herrgott, Cora«, sagte Dad. »Du weißt doch, wie schwer es für mich ist.«

Ihre Mutter machte einen Schritt auf ihn zu und streckte die Hand nach ihm aus. »Du brauchst Hilfe, Baby. Es ist nicht deine Schuld. Die Alpträume –«

Leni räusperte sich, um auf sich aufmerksam zu machen. »Hey«, sagte sie.

Ihr Vater entdeckte sie und trat einen Schritt von Mom zurück. Leni erkannte, wie müde er aussah, wie abgekämpft.

»Ich … ich muss zur Schule«, sagte Leni.

Mom griff in die Brusttasche ihrer rosafarbenen Kellnerinnenuniform und holte ein Päckchen Zigaretten heraus. Sie wirkte erschöpft. Hinter ihr lag die Spätschicht und vor ihr die Mittagsschicht. »Lauf los, Leni. Sonst kommst du zu spät.« Ihre Stimme war ruhig, sanft und ebenso zart, wie sie selbst es war.

Leni wollte weder bleiben noch gehen, das eine wäre so unerfreulich wie das andere. Es war sonderbar, vielleicht sogar ein bisschen albern, aber manchmal kam es ihr vor, als wäre sie der ausgleichende Ballast, der das schlingernde Allbright-Schiff auf Kurs hielt, fast so etwas wie die einzige Erwachsene in ihrer Familie. Ihre Mutter war seit geraumer Zeit auf der Suche nach sich selbst. In den vergangenen Jahren war sie allen möglichen Theorien gefolgt, um ihr Entwicklungspotenzial auszuschöpfen, wie sie es nannte. Sie hatte es mit Überlebenstraining versucht und mit dem Human Potential Movement, mit spiritueller Unterweisung, auch mit Unitarismus. Sogar mit dem Buddhismus. Überall hatte sie mitgemacht und sich das Beste für ihre Selbstfindung herausgepickt. Nach Lenis Eindruck waren es vor allem T-Shirts und markige Phrasen, die sie mitgenommen hatte. Sätze wie *Was ist, ist, und was nicht ist, ist nicht.* Letztlich schien nichts davon einen Unterschied zu machen.

»Geh«, sagte Dad.

Leni nahm ihren Rucksack vom Küchenstuhl und lief zur Haustür hinaus. Als sie hinter ihr ins Schloss fiel, begann es drinnen von neuem.

Herrgott, Cora –

Bitte, Ernt, hör mir zu –

So war es nicht immer gewesen. Zumindest behauptete das ihre Mutter. Vor dem Krieg seien sie glücklich gewesen, sagte sie, damals, als sie in Kent im Wohnwagenpark wohnten und Dad eine gute Stelle als Mechaniker und Mom stets ein Lachen auf den Lippen getragen und beim Kochen zu »Piece of My Heart« getanzt hatte. In Lenis Erinnerung an diese Zeit war nur noch das Bild ihrer tanzenden Mutter lebendig.

Dann wurde ihr Vater eingezogen. Er ging nach Vietnam, wo er kurz darauf abgeschossen und gefangen genommen wurde. Ohne ihn an ihrer Seite zu wissen, verlor Mom ihren Halt. Damals begriff Leni zum ersten Mal, wie zerbrechlich ihre Mutter war. Eine Zeitlang zogen sie umher, Leni und ihre Mutter, von Job zu Job, von Ort zu Ort, bis sie zuletzt in Oregon in einer Kommune unterkamen. Dort kümmerten sie sich um die Bienenstöcke und fertigten Lavendelsäckchen, um sie auf dem Bauernmarkt zu verkaufen. Sie demonstrierten gegen den Krieg in Vietnam, und Mom passte sich ihrem politisch engagierten Milieu an.

Als ihr Vater zurückkehrte, erkannte Leni ihn kaum wieder. Der gutaussehende, lachende Schemen ihrer kindlichen Erinnerung war ein seinen Launen hilflos ausgelieferter Mann geworden, den mal Wutanfälle plagten, dann wieder blieb er kühl und distanziert. Alles an der Kommune schien ihm verhasst zu sein, und schon bald zogen sie fort. Und wieder fort. Und wieder. Und nie war etwas so, wie er es haben wollte.

Nachts konnte er nicht schlafen, am Tage konnte er keinen seiner Jobs behalten, obwohl Mom schwor, dass er der beste Mechaniker sei, den es je gegeben habe.

Darüber hatten sie und er an diesem Morgen gestritten. Ihm war wieder einmal gekündigt worden.

Leni zog sich die Kapuze ihrer Jacke über den Kopf. Auf ihrem Schulweg lief sie durch Straßen mit gepflegten Häusern und machte einen Bogen um ein dunkles Gehölz; von dem musste sie sich fernhalten, man wusste nie, was einem dort zustoßen konnte. Sie kam an dem Fastfood-Restaurant vorbei, wo die Schüler der Highschool sich am Wochenende trafen, und an einer Tankstelle, wo die Autos in einer Schlange darauf warteten, Benzin für vierzig Cent den Liter zu tanken. Das war etwas, was die Gemüter aller erregte – die hohen Benzinpreise.

Eigentlich waren ohnehin alle Erwachsenen unentwegt gereizt, jedenfalls empfand Leni es so. Und es war auch kein Wunder. Der Vietnamkrieg hatte das Land gespalten. Tag für Tag verkündeten die Schlagzeilen der Zeitungen neue Grausamkeiten: Mal waren es Bombenanschläge der linksradikalen Weathermen, dann wieder die der IRA, Flugzeuge wurden genauso entführt wie Menschen, etwa die Erbin Patty Hearst, die von einer terroristischen Guerillatruppe gefangen genommen worden war. Das Massaker bei den Olympischen Spielen in München hatte die ganze Welt erschüttert, eben dies schien sich auch bei der Watergate-Affäre abzuzeichnen. Und seit kurzem verschwanden im Bundesstaat Washington immer wieder junge Frauen, ohne eine Spur zu hinterlassen. Die Welt war gefährlich geworden.

Was hätte Leni darum gegeben, eine richtige Freundin zu haben. Es war ihr größter Wunsch. Sie wollte mit jemandem reden können.

Doch würde es ihr letztlich irgendetwas bringen, wenn sie mit jemandem über ihre Sorgen sprechen könnte? Wozu jemandem ihr Herz ausschütten? War es nicht einfach so, dass ihr Vater manchmal die Kontrolle verlor und herumbrüllte und sie nie genug Geld hatten und dauernd umzogen, um ihren Gläubigern zu entkommen? So war ihre Familie nun einmal, aber immerhin liebten sie einander.

Aber dann gab es Tage, solche wie diesen, an denen Leni Angst hatte. Es war ihr, als stünde ihre Familie an einem tiefen Abgrund, wo der Boden unter ihren Füßen jeden Augenblick nachzugeben und abzubrechen drohte und sie wie die Häuser an den aufgeweichten Hängen von Seattle in die Tiefe stürzen würden.

Nach der Schule lief Leni durch den Regen nach Hause. Allein.

Das flache, schlauchartige Haus, in dem sie wohnten, stand in einer Sackgasse, umgeben von deutlich gepflegteren Anwesen. Es war außen dunkelbraun und mit leeren Blumenkästen versehen, die Regenrinne war verstopft, das Garagentor ließ sich nicht schließen und stand stets halb offen. Zwischen den verrottenden grauen Dachpfannen wucherten Unkrautbüschel.

Leni entdeckte ihren Vater in der Garage. Er saß auf der Werkbank neben dem ramponierten Mustang ihrer Mutter. Das Dach des Mustang war mit Klebeband geflickt. An den Wänden der Garage reihten sich die Umzugskartons, gefüllt mit den Sachen, die sie seit ihrer Ankunft in Seattle noch nicht ausgepackt hatten.

Wie üblich trug ihr Vater seine abgewetzte Armeejacke und zerschlissene Levi's. Er saß gekrümmt, die Ellbogen auf die Knie gestützt. Sein langes schwarzes Haar war ein strähniges Durcheinander, und der Schnurrbart hätte dringend geschnitten werden müssen. Er hatte keine Schuhe an, und seine Füße waren verschmutzt. Doch selbst in diesem Aufzug und trotz seines erschöpften Gesichtsausdrucks hatte er immer noch das Aussehen eines Filmstars. Das sagten alle.

Er legte den Kopf schief, strich seine Haare zurück und schaute Leni an. Wenngleich sein Lächeln etwas angestrengt war, hellte es dennoch sein Gesicht auf. Und das war das Problem mit ihrem Vater: Er mochte launisch und jähzornig sein, mitunter sogar furchterregend, doch das war er nur, weil er Gefühle wie Liebe und Verlust und Enttäuschung so intensiv erlebte. Vor allem die Liebe. »Lenora«, sagte er mit seiner heiseren Raucherstimme. »Ich habe auf dich gewartet. Es tut mir leid. Heute früh war ich einfach außer mir. Ich habe meinen Job verloren. Du musst schrecklich enttäuscht von deinem Vater sein.«

»Nein, Dad.«

Leni wusste, wie leid es ihm tat. Sie konnte es von seinem Gesicht ablesen. Als sie noch kleiner war, hatte sie sich manchmal gefragt, wozu die vielen Entschuldigungen gut sein sollten, wenn sich doch nie etwas an seinem Verhalten änderte. Mom hatte es ihr erklärt. Der Krieg und die Gefangenschaft hatten in ihrem Vater etwas zerbrochen. *Stell dir vor, er wäre verletzt*, sagte sie. *Und einen Menschen, der leidet, hört man nicht einfach auf zu lieben. Im Gegenteil, man selbst wird stärker, damit er Halt bei einem finden kann. Er braucht mich. Uns.*

Leni setzte sich zu ihrem Vater. Er legte einen Arm um sie und zog sie an sich. »Die Welt wird von Verrückten regiert. Das ist nicht mehr mein Land. Ich möchte …« Er ließ den Satz unbeendet. Leni sagte nichts. Sie war diese Traurigkeit ihres Vaters, seine Enttäuschung von der Welt, gewöhnt. Ständig brach er mitten im Satz ab, als fürchtete er, sonst etwas allzu Beängstigendes oder Deprimierendes von sich zu geben. Leni verstand diese Verschlossenheit. Sie hatte längst begriffen, dass es oftmals besser war zu schweigen.

Ihr Vater griff in seine Jackentasche und zog ein zerdrücktes Päckchen Zigaretten hervor. Er steckte sich eine an. Leni stieg der vertraute beißende Geruch in die Nase.

Sie wusste, wie groß das Leid war, das er mit sich herumtrug. Manchmal wurde sie nachts von seinem Weinen geweckt, hörte, wie ihre Mutter ihn zu beruhigen versuchte. *Ganz ruhig, Ernt, es ist vorbei, du bist zu Hause, in Sicherheit.*

Dad schüttelte den Kopf und stieß eine blaugraue Rauchwolke aus. »Ich möchte einfach … mehr – verstehst du? Nicht nur einfach einen Job. Ein Leben. Ich möchte über die Straße gehen, ohne Angst haben zu müssen, dass mich irgendjemand ein imperialistisches Schwein oder einen Kindermörder nennt. Ich will ...« Er seufzte. Lächelte. »Mach dir keine Sorgen. Alles wird gut. Wir schaffen das.«

»Du findest einen neuen Job«, sagte Leni.

»Natürlich, Rotfuchs. Morgen ist ein neuer Tag.«

Das sagten ihre Eltern immer.

⁂

An einem trüben und kalten Morgen Mitte April wurde Leni früh wach. Sie stand auf, hockte sich auf ihren Platz auf dem durchgesessenen Sofa mit dem Blumenmuster und stellte die *Today Show* an. Auf der Suche nach einem vernünftigen Bild richtete sie die beiden Antennenstäbe aus. Als das Bild endlich scharf war, hörte sie die Moderatorin Barbara Walters sagen: »Auf diesem Foto sieht man Patricia Hearst, die sich jetzt Tania nennt, bei einem kürzlich erfolgten Banküberfall in San Francisco mit einem Gewehr. Augenzeugen berichten, dass die neunzehn Jahre alte Enkeltochter des Medienmoguls William Randolph Hearst, die im Februar von der Symbionese Liberation Army entführt wurde ...«

Leni war wie gebannt und konnte noch immer nicht glauben, dass eine »Armee« einfach in eine Wohnung marschieren und eine Neunzehnjährige mitnehmen konnte. Wie sollte man sich in einer solchen Welt noch sicher fühlen? Und wie wurde aus einer reichen jungen Frau eine Revolutionärin namens Tania?

»Es wird Zeit, Leni«, rief ihr ihre Mutter aus der Küche zu. »Mach dich für die Schule fertig.«

Die Haustür flog auf.

Dad kam herein und strahlte auf eine Weise, die es Leni unmöglich machte, ihn nicht auch anzulächeln. Der niedrige triste Flur mit seinen grauen Wänden voller Stockflecken stand in keinem Verhältnis zu seiner energischen, kraftvollen Erscheinung, er wirkte beinah überlebensgroß. Wasser tropfte aus seinem Haar.

Mom stand am Herd und briet Frühstücksspeck.

Dad stürmte in die Küche und stellte das Kofferradio auf dem Küchentresen lauter. Ein kratziger Rocksong ertönte. Er lachte und nahm ihre Mutter in die Arme.

Leni hörte, wie er: »Es tut mir leid. Verzeih mir«, zu ihr sagte.

»Immer«, antwortete Mom und umschlang ihn, als hätte sie Angst, er würde sie fortstoßen.

Er legte einen Arm um ihre Taille, führte sie zum Küchentisch und zog einen Stuhl hervor. »Leni, komm zu uns«, rief er.

Es bedeutete Leni viel, wenn ihre Eltern sie einbezogen. Sie verließ das Sofa und setzte sich zu ihrer Mutter. Dad zwinkerte ihr zu und überreichte ihr ein Taschenbuch von Jack London, »Ruf der Wildnis«. »Das wird dir gefallen«, sagte er.

Er ließ sich ihrer Mutter gegenüber nieder, rückte dicht an den Tisch heran und lächelte wie immer, wenn er irgendetwas vorhatte. Leni kannte dieses Lächeln. Offenbar hatte er wieder eine Idee, wie sie ihr Leben ändern könnten. Es hatte schon viele solcher Pläne gegeben. Einmal hatten sie alles verkauft und waren den Highway am Big Sur an der Westküste entlanggefahren, um dort zu zelten. Ein ganzes Jahr lang. Ein anderes Mal hatten sie Nerze gezüchtet, was ein echter Horror gewesen war. Als Nächstes hatte ihr Vater beschlossen, nach Kalifornien zu gehen und den Gärtnern dort Samentütchen zum Verkauf anzubieten.

Nun griff er in seine Jackentasche, holte einen zusammen-
gefalteten Brief heraus und knallte ihn triumphierend auf
den Küchentisch. »Erinnerst du dich an meinen Freund Bo
Harlan?«

Mom dachte einen Moment lang nach, bevor sie antwortete. »Aus Vietnam?«

Dad nickte. Zu Leni sagte er: »Bo Harlan war der Crew
Chief und ich der Bordschütze. Wir gaben uns gegenseitig
Rückendeckung, immer. Wir waren auch zusammen, als sie
unseren Hubschrauber runtergeholt haben und wir gefangen
genommen wurden. Wir sind zusammen durch die Hölle gegangen.«

Bei diesen Worten fing er an zu zittern. Er hatte die Ärmel
seines Hemds hochgerollt, und Leni konnte die Brandmale
sehen, tiefe Furchen, die sich von den Handgelenken bis zu
den Ellbogen zogen, mit runzliger, verunstalteter Haut, die
nie bräunte. Leni wusste nicht, wie diese Narben entstanden
waren. Ihr Vater hatte es ihr nie erklärt und sie nie danach
gefragt, doch sie war zu dem Schluss gekommen, dass er sie
den Männern, die ihn gefangen genommen hatten, verdankte.
Auch sein Rücken war von Narben bedeckt, die Haut voller
Schwielen und Knubbel.

»Sie haben mich gezwungen, dabei zuzusehen, wie er starb.«

Leni warf ihrer Mutter einen Blick zu. Darüber hatte ihr
Vater bisher nie gesprochen. Es war verstörend, sich so etwas
vorzustellen.

Dad begann mit dem Fuß einen Takt zu schlagen und
trommelte dazu mit den Fingern auf den Tisch. Dann entfaltete er den Brief, strich ihn glatt und drehte ihn so, dass Leni
und ihre Mutter den Text lesen konnten.